Verslaafd aan mode?

18,95

D0273410

Guillaume Erner

Verslaafd aan mode?

Hoe ze wordt gemaakt
Waarom we haar volgen

VERTAALD DOOR
IRENE GROOTHEDDE

UITGEVERIJ DE ARBEIDERSPERS
AMSTERDAM · ANTWERPEN

Ouvrage publié avec le concours du Ministère français de la Culture – Centre National du livre.

Dit werk is gepubliceerd met medewerking van het Franse Ministerie van Cultuur – Centre National du livre.

Copyright © 2004 Éditions La Découverte
Copyright Nederlandse vertaling © 2006 Irene Groothedde/
Uitgeverij De Arbeiderspers, Amsterdam
Oorspronkelijke titel: *Victimes de la mode?*
Oorspronkelijke uitgave: La Découverte, Parijs

Niets uit deze uitgave mag worden verveelvoudigd en/of openbaar gemaakt, door middel van druk, fotokopie, microfilm of op welke andere wijze ook, zonder voorafgaande schriftelijke toestemming van BV Uitgeverij De Arbeiderspers, Herengracht 370-372, 1016 CH Amsterdam. *No part of this book may be reproduced in any form, by print, photoprint, microfilm or any other means, without written permission from BV Uitgeverij De Arbeiderspers, Herengracht 370-372, 1016 CH Amsterdam.*

Omslagontwerp: Studio Ron van Roon
Omslagillustratie: Image Store

ISBN 90 295 6398 2 / NUR 740
www.arbeiderspers.nl

Voor Marie

'Wees ervan verzekerd dat, wanneer iedereen denkt zelf te kunnen beslissen over de vorm van een kledingstuk of over correct taalgebruik, hij er niet voor terugdeinst over alle dingen zelf te oordelen, en als de kleine maatschappelijke conventies zo slecht worden nageleefd, reken er dan maar op dat er in de grote een belangrijke revolutie plaats heeft gevonden.'

Alexis de Tocqueville, *De la démocratie en Amérique*

'Ze ontdekten de wollen kleding, de zijden blouses en de overhemden van Doucet, de stropdassen van voile, de zijden hoofddoekjes [...] en ten slotte de magistrale schoenenhiërarchie die van de Churches naar de Westons, van de Westons naar de Buntings en van de Buntings naar de Lobbs leidt.'

Georges Perec, *De dingen*

INHOUD

WOORD VOORAF

Sociologen zijn serieuze lieden; ze hebben geen tijd om de mode te volgen. Op enkele uitzonderingen na kijken universiteiten neer op trends. Op haar beurt weet de modewereld niets van sociologie. Waarom zou je je vervelen met literatuur die barst van het jargon? De dagen zijn te kort en de nachten niet lang genoeg om je aan dat soort ongein over te geven.

De wereld van Zara en Chanel wordt dus zelden door sociologen bestudeerd. Toch is mode een volkomen legitiem onderwerp voor het vakgebied dat als taak heeft maatschappelijke verschijnselen te begrijpen. Niet-logische collectieve denkbeelden zijn vertrouwde onderwerpen voor de sociologie. Als 'zelfs de meest bizarre overtuigingen [...] kunnen worden onderworpen aan een wetenschappelijke analyse',[1] zoals Raymond Boudon beweert, dan heeft de sociologie alle reden om aandacht te schenken aan de mode. Wat is er immers *vreemder* dan een trend? Wat heeft het voor zin om ieder seizoen de roklengte te willen veranderen? Hoe valt een systeem te rechtvaardigen dat mensen die toch volwassen zijn aan te zetten tot verspilling? De overtuigingen die aan dergelijk gedrag ten grondslag liggen, zijn net zo ongerijmd als regendansen of de angst voor een inval van buitenaardse wezens.

Dat neemt niet weg dat mode in de sociologie geen hoogstaand onderwerp is. Bij het onderzoeken van dit verschijnsel en de vormen waarin het zich tegenwoordig voordoet, moeten er voorwerpen worden bestudeerd die als banaal worden beschouwd, moet er niet alleen over kleding worden gepraat maar ook aandacht worden geschonken aan de bedrijven die deze maken en nog meer aan de merken die er hun logo op zetten. Merken vervullen ten opzichte van de mode een rol die te vergelijken is met die van de zwaartekracht ten opzichte van het vallen van lichamen. Je mag het jammer vinden dat ze bestaan en zo belangrijk zijn, maar je kunt ze onmogelijk negeren. Wie ze onderzoekt moet zich dan ook met deze frivole onderwerpen bezighouden, moet even de gebruikelijke vragen van de sociologie – over het kapitalisme en andere vormen van secularisering – achterwege laten en zich buigen over Prada en Gucci, over de kleur en de snit van jurken.

Een laatste voorzorgsmaatregel. In de sociologie is het traditie dat men zijn 'verhouding tot het onderwerp' expliciet formuleert, uitlegt welke relatie er is aangegaan met datgene wat wordt bestudeerd. Dan kan ik het net zo goed bekennen: de band tussen schrijver dezes en de kledingbranche is allesbehalve theoretisch. Als kleinzoon van kleermakers en zoon van confectiefabrikanten – en zelf al meer dan twaalf jaar werkzaam op dit gebied – kent hij de wereld van de kleding van binnenuit. Het onderzoek is dus vijfendertig jaar geleden begonnen, wat zowel een mogelijkheid als een beperking inhoudt. Je kunt in de gegeven omstandigheden onmogelijk neutraal blijven tegenover een wereld die je zo vertrouwd is, op een intieme en bijna lichamelijke manier. Het gevaar schuilt niet in partijdigheid; tegen afwijkingen die daar eventueel uit voortkomen waakt het geweten. Je loopt daarentegen wel het risico je begripvoller tegenover deze wereld op te stellen dan een socioloog zou doen die haar niet zou kennen. Want net als vroeger brengt de wereld van de kleding, van de *sjmattes*, zoals de joden in het Jiddisch zeiden, de gemoederen nog steeds ongelooflijk in beroering. Je komt er eenvoudige lieden en slimme kooplui tegen. Er wordt dezelfde taal gesproken van Tokio, via Hongkong, tot Tel-Aviv, vermogens worden opgebouwd en storten weer in met de snelheid van een ritssluiting, de meisjes zijn mooi, de jongens van lichte zeden, en omgekeerd. Deze wereld wordt geregeerd door Grieks en Hebreeuws. Twee essentiële woorden, die New Yorkers dagelijks gebruiken: *hubris*, overmoed volgens Aristoteles, en *chutzpah*, een Hebreeuwse term die zoiets als lef betekent. De modewereld heeft niet het alleenrecht op chutzpah en hubris, maar is wel een van de belangrijkste producenten ervan. Zonder chutzpah zou Ralph Lauren, de in Brooklyn geboren zoon van joodse immigranten, de Amerikaanse *gentry* nooit hebben durven leren hoe ze zich moest kleden. Alleen hubris kon Giorgio Armani inspireren tot het ongelooflijke hoofdkantoor waarop zijn bedrijf in Milaan zichzelf heeft getrakteerd. Maar deze ontwerper is niet bang voor overdrijving: heeft hij zijn naam niet overgedragen op een imperium, Emporio Armani? Toch is de modewereld voor wie er oog voor heeft niet de lichte en oppervlakkige wereld zoals die vaak wordt afgeschilderd. Sinds Cocteau weten we dat 'mode jong sterft', en daarom heeft ze een ernstig voorkomen. Wie in het Carreau du Temple rondloopt, het historische hart van de Parijse textielsector waar nu weer prêt-à-portershows worden gehouden, schat deze – helaas profetische – woorden op waarde. De milde melancholie waarin deze straten zijn ondergedompeld weerkaatst de echo van de joden die de kampen overleefden en na de oorlog op deze plek hun eerste kleren verkochten, gemaakt van legerstof. Ze is ook ontstaan door al diegenen die zijn gestorven aan aids en maken dat de mode tegenwoordig een wereld in de rouw is.

De sociologie kan niet alles. Ze kan al helemaal het verleden niet opnieuw tot leven wekken of de doden weer tot leven brengen. Maar ze kan hun eer bewijzen door ons te helpen het heden te begrijpen.

WOORD VOORAF BIJ DE
NEDERLANDSE VERTALING

Kun je, louter op grond van de kleding die voorbijgangers dragen, raden of je je aan de oevers van de Theems of die van de Seine bevindt of langs een Amsterdamse gracht loopt? Een paar jaar geleden zou het experiment waarschijnlijk afdoende zijn geweest. Maar vandaag de dag is dat lang niet zeker. Natuurlijk hebben sommige namen mede aangetoond dat geen enkele regio ter wereld het alleenrecht op het creëren van mode heeft. Antwerpen is inmiddels een verplicht bedevaartsoord voor de club van fashionista's. Dries Van Noten, Viktor & Rolf en Dirk Bikkembergs zijn geaccepteerd te midden van de weinige ontwerpers die door moderedactrices voor vol worden aangezien. Maar ook al zijn deze namen wereldberoemd onder *fashion addicts*, ze zijn er niet in geslaagd een ander aanzien te geven aan een nationale mode die in Nederland en elders nog steeds grotendeels beheerst wordt door goedkope modemerken als H&M, Zara enzovoorts.

Gezegd moet worden dat mode uit het noorden verschillende handicaps tegelijk heeft. Ten eerste getuigt ze van veel aandacht voor stoffen. Een ontwerper als Dries Van Noten kiest zorgvuldig de stof uit voor de kleding die hij vervaardigt, en sluit zich daarmee aan bij een eeuwenoude traditie. Hij ontwerpt overigens zelf de meeste stoffen die hij gebruikt. Maar deze werkwijze heeft een – exorbitante – prijs en steeds minder mensen zijn erin geïnteresseerd. Passie voor edele materialen op het gebied van kleding komt steeds minder vaak voor. Ook daar zegeviert de schijn over de rest, winnen kwantiteit en status het van kwaliteit. De tweede handicap is dat het vaak om conceptuele en uit de toon vallende mode gaat. Dries Van Noten houdt van rood en oranje, Viktor & Rolf zouden de meeste van hun creaties vergezeld kunnen doen gaan van een tekst van Derrida die bedoeld is om ze begrijpelijk te maken.

De combinatie van aandacht voor stof en details, en een cerebrale mode bezorgt de noordse ontwerpers noodzakelijkerwijs een elitair publiek. Dat is het spoor dat Dries Van Noten volgt. Tijdens zijn Parijse show in de herfst van 2005 probeerde deze ontwerper de landelijke wereld van het verleden en de stedelijke wereld met elkaar te verbinden, wat een zeldzame en verfijnde mengeling van grove materialen, zoals denim, en elegante vormen opleverde. Zoals de Belgische ontwerper het uitlegde: 'Het is een zeer vrolijk stemmende exercitie om eeuwenoude tradities met behulp van minieme subversieve ingrepen een actuele waarde te geven. Zo kunnen we er een ander karakter aan geven, maar ook nieuwe technologieën inbrengen,' vervolgt hij. 'Werkkleding onttrekt zich aan de modes en doorstaat de tijd: tegenwoordig maakt ze deel uit van een stadse garderobe die het functionele en het authentieke perfect combineert.'[1] Is het de noordenwind? In ieder geval zeiden Viktor & Rolf, die na een op vissers geïnspireerde collectie met hun visioen van een 'chique boer' kwamen, hetzelfde. 'Onze collectie 2006 belichaamt de behoefte aan intimiteit. We hebben ons laten inspireren door Hollandse landschappen en boeren die hun zondagse kleren hebben aangetrokken om naar de kerk te gaan.' Schitterende beelden, scherpzinnige woorden, maar hoeveel mensen zullen, in Nederland of in het buitenland, die avant-gardistische vormgeving van de mode waarderen? Voor deze ontwerpers, net als voor al hun collega's, ligt het heil in de parfumfles. In de flacon zal hun kledingmode de middelen vinden om nog steeds zo selectief te zijn. Vandaar het door Viktor & Rolf gelanceerde parfum 'Flowerbomb', dat geacht wordt hen in staat te stellen een mode te ontwerpen die in de smaak valt bij de happy few.

Maar de ontwerpers uit het noorden zijn niet de enige slachtoffers van dit modesysteem. De wereld staat tegenwoordig onder de heerschappij van trends; geen enkele samenleving kan de dans ontspringen. Dat geldt voor Amsterdam en Antwerpen, maar ook voor Parijs. Want in de Franse hoofdstad heeft niet alleen de haute couture zorgen; ook de goedkope mode-industrie heeft – en dat is nieuw – te lijden onder de concurrentie uit zuidelijke en noordelijke landen. Wiens schuld is dat? De schuld van zes letters waarvan

er zich vier in het zuiden en twee in het noorden bevinden: enerzijds Zara en anderzijds H&M.

De geschiedenis van het kapitalisme zit vol met dergelijke periodes van creatieve vernietiging, zoals Schumpeter ze noemde,
waarin een land zijn concurrentievoordeel kwijtraakt aan een ander land. Maar in het geval van de goedkope Franse mode is het de
in eigen land uitgevonden methode zelf die zich tegen haar uitvin-
ders keert. Zo droeg de methode die aan de basis staat van het succes van Zara en H&M ooit de naam van de Parijse buurt waar ze was
ontstaan: de Sentier. Daar, in die smalle straatjes, was een welva-
rend volkje van de ochtend tot de avond in de weer om kleding te
maken voor de gewone Fransen en zelfs voor buitenlanders. Het
was een buurt die openstond voor emigranten die daar een plek
vonden waar niet al te veel werd gelet op etnische of religieuze afkomst. Ze konden er werken, ook al hadden ze als enige bagage
bereidwilligheid en het verlangen zich te redden. Onder die veel-
kleurige bevolkingsgroep bevonden zich veel joden, asjkenazim
en later sefarden, die beroemd waren vanwege hun vlotte babbel,
vereeuwigd in twee films die in Frankrijk enorm succesvol was:
La vérité si je mens (De waarheid als ik lieg) 1 en 2. Vervolgens kwamen er andere gemeenschappen: Joegoslavische, Chinese en Pa-
kistaanse.

Maar de waarheid is dat deze buurt wegkwijnt, terwijl zijn methode zegeviert. Deze methode berust op twee principes. Het eerste bestaat in gebruikmaking van inspiratie voor de eerlijksten, en
in nabootsing voor de minder gewetensvollen. De laatste kleerma-
ker van Chanel werd wonderbaarlijkerwijze gekopieerd, in winkels die in niets deden denken aan de wereld van de haute couture. Maar je moest er werkelijk absoluut geen verstand van hebben
om de kopie en het origineel niet uit elkaar te kunnen houden. Het
tweede principe: niet vertrouwen op de mode en dus in kleine series produceren. 'Mode is wat uit de mode raakt,' zei Coco Chanel.
De handwerkslieden van de Sentier hadden vertrouwen in haar en
werkten zonder er een voorraad van eindproducten op na te houden; ze reageerden razendsnel op iedere verandering in de vraag.

Maar als u tijdens uw volgende bezoek aan Parijs besluit een be-
zoekje te brengen aan de Sentier, loopt u kans flink teleurgesteld

te raken. Want tegenwoordig is deze buurt in commercieel opzicht een woestenij. Achter de neergelaten gordijnen zijn er nog een paar prêt-à-porterfabrikanten over. Het gebied is 'veryupt', met alle jonge stellen die die grote winkeloppervlakken kopen om ze tot appartement te verbouwen. Zelfs de grootste optimisten geven de prêt-à-porter niet meer dan twee of drie jaar voordat deze volledig uit het hart van Parijs is verdwenen. De paar overgebleven zaken zullen zich moeten verplaatsen naar de banlieue.

Met het verdwijnen van de goedkope Franse mode-industrie wankelt er – weer – een hele sector van de Franse economie. De reden is dat deze middenstanders niet konden of niet wilden meegaan in de richting die de goedkopemodereuzen insloegen. Toch wisten ze in commercieel opzicht precies hoe ze te werk moesten gaan. Het stond als een paal boven water dat ze moesten voorzien in de behoefte van modeconsumenten aan status en dat ze de grote merken moesten na-apen. Maar ze moesten verder gaan: eigen winkels openen, niet alleen maar fabrikant willen zijn. Als ze dat andere vak – dat van distributeur – hadden beheerst, zouden ze nu niet worden achtervolgd door een Spaanse nachtmerrie. Net als Zara en H&M zouden ze beschikken over verschillende winkels met een totale oppervlakte van vijfduizend vierkante meter aan de avenue de Rivoli, de belangrijkste winkelstraat van Parijs. Dat deze ketens hun producten tegen zulke lage prijzen verkopen, komt doordat de tussenhandel is verdwenen: ze verkopen zelf wat ze produceren. De Sentier heeft er weliswaar goed aan gedaan zijn productie nooit te industrialiseren, om zijn reactievermogen niet te verliezen, maar is vergeten het proces van de detailverkoop te industrialiseren.

Tegenwoordig zijn Zara, H&M en consorten de McDonald's van de kleding geworden. Ze doen meer voor de uniformering van onze straten dan alles wat we hiervoor hebben gezien. Wie is het nooit opgevallen dat de broeken en jasjes die je in Athene, New York of Tokio ziet, identiek zijn? Maar ondanks al hun inspanningen moeten deze multinationals nederig blijven ten opzichte van de grillen van de mode die hen op een dag weleens op hun beurt tot slachtoffers zou kunnen maken. Want H&M of niet, de echte vragen bestaan nog steeds. Wel of geen hakken? Hand- of schoudertas? De mode doet altijd precies waar ze zin in heeft, en is zo een kwelling voor slachtoffers die iedere dag in aantal toenemen.

Wie heeft er al van gedroomd midden in de zomer bontlaarzen te dragen? Op het eerste gezicht niet veel mensen. Toch is dat de uitdaging van de mode van afgelopen zomer, alleen maar om zichzelf te bewijzen dat haar macht nog ongeschonden was. Zo konden we bij grote hitte zien hoe fashionista's uit alle landen hun benen tooiden met merkwaardige sloflaarzen met de naam Ugg. Volgens de legende is deze – onontkoombare – uitvinding afkomstig van Australische surfers die geen zin hadden om kou te vatten na het beoefenen van hun favoriete sport. Kortom, een soort schoeisel dat je wel verwacht op een winderig strand, maar dat half juli net zo misplaatst lijkt in de Haarlemmerbuurt als een bermuda midden in de winter... Tja, en nu is de bermuda deze winter net gekroond tot nieuwste trendy kledingstuk...

Er is niets nieuws aan deze aantrekkingskracht van nieuwe modeartikelen, behalve de artikelen zelf. Op maandag zijn het bontlaarzen, op dinsdag is het de bermuda en wat daarna komt is onbekend. Misschien is de samenleving daar wel bang voor: niet weten waar je garderobe morgen uit moet bestaan. En altijd dringt de tijd; tegen de tijd dat je ermee hebt leren leven, is het alweer te laat, dan heeft de ballonrok de bermuda verdreven. Toch voelt de mode zich in dit inmiddels routinematige schouwspel behoorlijk alleen. Wie anders zou de hedendaagse mens de wet kunnen voorschrijven? De familie fluistert, de school onderhandelt, de politiek verontschuldigt zich, maar trends verordenen. In hun onverdeelde heerschappij over de kleine wereld van slachtoffers steken ze boosaardig een stokje voor het zelfvertrouwen van trendwatchers, moderedactrices en andere invloedrijke personen. Voor deze winter is de terugkeer van de ballonrok en van paars aangekondigd, maar voorlopig zien we nog niets komen.

Degenen die een ballonrok of paarse kleren hebben gekocht zijn niet de enige slachtoffers van de grillen van de mode. Ook de financiers hebben veel veren gelaten in de strijd. Rond het jaar 2000 had men, net zoals de 'irrationele uitbundigheid' de investeringen in internetondernemingen beheerste, vergeten dat modebedrijven een redelijke prijs hadden. Voor de financiers was een willekeurig logo goud waard, iedere merkhouder meende de kroonjuwelen in handen te hebben. In die tijd dacht men dat je beter textiel kon bedrukken dan valse geldbiljetten drukken. Een vergissing: textiel was riskanter. Het vervolg toonde aan dat de grillen van de mode bevelen waren waar zelfs de liefhebbers van grijze pakken die financiers zijn zich niet aan konden onttrekken. De overname van Yves Saint Laurent door PPR (Pinault-Printemps-Redoute) pakte niet zo heilzaam uit; met de overname van Jil Sander en Helmut Lang is Prada er vooral in geslaagd kapitaal te vernietigen. Zelfs LVMH (Louis Vuitton Moët Hennessy), een als onfeilbaar bekendstaand concern, is het niet gelukt van Christian Lacroix een merk te maken dat de harten verovert. Iedereen buigt voor talent, behalve de mode. Zonder te hoeven aandringen kunnen we zeggen dat, ook al is een ontwerper getalenteerd, hij geen respect of geduld verdient als hij zich niet aan de trends houdt.

Deze opeenvolging van mislukkingen in de reeks overnames markeert het einde van de 'champagnejaren'. Inmiddels zorgen de grote concerns ervoor dat ze het ego van de ontwerpers tot rede brengen. De halfgoden waren duur, men heeft geprobeerd ze te vervangen door werknemers. Gezegd moet worden dat de episode-Tom Ford de modekringen een blijvend trauma heeft bezorgd. Hij had Gucci gered, hij moest Yves Saint Laurent nieuw leven inblazen. Hij was de absolute icoon, wiens optredens werden voorbereid; zijn assistenten instrueerden de fotografen als volgt: 'Als hij binnenkomt, spreek hem dan niet aan en raak hem niet aan.' Maar Tom Ford is er niet in geslaagd YSL opnieuw in de markt te zetten en zijn vertrek heeft niet geleid tot de verdwijning van Gucci. Genoeg om sommige ontwerpers tot nederigheid te manen, of om te verklaren dat de bekendheid van een Marc Jacobs heel bescheiden is vergeleken bij het merk dat hij ontwerpt, Vuitton.

Voor de merken is de hervonden bescheidenheid van de ontwerpers een goede zaak. Inmiddels verliezen de merken hun voornamen nu ze zich volop overgeven aan het industriële denken. Net als Renault of Bouygues heeft Dior Christian laten vallen en is Chanel niet meer Coco. Als logisch gevolg van een cyclus hebben de merken hun ontwerpers opgeslokt en in een radertje veranderd, een belangrijk radertje weliswaar, maar niet onontbeerlijk voor hun machinerie.

Een teken van de macht die de financiers hebben verworven is dat de modemerken schandalen accepteren, op voorwaarde dat ze winstgevend zijn. Daarom heeft de ontdekking van foto's van een cocaïne gebruikende Kate Moss verwarring gezaaid in de modewereld. Maar omdat het om een jonge vrouw ging die de trend van de 'chique heroïne' had gelanceerd, leek het nieuws niet echt sensationeel. Dat weerhield de opdrachtgevers van het fotomodel, H&M en Chanel voorop, er niet van met elkaar te wedijveren in hypocrisie, door te verklaren dat ze een icoon die jongeren zo'n slecht voorbeeld gaf niet als beeldmerk konden gebruiken. Maar we kunnen gerust zijn: Burberry, dat er ook even over had gedacht haar voor haar diensten te bedanken, is van mening veranderd. Nu het nieuws minder aanstootgevend lijkt, of het schandaal winstgevender, heeft een leidinggevende van het bedrijf met sovjetachtige hypocrisie verklaard dat Kate Moss uiteraard 'nog steeds deel van de familie' was. Gezegd moet worden dat modereclame zich behoorlijk zou vergissen als ze het zou stellen zonder een figuur die inmiddels tot op het bot een belichaming is van verslaving. Als marketing niet probeert afhankelijkheid uit te lokken, waar is ze dan goed voor?

Maar met of zonder Kate Moss weet de mode heel goed hoe ze voordeel en winst moet behalen uit marginaliteit. Het is een manier om te profiteren van het failliet van de ideologieën. Jean Touitou, ontwerper van A P C, heeft kennis van de mode opgedaan door Lenin te kopiëren; inmiddels voorziet hij de intelligentsia van de *rive gauche* van kleding. Ook al lopen de mensen achter een Karl aan, het gaat in werkelijkheid om Lagerfeld. Waarschijnlijk omdat ze tegen beter weten in willen geloven in een mode die nog luxueus, uniek en sensationeel is, in één woord: koninklijk. Maar mode is het tegendeel daarvan: informeel, gemakkelijk, oftewel democratisch. In Parijs sluiten de laatste couturehuizen hun deuren. Niet omdat er minder rijken zouden zijn, maar omdat deze opvatting van mode de geschiedenis de rug toekeert. Waarom een half-jaar op een jurk wachten als je meteen de jurk kunt krijgen die Penelope Cruz in Hollywood droeg?

Mode is waarschijnlijk nog nooit zo eenvormig geweest op de aardbol, naar het voorbeeld van wat er aan het Bourgondische hof gebeurde, alleen is het Bourgondische hof inmiddels de hele aardbol. Dat komt doordat de individuele onderscheidingsstrategieën nu ergens anders huizen. Mensen doen nog steeds hun best om anders te zijn maar daar moeten ze steeds meer energie in steken. Iedereen wil zichzelf worden en dat aan de ander opleggen; iemand weigeren te erkennen zal binnenkort strafbaar worden. We moeten dus gaan bedenken op welke wijze het verschil zich behalve in kleding kan belichamen. Sommigen hebben het al geïntegreerd met behulp van piercings en tatoeages en zelfs langs operatieve weg. Uiteindelijk kunnen we in deze tijd niet alleen onze spijkerbroek maar ook onze mond kiezen. Dat neemt niet weg dat ook die verschillen niet noemenswaardig zijn: we zouden ermee kunnen volstaan dezelfde broek te dragen, maar nee, mensen willen ook nog dezelfde mond en zelfs dezelfde leeftijd. Een voornaam, een meubelstuk, een activiteit, wat maakt het uit, als we onszelf maar kunnen zijn.

De manieren om ons te onderscheiden worden steeds schaarser. De voorspelling van Tocqueville is grotendeels werkelijkheid geworden; mensen lijken steeds meer op elkaar. Als mensen zich nu op dezelfde wijze kleden, komt dat doordat ze steeds meer op elkaar lijken. Wat jammer toch dat veel mensen de overeenkomsten die hen dichter bij elkaar brengen, blijven negeren.

INLEIDING

Een paar maal per dag trok ze een andere jurk aan; een voor iedere gelegenheid. Maar ze had een zwak voor kapsels. Uiteraard vertrouwde ze haar haar niet aan iedereen toe: voor deze serieuze aangelegenheid verliet ze zich op de goede zorgen van een Engelsman, een echte snob naar men zei. Hij veroorloofde het zich zijn klanten uit te zoeken en weigerde soms dames uit de hoogste kringen. De hele dag dacht ze aan niets anders, probeerde ze de crème te vinden die het beste bij haar paste en zich aan te sluiten bij de nieuwe trends die door haar vriendinnen uit het buitenland waren meegebracht. Maar op een dag rolde dat zo goed verzorgde hoofd. Zij was dus niet Gwyneth Paltrow, maar Marie-Antoinette.

De mode is dus al lang in de mode. Tegenwoordig zijn trends niet langer aan de aristocratie voorbehouden; ze zijn gedemocratiseerd. Weinigen bezitten de kracht of de wil om aan hun greep te ontsnappen. Maar radicale vernieuwing moeten we elders zoeken: bij de couturiers en de merken die ze het licht hebben doen zien. Marie-Antoinette, een echte *fashionista*, was verzot op vormen en kleuren. Weliswaar vond ze het niet onbelangrijk wie ze vervaardigde; voor sommige handwerkslieden had ze een voorkeur vanwege hun knowhow. Maar waar het echt om ging was de jurk. Niemand beschouwde kledingontwerpers als kunstenaars. Vele andere beroepsgroepen verkeerden in een benijdenswaardiger situatie; je kon beter architect of kok zijn dan couturier. Het woord bestond trouwens nog niet; het deed pas laat zijn intrede in het Frans, omstreeks 1870, en zette de deur open voor fraaie carrières. Voortaan krijgt het kledingstuk de handtekening of het fabrieksmerk van de couturier; het maatschappelijke verschijnsel mode is er ingrijpend door veranderd.

De twintigste eeuw was de eeuw van de modeontwerpers. In de

jaren dertig al was Coco Chanel een vooraanstaande persoonlijkheid. Een paar jaar later, na afloop van de oorlog, werd Christian Dior in de Verenigde Staten als een staatshoofd ontvangen. En momenteel zijn Jean-Paul Gaultier of Karl Lagerfeld onbetwiste sterren. Elk ontwerp van hun hand wordt verwelkomd, hun kleding natuurlijk maar ook de cosmetica van de een en het dieet van de ander. Wat een weg is er afgelegd! In het tijdsbestek van enkele decennia heeft het personage van de couturier een plek vooraan op het toneel veroverd. Een aanwijzing voor de omvang van de verandering die is opgetreden: op 29 juni 1959 trouwt Brigitte Bardot om half elf 's ochtends met Jacques Charrier. Ze draagt een van de bekendste jurken uit de geschiedenis van de mensheid. Vraag: wie heeft die jurk gemaakt? Antwoord: dat kon niemand iets schelen, de reportage die het tijdschrift Elle aan de gebeurtenis wijdde, maakte melding van het vichy-ruitje, niet van de ontwerper. Die jurk leverde de maker, Jacques Estérel, dus minder op dan de Boussac-groep, die destijds vichy vervaardigde. Inmiddels is het onvoorstelbaar dat een ontwerper op die manier in de vergetelheid raakt: hij is vaak beroemder dan de bruid. Iedere couturier heeft een merk voortgebracht, een soort uitbreiding van zijn macht als ontwerper. Het logo neemt een centrale plaats in het modesysteem in; het lijkt zelfs al het andere achter zich te laten. Zo zijn onlangs aankomende filmactrices ondervraagd over de manier waarop ze gekleed zouden willen gaan voor het festival van Cannes. Hoe beschreven ze het toilet van hun dromen? Door een bijzondere ton sur ton of een beroemd model te noemen? Welnee: ze somden een lijst op van merken waar ze dol op waren.

De ontwerpers hebben een slag gewonnen: hun merken zijn alomtegenwoordig. Hun succes lijkt allesomvattend. Het is alsof niets weerstand kan bieden aan dat ongekende verbond tussen de kunstenaar en de zakenman. Hun ontwerpen zijn te koop in warenhuizen maar worden in musea tentoongesteld. Er wordt gevochten om alles waar ze hun logo op zetten; hun handtekening brengt uit het niets de uiteenlopendste voorwerpen te voorschijn, van parfums tot eettafels. Uiteindelijk is er één verschijnsel dat hun het hoofd biedt: de mode, die wervelwind van trends die ervoor zorgt dat een onbeduidend voorwerp onmisbaar wordt en vervolgens achterhaald raakt. Modeontwerpers weigeren in het openbaar toe te geven dat ze grenzen hebben. Met dezelfde zelfverzekerdheid blijven ze de kleuren en vormen van het volgende seizoen voorschrijven. Ze kunnen niet anders. Als ze hun onmacht zouden erkennen, zouden de enkelingen voor wie hun wens een bevel blijft hen in de steek laten.

Voor modeontwerpers zijn trends net zo goed een mysterie als voor ons. Maar in tegenstelling tot degenen zonder ervaring moeten zij absoluut doen alsof zij er de inspiratiebron van zijn. De handigsten onder hen slagen daar uitstekend in. Deze wijzen weten dat er geen gelijk bestaat tegen de maatschappij in. Zij is de werkelijke scheidsrechter op het gebied van stijl, zij is ook de werkelijk verantwoordelijke voor die door Dior en Chanel zo gevreesde onzekerheid; 'de straat is gevaarlijk creatief', liet Christian Lacroix zich nederig ontvallen.[1] De echte *fashion victims* zijn niet degenen aan wie men denkt: ontwerpers behoren waarschijnlijk tot de eerste slachtoffers van de mode.

Sociologen worden minder door de mode gekweld dan couturiers. Dat is misschien de reden waarom sommige specialisten op het gebied van sociale problemen de mode respect blijven betuigen. Voor hen zijn trends afkomstig uit een zwarte doos die ze fatsoenshalve beter niet kunnen openen. Daarentegen betonen ze zich veel minder barmhartig tegenover de *fashionista's*, die ze aan hun droevige lot overlaten. Zonder de geringste consideratie wordt hun iedere redelijkheid ontzegd. Het is hoog tijd om dat onrecht weer goed te maken en de fabricage van mode te onderzoeken, door de hoofdrolspelers hun redenen en de trends hun oorsprong terug te geven.

Ieder jaar staan er profeten op die de terugkeer van de minirok aankondigen. Maar de minirok heeft het kennelijk te druk: ze stuurt al een paar seizoenen de spijkerbroek in haar plaats. Zo is de mode: grillig, zelfs karaktergestoord. Zelfverzekerd en dominant als ze waren, dachten de eerste couturiers haar wel te kunnen temmen. Worth en Poiret, twee grote pioniers op het gebied van de hedendaagse mode, wisten niet dat hun leven noodgedwongen tragisch zou zijn; door in de mode te raken veroordeelden ze zichzelf ertoe op een dag uit de mode te zijn. Met hen begon de grote stoet

talenten: Poiret overvleugelde Worth alvorens zijn grootmeester-
schap aan Chanel af te staan. Sinds die glorieuze beginjaren zijn
de namen veranderd maar het scenario is hetzelfde gebleven. De
seizoenen hebben voor de ontwerpers hetzelfde lot in petto als
voor kleuren of vormen. Het ene jaar moet het blauw zijn, daarna
gaat men over op rood; op dezelfde manier volgt Gucci op Cerruti.
Natuurlijk is de garderobe niet de enige plek die door cyclische
verschijnselen wordt geregeerd. Toch is van alle modes de kledingmode het raadselachtigst. De *nouvelle cuisine* is evenals de traditionele keuken onderhevig aan bepaalde regels. Een voorbeeld: de
zorg om de lijn speelt een belangrijke rol bij de verbreiding van de
Japanse keuken en de teruggang van de stoofschotel. Op dezelfde
manier lijkt het vaak verklaarbaar waarom een voornaam populair
wordt of dat niet meer is. De toename van de Elvissen in de jaren
zestig in de Verenigde Staten is geen raadsel. Veel ongrijpbaarder
is de logica die duizenden voeten ertoe brengen dezelfde schoenen
te dragen. Hoe is bijvoorbeeld het verrassende lot van de teenslipper te verklaren? Dit schoeisel is lange tijd simpelweg beperkt gebleven tot het strand: sinds de zomer van 2000 weten we dat het
heel goed in de stad gedragen kan worden. Toch heeft de voorzie-
nigheid niet alle schoenen van het zand af gehaald. Die rare door-
zichtige plastic watersandalen mogen zich nog steeds niet te ver
van het water wagen. We zouden in opstand moeten komen tegen
dat onrecht. Maar het lot van de slipper lijkt al bezegeld: de zomer van 2004 is hem naar het schijnt fataal geworden. Te wijdverbreid. In 2002 bracht hij de echte *fashion victims*, die hem droegen,
al in verlegenheid. De slipper is dus om zo te zeggen op weg naar
'pashminisering', afgeleid van de naam van die kostbare omslagdoek – de pashmina – die op klassieke wijze zijn status van *must ha-
ve* heeft ingeleverd voor die van symbool van oubolligheid.

Deze twee heldendichten – die van de teenslipper en van de
pashmina – brengen de drie ingrediënten samen die noodzakelijk
zijn om een doodgewoon voorwerp tot sterproduct te transforme-
ren: willekeur, onderscheid en imitatie. *Willekeur* omdat de slipper succes had waar veel andere schoenen die de voeten bloot lieten het niet hebben gehaald. De muil voor mannen is er niet in geslaagd buiten de grenzen van een klein hip homomilieu te treden.

Verschillende factoren kunnen het succes van de teenslipper verklaren: de prijs of heimwee naar het strand. Deze voorzichtige gissingen ruimen het mysterie echter niet uit de weg. Natuurlijk zijn er een paar gewaagde hypothesen op te stellen. Maar deze mode rechtvaardigen door de hypermoderne mens een neiging tot het onthullen van zijn grote teen toe te dichten – die afgang kan men zich beter besparen. Toch is het ongetwijfeld zo dat het eerste individu dat een blote voet in de rue Étienne-Marcel in Parijs zette, dat deed om zich te *onderscheiden* van alle ouderwetse types met dichte schoenen. Die avant-gardisten werden *geïmiteerd*, zoals in haar tijd Gwyneth Paltrow toen ze een Oscaruitreiking bijwoonde met een pashmina om haar schouders. Volgens de legende – de mode is dol op verhaaltjes – zou de omslagdoek zijn meegenomen van een onwaarschijnlijke reis naar Tibet. De foto's van de schone gingen de wereld rond, en de professionals gingen koortsachtig op een wereldkaart op zoek naar Tibet, vooruitlopend op de volgende mode.

Achteraf kunnen de pashmina en de teenslipper worden beschouwd als eenvoudige gevallen. Om het succes van deze twee artikelen te voorspellen zijn er maar twee alternatieven. Eerste mogelijkheid: evenveel waarzegsters raadplegen als er potentiële consumenten zijn om hun smaak en behoeften te raden. De tweede methode, die in de sociologie acceptabeler is: gebruikmaken van modellen op grond waarvan collectieve keuzen kunnen worden begrepen vanuit individuele beslissingen. Wij zullen de voorkeur geven aan deze laatste methode en laten de astrologie over aan de zogenaamde sociologen – Élisabeth Teissier heeft een omstreden doctoraat in de sociologie verkregen – en aan de echte couturiers – Paco Rabanne heeft zich zoals bekend bezondigd aan enkele voorspellingen.

Mode is niet alleen op kleding van toepassing; ook merken hebben ermee te maken. Om mode te creëren moesten deze zich aan haar regels onderwerpen, met andere woorden, trend worden en uit de gunst raken. De wreedheid van dit lot kwam niet onmiddellijk aan het licht: de hoop die op het merksysteem was gevestigd was enorm. De opwinding van de pioniers deed denken aan die van alchemisten als het hun was gelukt lood in goud te veranderen. Hun macht leek gigantisch: zo hoefde er maar een logo op een doodgewoon poloshirt te worden gezet om er een echte Lacoste van te maken.

Chanel en Dior waren waarschijnlijk de eersten die zich bewust werden van de macht van het merk. Coco merkte op dat het noemen van haar naam voldoende was om de meest uiteenlopende producten te verkopen. Een voorbeeld: ze wist niet veel van parfum, toch had ze met haar N° 5 van meet af aan groot succes. Nu is dit nummer haar enige schepping die ongeschonden tot ons is doorgedrongen. Gesteund door die constatering trok Dior de stoute schoenen aan en besloot zijn naam te 'verhuren'. Proefkonijn werd een fabrikant van Amerikaanse dassen, die snel een volledige collectie met de naam van de couturier vervaardigde en op de markt bracht. Toch had Dior niet één van die accessoires gemaakt. Erger nog, die dassen stonden zo ver van zijn smaak af dat hij bij wijze van zelfbescherming het bestaan ervan liever negeerde.

Met de ontdekking van Dior deed het licentiestelsel zijn intrede, dat het mogelijk maakte alles – en soms de onbeduidendste dingen – de meest prestigieuze namen te geven. In economische termen wordt deze mogelijkheid rente genoemd, of ook wel kapitaal dat in staat is inkomsten te genereren. Grondrente is al heel oud, maar berust op grond, die geërfd of verworven wordt. Het merk is een overschakeling naar het immateriële: een enigszins verdoolde, avontuurlijke jongeman als Christian Dior kan zomaar ineens in het bezit zijn van een kostbaar vermogen. Het belang van een dergelijke uitvinding kon de financiers niet ontgaan. Ineens kregen strenge managers die er nooit over peinsden de kleur van hun grijze pak te veranderen, belangstelling voor de mode. Grote bedrijven als LVMH of PPR gingen merken verzamelen om de rente te vermeerderen. Helaas kan de rente die getrokken wordt van een merk snel wisselen; in de jaren tachtig van de vorige eeuw ging er niets boven Cerruti, maar tegenwoordig... De modemerken zijn overgeleverd aan de willekeur van de mode. Hoeveel ze ook investeren in publiciteit en hoezeer ze zich ook laten voorstaan op de grote luxetraditie, ze moeten leren leven met het meest veranderlijke deel van onze samenleving: trends. De wereld is tegen hen. Rondom ieder modehuis staan concurrenten te spioneren en te popelen om goedlopende modellen na te volgen. En onder de concurrenten van de haute couture zitten ook 'basse couture'-bedrijven, de Zara's en H&M's, die vol ongeduld het geringste succesje van de prestigieuze merken afwachten om er goedkope bewerkingen van op de markt te brengen.

Alsof trends en concurrentie hun nog niet genoeg tegenslag bezorgden, zijn de modemerken ook nog eens aangevallen door de beschimpers van het kapitalisme, waarbij ze voor de gelegenheid symbolen voor de consumptiemaatschappij werden. In *No Logo*[2] stelt Naomi Klein vooral de verspreiding van de *swoosh*, die gestileerde komma die het merk Nike vertegenwoordigt, in de openbare ruimte aan de kaak. Meer in het algemeen zijn die merken gehekeld vanwege hun bijdrage aan een onrechtvaardige wereld. Mikpunt waren hun productiemethoden, evenals de verkooptechnieken die deze bedrijven hadden ontwikkeld. De onthullingen over de werkomstandigheden in bepaalde fabrieken die in derdewereldlanden kleding van prestigieuze kwaliteitsmerken vervaardigen, choqueerden de publieke opinie in ernstige mate. Deze protesten lijken resultaat te hebben gehad aangezien veel bedrijven naar aanleiding hiervan schuld hebben bekend, te beginnen met Nike.

Maar de antikapitalistische activisten hebben de strijd aangebonden met een tegenstander die sterker is dan zij. Weliswaar kan geen enkel bedrijf hun weerstand bieden: de boycotdreigingen waren genoeg om de koppigste bedrijven op de knieën te dwingen. Toch is het nog nooit zo goed gegaan met de trends en het systeem dat erdoor wordt gevoed. De mode is geen uitvinding van handelaren. Ook al kunnen zij profiteren van het enthousiasme dat erdoor wordt opgewekt, de mode zou ook onafhankelijk van hen bestaan. In haar huidige vorm is ze opgedoken aan het begin van de moderne tijd en voor de hedendaagse mens lijkt ze onvermijdelijk. Mode is misschien een slavernij, maar wel een vrijwillige slavernij. Geen enkel merk en geen enkele ontwerper kan ons verplichten te leven met vrees en eerbied voor de trends. Er is maar één persoon sterk genoeg om ons te dwingen de mode te volgen: wijzelf. Uiteindelijk zou de mode een banale leugen zijn als ze niet vooral een leugen was waarin wij willen geloven, en zelfs graag willen geloven.

EERSTE DEEL
Het fabrieksmerk

1 De opkomst van de couturier

Couturier: misschien een van de jongste beroepen ter wereld, op-
gekomen aan het eind van de negentiende eeuw. Een moeilijk, lastig in te delen beroep. Acteurs belanden in de hel, aristocraten aan
de lantaarn, maar naaldkunstenaars, waar komen die terecht? Tegenwoordig kom je ze overal tegen. Het zijn niet alleen kunstenaars, maar ook sterren, zakenlui. De bladen maken ruzie om hen,
en als ze niet in hun atelier of in het vliegtuig te vinden zijn, is dat
omdat ze gehoor moeten geven aan een uitnodiging voor een bij-
eenkomst die ter ere van hen wordt gehouden door een financier.
Toen de man die aan de oorsprong van het vak stond, Worth, voor
deze carrière koos, verwachtte hij er niet zoveel van. Hij wilde alleen maar kleren voor vrouwen maken. Hij wist niet dat een eeuw
later zijn soortgenoten hun naam zouden gebruiken om parfum te
verkopen of imperia te stichten. Couturiers hebben de mode niet
uitgevonden – die ontstond in het Westen in de veertiende eeuw –
maar ze hebben geprobeerd haar te temmen. Ogenschijnlijk hebben ze de strijd tegen de trends gewonnen: inmiddels leggen zij
hun stijl op aan de kleding die we dragen. Hun bijzondere identiteit, die het midden houdt tussen die van kunstenaar en ster, verleent hun de macht op elk van hun ontwerpen iets van hun aura
aan te brengen.

VAN DE EERSTE COUTURIER TOT HET
EERSTE MODEMERK

Gewoonlijk was kleding een aangelegenheid van handelaren of
ambachtslieden. Maar Charles Frederick Worth wilde het een
noch het ander zijn. Hij beschouwde zichzelf als een ontwerper!

En die volharding loonde: hij creëerde halverwege de negentiende eeuw het personage van de couturier. Weliswaar was hij niet de eerste die enkele geprivilegieerden aanbood hun kleding te vervaardigen. Al eerder vierde een zekere Leroy triomfen nadat hij de kleren had gemaakt die Napoleon droeg tijdens zijn kroning. Maar het einde van de keizer betekende ook het einde van Leroy. Worth volgde hem op en kwam met een cruciaal idee: vernieuwing. Hij was degene die op de gedachte kwam een stijl en een belofte van nouveautés op één plek samen te brengen. In 1858 wijdde hij zijn 'huis' in, waarbij hij een slogan koos die voor een manifest kon doorgaan: 'Hautes nouveautés'. Tot dan toe had nog nooit iemand verandering als zodanig uitgevonden en zich erop laten voorstaan. Daar, in die winkel op een vreemde plek in een nieuwe Parijse wijk, die leek voorbestemd voor een mooie toekomst, de rue de la Paix, beloofde hij voor ieder seizoen de nieuwste snufjes.

Net als portretschilders koos Worth zijn onderwerp niet uit. Wel schreef hij een aanpak voor. De inhoud van zijn werk, zo legde hij uit, was niet 'alleen uitvoeren maar vooral uitvinden. Ontwerpen is het geheim van mijn succes,' voegde hij eraan toe. 'Ik wil niet dat de mensen hun kleding bestellen. Als ze dat zouden doen, zou ik de helft van mijn handel kwijtraken.'[1] Hoe vermaard zijn klanten ook waren, ze waren niet de baas. Op het gebied van stijl zorgde hij ervoor dat hij de enige bleef met beoordelingsbevoegdheid. Hield keizerin Eugenie niet van brokaat? Op last van haar echtgenoot Napoleon III zou ze toch de japon van gebloemd brokaat dragen die haar werd aangeboden – pardon: opgelegd – door Worth. Eugenie, die niet haatdragend was, zorgde er – net als een andere legendarische aristocrate, Sissi (Elisabeth van Oostenrijk) – voor dat deze ontwerpen onsterfelijk werden door in een japon van zijden tule, versierd met goudborduursel, voor de schilder Winterhalter te poseren. Worth beschouwde zichzelf niet als de leverancier van deze dames; hij wilde hun gelijke, hun vriend, hun vertrouweling zijn. Omdat hij tot hun wereld behoorde, zo legde hij uit, kon hij begrijpen wat koningin Victoria of de vrouw van de tsaar verwachtte. En om hen over te halen zijn ontwerpen te kopen kwam hij op het idee deze te laten dragen door echte vrouwen: zo vond hij de mannequins uit, die aanvankelijk 'sosies' oftewel 'dubbelgangers' werden genoemd.

De ontwerpen van Worth waren bijzonder; zijn sociale positie ook. Hij had geen macht over anderen, en de machtigen tussen wie hij verkeerde hadden geen macht over hem. Binnen de hoge kringen nam hij een speciale plaats in, zoals in andere tijden de nar of de kunstenaar. Weliswaar verdiende hij met snobisme zijn brood, maar het lukte hem om in die aristocratische wereld plek in te ruimen voor grilligheid en excentriciteit. Het symbool van deze wonderlijke mengeling waren die meisjes, bijgenaamd *jockeys*, die als taak hadden het 'huis' te vertegenwoordigen bij de beau monde en gestalte te geven aan de kwintessens van stijl volgens de meester. De eerste van die inspirerende vrouwenfiguren was Pauline de Metternich, een sprankelende persoonlijkheid, echtgenote van de ambassadeur van Oostenrijk, die een ster was in het combineren van voornaamheid en spotzucht. Slechts weinigen zullen die rol van haar weten over te nemen. Betty Catroux voor Yves Saint Laurent, Inès de la Fressange voor Chanel of Farida voor Jean-Paul Gaultier behoorden tot de zeldzame vrouwen die erin slaagden de geest van de bohème te belichamen zoals de high society zich die voorstelt.

Al neemt Worth dan een ambivalente sociale positie in, zijn stijl is uitgesproken; hij verbindt een lijn en een bepaalde opvatting van elegantie aan zijn naam. Al zijn ontwerpen weerspiegelen een visie op kleding. De Angelsaksen noemen iemand die zo volhardt in steeds dezelfde truc een *one-trick pony*, naar die circuspony's die zijn afgericht op één kunstje. Worth was de volmaakte belichaming van deze diersoort; zijn kleren waren overal tussen te herkennen, vooral omdat ze geen crinoline hadden. Vóór hem zochten alle kleermakers hun heil in deze structuur, die soms was gemaakt van stof en soms van metaal, en gebruikt werd om rokken volume te geven. Worth besloot dit gevaarte te vervangen door een halvehoepelconstructie, de queue, die volume aan de achterkant gaf: dat was zijn eerste revolutie. Een dergelijke daad zou hebben kunnen volstaan. Maar als efficiënte handelaar, of als historicus van zijn eigen legende, deed hij hem vergezeld gaan van een bruikbare anekdote. Hij was, vertelde hij, op het idee van deze nouveauté gekomen toen hij een wasvrouw haar rok tot aan haar onderrug zag optrekken.

Worth had niet alleen gevoel voor stijl: hij wist ook hoe hij verhalen moest vertellen, verhalen die hielpen bij de verkoop.[2]

Door zichzelf tot vernieuwing te dwingen door middel van jaarlijkse collecties vond Worth het mechanisme uit dat hem eerst succes opleverde en vervolgens zijn ondergang werd. Mensen worden alleen door hun naasten verraden: het was een van zijn leerlingen, Paul Poiret (1879-1944), die zijn pensionering aan het begin van de twintigste eeuw bespoedigde. In die tijd leek de couturier niet op het beeld dat er tegenwoordig wellicht van hem bestaat. Worth leek op Flaubert, het type dikke besnorde kater. Poiret deed meer denken aan de acteur Raimu. Toch is aan dit vooroorlogse profiel niet alleen de moderne lijn maar waarschijnlijk ook het eerste modemerk te danken.

Evenmin als Worth behoorde Poiret tot de hogere klassen. Ook al slaagde hij erin toegang te verwerven tot de hogere kringen voordat hij een van hun boegbeelden werd, hij kwam uit een bescheiden koopmansfamilie. Net als Chanel, die later zijn grote rivale werd, belichaamde hij de geest van de voorsteden door blijk te geven van extreme opvliegendheid, grilligheid, geldbelustheid en Parijse kenmerken. Als hij niet bezig was een stof uit te zoeken, was hij wel een andouillette aan het eten of aan het vissen. Het kostte hem veel behendigheid en een beetje geduld om zijn plek in de stad te vinden en er een middelpunt van feestelijkheden te worden.

Poiret was niet gewend genegeerd te worden. Het leek hem vanzelfsprekend dat hij gekoesterd werd door vrouwen. Zijn drie zusters bewonderden hem, zijn moeder vertroetelde hem. Zij gaf hem het noodzakelijke geld om zijn eerste zaak te openen. Zijn eerste schreden bij de grote couturiers, waar het traditie is leerlingen te vaccineren tegen eventuele voortijdige zwellingen van het ego, vormen een tegenstelling met de zachtheid van zijn moeder. 'Noem je dat een jurk? Het is een pissebed,'[3] zei Worth junior tegen hem, die de naam van zijn vader graag wilde beschermen tegen eventuele commerciële fiasco's. Maar dergelijke pedante boosaardigheid, die ook nu nog in stand gehouden wordt, bracht Paul Poiret niet van zijn stuk. Zelfverzekerd herhaalde hij keer op keer wat zijn strategie en zijn ambitie waren, zoals hij later in zijn memoires uiteenzette: 'De mode heeft vandaag de dag behoefte aan een nieuwe meester. Ze heeft een tiran nodig die haar tuchtigt en haar van haar scrupules bevrijdt. Degene die haar deze dienst bewijst zal populair en rijk worden. [...] Het eerste jaar zal hij nog geen navolging vinden, maar het tweede jaar zal hij als voorbeeld voor anderen dienen.' Op geen enkel moment twijfelde hij; niemand anders dan hij kon aanspraak maken op de titel van nieuwe meester.

Aangezien Worth de crinoline door de queue had vervangen, besloot Poiret, volgens de wetten van de logica, de queue af te schaffen. Zijn handelsmerk was een vloeiende lijn, als een 'golf', zoals het toen heette. Geen armaturen, kunstmatige structuren, korsetten en andere kunstgrepen meer. Die 'in twee kwabben verdeelde vrouwen, die eruitzagen of ze een aanhangwagen achter zich aan sleepten,'[4] wilde hij niet meer zien, zei hij. Dat had niets te maken met een of andere ideologie. Poiret heeft nooit iemand willen bevrijden, en zeker vrouwen niet. Hij heeft dan wel hun bovenlichaam bevrijd, maar zo kon hij beter hun benen aan banden leggen met behulp van de strakke rok, die hij er overigens met moeite door drukte. Toch is ook een veel natuurlijker lijn aan hem te danken, verwant aan de lijnen die wij kennen. Er was twee à drie jaar voor nodig om de gesteven lichaamsvorm – meer dan drie kilo correctie! – op te geven. Maar die tijdspanne maakte een eind aan een mode die al vier eeuwen duurde, sinds het baleinenkorset. Boze tongen vonden dat deze kledij vrouwen net zo voordelig stond als een reusachtige washand. Poiret haalde zijn schouders op, hij vierde zijn triomf. Deze grote vrouwenliefhebber besloot vervolgens hen als jongetjes te kleden. Hij won ook een slag aan het kleurenfront. Toen hij zijn eerste schreden op het gebied van de mode zette, waren de kleur-op-kleurcombinaties aan de voorzichtige kant: lila, mauve, zacht hortensiablauwe, en ook maïs- en strogele tinten. Hij gaf rood, groen en paars weer een stem.

Poiret verstond de kunst te ontwerpen en daar bekendheid aan te geven. Als grote ondernemer bepaalde hij met veel flair of de rode loper uit moest of dat het erop aankwam zich hooghartig op te stellen. Want hij was zeer bedreven in het maken van onderscheid. Toen hij bijvoorbeeld besloot om niet meer te verkopen aan een dame uit de familie Rothschild die zich ongepaste kritiek op zijn collectie had veroorloofd, zorgde hij ervoor dat dat bekend werd. Bovendien wist hij heel goed dat, wilde hij de beau monde kleden, hij er deel van moest uitmaken. Consequent als hij was deinsde hij er niet voor terug zijn medewerkers te verwijten dat ze niet voldoende uitgingen en dat ze geen minnaars of minnaressen hadden. In dit vak was het leiden van een geregeld bestaan niet bevorderlijk voor de handel. Dus toen hij ervan werd beschuldigd opium te roken, ontkende hij zwakjes. Alle gelegenheden om zich te onderscheiden konden worden aangegrepen. Net als Worth vond hij dat de beste plek om zich te vestigen daar was waar de anderen niet waren... nog niet. Zijn voorloper was afgedwaald naar de rue de la Paix: Poiret verdwaalde in de faubourg Saint-Honoré, zoals later Yves Saint Laurent op de linkeroever van de Seine en Kenzo op de place des Victoires.

In 1911, op het hoogtepunt van zijn roem, gaf hij een feest dat nog steeds in de herinnering voortleeft en dat hij de 'duizend-en-tweede nacht' noemde. De Oriënt was namelijk de laatste mode; de *Duizend-en-één-nacht* was net vertaald. Iedereen gaf gehoor aan zijn uitnodiging. Je had er prinses Murat, Boni de Castellane, de Rothschilds, enkele kunstenaars... Poiret ging veel met kunstenaars om. Hij vroeg dan ook aan Paul Iribe en daarna aan Georges Lepape om zijn catalogi te illustreren en zo was hij de eerste die opzettelijk begon te morrelen aan de grenzen tussen kunst en mode. Profiterend van zijn prestige gaf Poiret zijn voornaam, Paul, die te braaf was, aan de vergetelheid prijs en transformeerde hij zijn achternaam tot merk. Hij dacht er zelfs over onder zijn naam andere zaken dan kleding te verkopen: parfum, accessoires, meubels of kaarsen.

Maar de wereld van Poiret overleefde de Eerste Wereldoorlog niet. In de jaren twintig leefde hij in een geweldige chaos, en liep hij tien jaar achter op de moderniteit die zich aftekende. Zijn grootste vijandin, Gabrielle Chanel, 'de uitvindster van de ellende', zoals hij haar noemde, degene die vrouwen durfde te kleden als 'ondervoede telegrafistjes', drukte hem naar de achtergrond. 'U bent in de rouw! Om wie dan wel?' informeerde Poiret toen hij Chanel in haar zwarte trui tegenkwam. 'Vanwege u, mijn beste.'⁵ Diep gekwetst reageerde hij door steeds megalomaner uit te pakken. Hij bleef sterren uitnodigen op zijn feesten, maar die werden steeds minder happig. Dat was geen bezwaar: hij zag er geen been in Isadora Duncan, Pierre Brasseur of Yvette Guilbert te betalen opdat ze op zijn uitnodigingen ingingen. Toen hij al niet meer kon, bestookte hij de stad met champagne en trakteerde hij op oesters, bediening en parels inbegrepen. In 1925, tijdens de art-decotentoonstelling, overtrof hij zichzelf. Om zijn ontwerpen te showen legde hij beslag op drie schuiten, *Amours*, *Délices* en *Orgues*: de ene was een restaurant, de tweede een kapsalon, en in de derde werden zijn parfums, accessoires en meubelen verkocht. Terwijl de schuiten bleven drijven, zonk zijn zaak weg. Ook hier was Poiret vernieuwend: hij was het eerste modemerk dat ten onder ging.

AAN DE BRON VAN HET ONTWERP LIGT EEN
VERLANGEN NAAR GENOEGDOENING

Worth en Poiret waren de eerste grote couturiers. Hun opvolgers brachten in dit vak ieder hun persoonlijkheid in. Het is moeilijk om in die grote variatie aan individuen gemeenschappelijke kenmerken te onderscheiden. Het is uiteraard niet de bedoeling om recepten te ontdekken en zelfs niet om de aandacht te vestigen op vormen van determinisme, maar om te proberen te begrijpen wat de verbinding kan zijn tussen buitenissige ontwerpers die – welke plaats ze ook toebedeeld krijgen in de kunsten – hun verbeelding op een productieve manier gebruiken.

Wie hun vragen stelt over hun buitenissigheid, wordt niet veel wijzer. Een kledingstuk wordt niet met woorden ontworpen; daarom voelen niet alle ontwerpers zich op hun gemak bij woorden. Maar als er, op gevaar af van simplisme, een biografisch element zou moeten worden genoemd dat alle couturiers gemeen hebben, zou dat waarschijnlijk allereerst gezocht moeten worden in de moeilijkheden tijdens de kinderjaren. Zo waren Madeleine Vionnet, Gabrielle Chanel en Jeanne Lanvin, behalve afkomstig uit bescheiden milieus, alle drie ongelukkig als kind en werden ze daarna als jonge vrouw zwaar door het leven op de proef gesteld. Voor deze drie vrouwen vormt ongeluk een gemeenschappelijke basis.

Om eraan te ontkomen moesten ze (zichzelf) verhalen vertellen, en misschien de verhalen die ze als kind verzonnen een langer leven geven door ze op textiel te projecteren. In die zin doet hun lot aan dat van Mozart denken, zoals de socioloog Norbert Elias dat heeft geanalyseerd. Toen Elias nadacht over de moeilijke vraag 'hoe wordt het genie geboren?' richtte hij zich vooral op het talent van sommige mensen om 'hun voorstellingsvermogen [...] te onderwerpen aan de wetten die voor hun materialen gelden'.[6] De kleren die die vrouwen ontwierpen – hun stijl – vormden in zekere zin een verlenging van die fantasieën waardoor zij in leven konden blijven, van die dag- of nachtdromen die hen hielpen de hardheid van het bestaan te verdragen.

Madeleine Vionnet, die geen moeder meer had, had al op zeer jonge leeftijd bij een linnenjuffrouw gewerkt. Toen ze haar boterham ging verdienen bij twee grote Parijse huizen, verloor ze haar dochtertje en scheidde vervolgens van haar man; ze was toen nog geen twintig. Die levensloop was voor haar waarschijnlijk een stimulans om zich te bekommeren om de omstandigheden van haar werknemers, voor het overgrote deel vrouwen. Die hadden recht op een gratis kantine, sociale zekerheid en doorbetaalde vakantiedagen. De haute couture behield nog heel lang de reputatie van een sector die sociale bescherming bood. Madeleine Vionnet had in de jaren twintig van de twintigste eeuw twaalfhonderd arbeidsters in dienst, verdeeld over twintig ateliers die allemaal in de mooiste wijken van Parijs lagen; in die tijd werkten er dertigduizend arbeidsters in die sector en was het modevak de voornaamste activiteit in de hoofdstad.

Gabrielle Chanel was weliswaar niet zo begaafd als Vionnet in het begrijpen van stoffen, maar ze had een ongekend talent om haar tijdgenotes verhalen te vertellen die zij wilden horen, verhalen van textiel. Het leven dwong haar te liegen, allereerst tegen zichzelf. Haar jeugd is een schipbreuk: ze verliest haar moeder van wie ze zielsveel houdt als ze nog geen twaalf is; haar vader laat haar in de steek en ze belandt op een internaat, waar ze haar toekomstige vak leert; naaien, zo dacht men, zou haar ervan weerhouden op het verkeerde pad te raken. Zo'n begin van het leven was waarschijnlijk te droevig voor een klein meisje. Ze romantiseert dan ook alles en neemt de verbeelding op schoot. Vertelt dat haar vader fortuin heeft gemaakt in Amerika. Verpakt zelfs de zelfmoord van haar zuster, door te verklaren dat die zich in de sneeuw had gewenteld totdat ze stierf van de kou. Voedt de zoon van haar zuster, André Palasse, op zonder dat ooit bekend wordt of dat kind wel of niet haar eigen zoon is.[7] Ze waagt zich aan het schrijven van haar eigen biografie, een taak waarbij ze geholpen wordt door Louise de Vilmorin, maar geen enkele uitgever wil die uitgeven: te onwaarschijnlijk. Maar Chanel krijgt nog andere gelegenheden om te schrijven en zich zo te verzekeren van het grootste gehoor voor haar geen tegenspraak duldende oordelen. Aan het eind van de jaren dertig biedt ze haar ideeën aan het tijdschrift *Vogue* aan in de vorm van een vaste rubriek. Net als een deel van de Franse haute couture schijnt ze tijdens de oorlog niet van onbesproken gedrag te zijn. Maar ook hier lijkt het moeilijk waarheid van onwaarheid te onderscheiden. Zeker is daarentegen dat haar leven een roman lijkt. Ze komt in aanraking met de beroemdste persoonlijkheden: Cocteau, Morand, Picasso, Satie, Max Jacob... Als minnaars heeft ze Boy Capel – de grootste charmeur van die tijd –, groothertog Dimitri Pavlovitsj en de opmerkelijke dichter Reverdy. Chanel is uniek; haar leugens zijn in die tijd veelzeggender dan sommige waarheden. Op een avond in mei 1917 twijfelt ze over de toekomst van haar liaison met Boy Capel. Uit woede knipt ze haar lange bruine haar af. Bij de Opéra aangekomen verzint ze, om dit kapsel te rechtvaardigen, een onwaarschijnlijk verhaal over een heetwatertoestel dat zou zijn geëxplodeerd. Haar fabeltje doet er niet toe; wat explodeert is de haarmode. Deze anekdote vat Coco volledig samen.

Net als haar vakzusters Madeleine Vionnet en Jeanne Lanvin heeft Chanel geen man nodig om haar zaakjes te regelen. Ze neemt zichzelf zoals ze is, ze geeft zowel in haar liefdesleven als in haar professionele bestaan de voorkeur aan zelfstandigheid boven rust. Ze verlaat een kille echtgenoot, die haar geld verschafte toen ze zich voor het eerst als hoedenmaakster vestigde en bij wie ze zich verveelt. Vanaf 1914 treedt de hoedenmaakster naar voren als modeontwerpster, waardoor Poiret zich bedreigd voelt. Haar jacht naar sociale genoegdoening neemt een aanvang. Haar ontwerpen zijn verleidelijk, ze sluiten nauw aan bij die tijd. In 1916 heeft ze al driehonderd arbeiders in dienst en drukt *Harper's Bazaar* haar gewaagde hemdjurk op zijn pagina's af. 1926 is het jaar van de roem, die voor Chanel de gedaante heeft van een 'zwart jurkje', een eenvoudige, nauwsluitende japon van zwarte crêpe, met lange mouwen en tot boven de knie. 'Een Ford getekend Chanel,' spot de Amerikaanse *Vogue*. De vergelijking is niet zo oneerbiedig. Met dit kledingstuk heeft Chanel zeven eeuwen van versieringen naar het rijk der oubolligheid verwezen; ze begreep dat vormelijkheid zijn tijd had gehad, dat zuivere vormen modern waren. Gabrielle Chanel ontpopt zich als een uitstekende zakenvrouw, ze weet hoe ze moet verkopen; zo komt ze op het – geniale – idee om filialen te openen, in Deauville en daarna in Biarritz. Maar bovenal weet ze hoe ze zichzélf moet verkopen. In 1930 biedt Sam Goldwyn haar een half miljoen dollar per jaar om kleding te ontwerpen voor Gloria Swanson, Greta Garbo, Marlene Dietrich, Claudette Colbert en Ina Claire. Ieder ander had dit aanbod onmiddellijk aangenomen – ten onrechte. Coco beheerst de strategie van het onderscheid; ze wacht tot ze haar smeken voordat ze akkoord gaat. De eerste vrouw die de voorwerpen waarop ze haar logo zet van zo'n sterke aura kan voorzien, regelt een comeback na haar zeventigste. Omdat ze nooit de waarheid wil vertellen, beweert ze dat ze pas zestig is. Haar leeftijd is het enige wat ze altijd heeft proberen te minimaliseren. Ze eindigt haar leven zoals in een sprookje, als een kwaadaardige dwingeland in een suite in het Ritz.

Wie een groot couturier wil zijn, moet dus verhalen kunnen vertellen. Maar wat voor iemand moest je aan het begin van de vorige eeuw zijn om een dergelijke carrière te volgen? Voor de generatie van de Chanels en de Lanvins was het modevak als beroep voorbehouden aan arme meisjes. Jeanne Lanvin stortte zich met al haar energie in een moeilijk leerproces, alsof het voor haar een laatste kans was om te ontsnappen aan een ellendig bestaan. Jongens waren daarentegen minder vaak voorbestemd voor dit beroep. Dior werd op latere leeftijd stylist, pas na zijn dertigste. Hij kon tekenen maar had er eerder waarschijnlijk nog nooit over nagedacht om van zijn talent te leven. Dat hij het werk dat hem werd aangeboden accepteerde, was omdat hij om geld zat te springen. Tenslotte bestond zijn enige ervaring op dat gebied uit de vermommingen die hij als kind fabriceerde. Een voorliefde die hij trouwens nog steeds had als volwassene, aangezien hij er in de jaren vijftig niet voor terugdeinsde op een gekostumeerd bal te verschijnen als reusachtige cupido, geheel in het roze gekleed, met een pijlkoker, pijlen en natuurlijk vleugels.[8]

Een andere overeenkomst tussen vele grote couturiers is, afgezien van een ongelukkige kindertijd, het belang van de moederfiguur. Niets logischer dan dat, aangezien het de moeder is die op natuurlijke wijze een eerste opvatting van stijl te zien gaf. Daarom is bij Yves Saint Laurent of Dior het gezicht van de moeder van wezenlijk belang. Madeleine Dior was waarschijnlijk geen zachte, nabije moeder. Ze was naar het schijnt elegant en streng, hard zelfs, en van een grote terughoudendheid. Christian aanbad haar; hij heeft overigens erkend dat hij haar overlijden nooit te boven is gekomen.[9] Uiteraard zou het absurd zijn om al te zeer te generaliseren en af te glijden naar een psychologie van de koude grond. Maar toch noemen modeontwerpers heel vaak hun moeder als eerste inspiratiebron en het contact met haar als bepalend voor hun roeping. Dat is te zien bij ontwerpen van zeer uiteenlopende persoonlijkheden als Yamamoto en Julien Macdonald, de huidige topontwerper van Givenchy.[10]

Een laatste thema dat modeontwerpers gemeen hebben is het verlangen naar sociale genoegdoening. Hoewel je dit bij veel ontwerpers ziet, is het nog niet volledig duidelijk waar deze behoefte aan erkenning vandaan komt. Sommigen willen zich eenvoudigweg ontworstelen aan een eenvoudig bestaan. Het geval van Ralph Lauren is in dat opzicht verhelderend. Het is onmogelijk om de fascinatie van deze man voor het aristocratische Amerika niet in verband te brengen met zijn oorsprong van arme jood, in Brooklyn. Calvin Klein kwam uit dezelfde kringen, maar bij hem was de behoefte aan eerbied zeker minder groot. Onder modeontwerpers komen 'dominanten' heel zelden voor, zoals we hebben kunnen vaststellen. Jean-Paul Gaultier, John Galliano en Pierre Cardin zijn van eenvoudige komaf. Maar meer nog dan het verlangen zichzelf in sociaal opzicht te accepteren hebben sommigen van hen waarschijnlijk de wens op te komen voor hun keuzes in de liefde. Voor verreweg de meesten van deze ontwerpers betekende homoseksualiteit heimelijkheid en schaamte. Als puber in Oran heeft Yves Saint Laurent die identiteit beleefd als een verschrikkelijk geheim. Dat hij zich in Parijs vestigde, in een omgeving waarin dit persoonlijkheidskenmerk niet als een gebrek werd beschouwd, betekende voor hem een bevrijding. Dior heeft in zijn familiekring dezelfde veroordeling gekend. Voor deze twee kinderen van de bourgeoisie was het belangrijk wraak te nemen op een omgeving die hen niet accepteerde zoals ze waren. Door deel uit te maken van de Parijse *café society*, een mengeling van beroemde dandy's, kunstenaars en aristocraten in het interbellum, vond Dior uiteindelijk, ondanks maar ook gedeeltelijk dankzij zijn homoseksualiteit, een vorm van legitimiteit. Dankzij de oprichting van zijn modehuis en het succes genoot hij ten slotte het respect en de erkenning van een wereld die nog bevoorrechter was dan de bourgeois wereld van zijn jeugd.

Zo werd het modevak, zowel voor die arme weesmeisjes als voor die jongens die anders waren dan anderen, een manier om te ontsnappen door middel van verhalen. Allemaal hadden ze om een of andere reden die dagdroom – het ontwerpen van kleding – nodig om de somberheid van het bestaan te boven te komen. Voor velen van hen was de mode een voortdurende zoektocht naar genegenheid. Toen hij nog jong was, en zelfs toen hij niet meer zo jong was, had Dior het gevoel dat hij nauwelijks de moeite waard was. De liefde die hij aan andere mannen wijdde was niet altijd zo wederzijds en oprecht als hij misschien had gewenst. In het ontwerpen vond hij troost. Ook voor Saint Laurent was de mode jarenlang een manier om aan zijn spoken te ontkomen. Jurken stelden hem waarschijnlijk in staat de scherpe kantjes van sommige van zijn verslavingen af te halen, zoals hij zelf verklaarde in een prachtige toespraak op de avond dat hij afscheid nam van de haute couture: 'Ieder mens heeft schoonheidsspoken nodig om te leven. Ik heb ze gezocht, nagejaagd, opgejaagd. Ik ben door heel wat angsten en door heel wat inferno's gegaan. Ik heb angst gekend, en verschrikkelijke eenzaamheid. De valse vrienden die kalmerende en verdovende middelen zijn. De gevangenis van de depressie en die van inrichtingen. Aan dat alles ben ik op een dag ontsnapt, verblind maar ontnuchterd. Marcel Proust had me geleerd dat "de schitterende, beklagenswaardige familie der zenuwlijders het zout der aarde is". Ik maakte zonder het te weten deel uit van die familie.'¹¹

Waarom heeft die familie de modewereld zo veel kinderen geschonken? Het verstand zet aan tot nederigheid tegenover de waarheid van een mens en van een handelwijze. Toch bevinden de verhalen die met textiel te vertellen zijn, zich op een bijzondere plek. Ze bezetten precies het kruispunt tussen lichaam, geld en de Ander. Wat een stramien voor talrijke verhalen oplevert.

ONTWERPERS VAN HET VERSCHIL

Een modeontwerper is een specialist in het verschil, en is in staat dit weer te geven met behulp van textiel. Onder de ontwerpers zijn er velen met de identiteit van een minderheid: joden, homoseksuelen, alleenstaande vrouwen in een tijd waarin ze echtgenotes moesten zijn, tegenwoordig jongeren uit de voorsteden. Hoe valt deze situatie te verklaren?

Laten we meteen afstand nemen van simplistische verklaringen. Zo worden het talent en de voorliefde van homoseksuelen voor mode vaak toegeschreven aan hun vermeende narcisme. Soms zouden ze ook worden geïnspireerd door het beeld van de vrouw die ze graag hadden willen zijn. Toch is het moeilijk deze hypothesen serieus te nemen: we moeten ons hoeden voor methoden waarbij aan een of andere groep een bepaalde aard wordt toegekend. Aan racisme ligt de gedachte ten grondslag dat mensen die uiterlijk verschillen in werkelijkheid worden bepaald door het ras of de religie waartoe ze behoren. Homoseksuelen als narcistisch beschouwen is net zo absurd – en weerzinwekkend – als zwarten een gevoel voor ritme toedichten, of joden een neus voor geld.

Joden en homoseksuelen, zeer aanwezig in de modewereld, delen een gemeenschappelijk lot: ze zijn gestigmatiseerd op grond van hun anders-zijn. Wanneer ze niet vervolgd werden, werden ze gediscrimineerd: de blik waarmee de maatschappij naar hen keek was doortrokken van hardheid. Wat dat betreft doen ze denken aan de eerdergenoemde pioniersters – Chanel, Vionnet en Lanvin – die de zelfstandigheid die vrouwen in die tijd werd ontzegd, duur hebben moeten betalen. Voor al die mensen in een kwetsbare situatie, en voor alle gelijkwaardige gevallen – Armeniërs, Chinezen, Joegoslaven, enzovoort – betekende de mode van oudsher de ultieme oplossing.

In de tijd, nog niet eens zo heel lang geleden, waarin homoseksualiteit door de meeste mensen als een ziekte werd beschouwd, was het modevak een van de weinige beroepen waar dit soort vooroordelen niet de boventoon voerde. In Frankrijk, maar ook in de Verenigde Staten, is de modewereld sinds het eind van de negentiende eeuw ontstaan als een soort vreemdelingenlegioen dat als toevluchtsoord kon dienen voor mensen die ten prooi waren aan de vijandigheid van hun medemensen. Deze stedelijke activiteit, waarbij de armzaligste *sweatshops* (illegale ateliers) bestonden naast haute-coutureateliers in de chique buurten, is door zijn snobisme altijd beschermd tegen onverdraagzaamheid. In de mode hebben mensen van de meest uiteenlopende afkomst en met de meest uiteenlopende leefwijze altijd naast elkaar geleefd. Deze wereld is zo zeker van haar superioriteit dat er een democratische houding ten aanzien van haar medewerkers door ontstaat; ze is namelijk niet onder de indruk van machtige figuren en heeft dus geen enkele reden om indruk te maken op de kleine man en vrouw. Tussen stylisten en allen die invloed hebben in dit domein, kan zich een hevige strijd afspelen die bestaat uit vernedering en hiërarchie; die raakt de 'ondergeschikten' niet. Een vooraanstaande figuur uit deze wereld aan wie werd gevraagd door welke gedragsregel hij zich had laten leiden, antwoordde: 'Ik ben buitengewoon snobistisch.' Een proustiaans personage kan werken naast iemand die nog maar net is geïmmigreerd – hij stelt hem niet in de schaduw. Er wordt in deze wereld heel wat afgefeest, waardoor leden van de bontste gezelschappen in de gelegenheid worden gesteld zich één met elkaar te voelen binnen een gemeenschappelijke viering. De traditie wil met name dat het geheel meedoet met het deel dat een bijzonder feest in acht neemt, van het Sint-Catharinafeest (feest van vrijgezellen maar ook van naaisters, waarbij iedereen een hoed opzet) tot de ramadan of Jom Kipoer.

In deze bijzondere wereld hebben degenen die niet zijn zoals anderen een troef in handen. 'Maatschappelijke elementen convergeren, net als gezichtsassen, soms het beste in een punt dat voldoende ver verwijderd is,'[12] merkte Simmel op om de rol die 'vreemdelingen' in de mode spelen te verklaren. Dat de meeste ontwerpers niet bang zijn om de fatsoenscodes omver te werpen, komt doordat ze die niet altijd kennen. Voordat de Parijse wijk Sentier, het middelpunt van de confectie, leegliep, werd hij bespot vanwege zijn slechte smaak en zijn voorliefde voor kitsch. Deze opgesmukte wereld barstte van de chaotische energie die vreemdelingen kunnen inzetten om de symbolen van het succes van een gastsamenleving over te nemen. In de Verenigde Staten is die onbeholpenheid tot een stijl uitgegroeid, de *ghetto fabulous*-stijl, waarin vulgariteit niet meer gelaten wordt ondergaan maar bewust wordt nagestreefd en tot een hoogtepunt wordt gevoerd. En deze voorliefde heeft zich verspreid: *camp*, die homokitsch waar Susan Sontag zo hoog van opgaf, is ver buiten de homogemeenschap populair geworden. Prestigieuze merken hebben zich door deze trend laten inspireren, bijvoorbeeld Versace, Dolce & Gabbana of Galliano in zijn persoonlijke collectie. Tegenwoordig vindt deze trend in ruime kring gehoor, zoals Jean-Paul Gaultier verklaart: 'Ik ben dol op blond, maar vooral als het gebleekt is met peroxide. Ik heb van oorsprong kastanjebruin haar, Madonna heeft bruin haar, Steevy heeft bruin haar en Loana en Sylvie hebben donkerbruin haar... Hun blondheid is geen toeval maar maakt hen tot persoonlijkheden. Per slot van rekening ben ik voor alles wat nep of extreem is. In mijn shows lopen er bijvoorbeeld heel donkere brunettes, heel blonde blondines en heel dikke dikkerds. Ik hou niet van wat ertussenin zit.'[13] Net als Jean-Paul Gaultier is een modeontwerper een specialist in het verschil die in staat is dit weer te geven met behulp van textiel. Daarom gedijt het anders-zijn goed in die wereld.

Tegenwoordig is de houding van de samenleving tegenover het anders-zijn veranderd. Onverdraagzaamheid ten opzichte van verschillen bestaat uiteraard nog steeds, maar mag niet opvallen; homofobie zwakt af, zelfs in de meest reactionaire betogen. Overigens heeft het anders-zijn van de modeontwerper inmiddels andere gezichten, zoals dat van Mohamed Dia, een jonge stylist uit Sarcelles die in een paar jaar tijd wereldwijd succes heeft behaald. In 2001, toen hij zevenentwintig was, slaagde hij erin een partnership met de NBA (National Basketball Association) te ondertekenen, ondanks de concurrentie van sportmerken die heel wat sterker waren dan dat van hem. Dit wapenfeit heeft van hem een symbool van 'rappertrots' gemaakt: zijn naam geniet inmiddels zeer grote bekendheid onder jongeren. Nu zijn kleding ook in de Verenigde Staten is aangeslagen, is zijn succes bezegeld. Wat er ook gebeuren mag, Mohamed Dia belichaamt een nieuw soort ontwerper. Met de zanger van de Fugees, Wyclef, heeft hij overigens kortgeleden een lijn gelanceerd onder de naam 'Dia Refugee', als om aan te geven dat de mode een toevluchtsoord blijft.

DE MODEONTWERPER ALS SUPERSTER

Mohamed Dia is voor een groot aantal Fransen al een beroemde naam, maar binnenkort misschien een beroemdheid, net als zijn gelijken Tom Ford (sinds kort voormalig topontwerper van Gucci) of John Galliano (die ervoor heeft gezorgd dat Dior weer terug is op het toneel). Weliswaar hebben alle drie deze figuren hun eigen stijl; de respectieve merken waarvoor ze ontwerpen hebben weinig met elkaar te maken. Maar net als in de filmwereld heeft de mode haar Olympus, waar ontwerpers met de meest uiteenlopende achtergronden bij elkaar komen. Om tot die club toegelaten te worden hoef je alleen maar een ster te zijn in de betekenis die Edgar Morin[14] aan die term toekende: de ster leeft, tegelijkertijd dichtbij en ver weg, op dezelfde planeet als wij, maar leidt er een ander bestaan. De modeontwerper is een onwerkelijk personage geworden dat halverwege realiteit en fictie verkeert.

Iedere week voeren de bladen die personages ten tonele die ons vertrouwder, en in ieder geval dierbaarder zijn dan onze naaste buren. Onder die bevoorrechten heeft ieder zijn persoonlijkheid: John Galliano draagt zijn opvallende pakken, Karl Lagerfeld is afgevallen, Stella McCartney is een echt kind van een popster, Tom Ford showt zijn openhangende zwarte hemden en zijn fonkelende ogen. Aan het eind van sommige bladen krijgen we ze te zien in wat we denken dat hun dagelijks leven is, betrapt in hun privacy in rubrieken die, met gevoel voor understatement, namen hebben als

'Mensen'. Want deze figuren zijn geen mensen, althans geen mensen zoals wij, en dat is de reden waarom we hen aandachtig bestuderen. Hun leven bestaat uit fantastische vriendschappen – 'Madonna is dol op Stella, en dat is geheel wederzijds' – wilde feesten – 'als we dansen duurt dat de hele nacht' – waar iedereen zonder onderscheid houdingen van vrienden-minnaars aanneemt, elkaar omarmt en kust terwijl wij al van geluk zouden mogen spreken als we hun de hand konden schudden. Het *dolce vita* is hun dagelijks leven, een bestaan vol legendarische feesten die worden gegeven ter ere van een parfum of de verjaardag van een van hen.

De ontwerper neemt het vliegtuig zonder reden, of liever gezegd om welke reden dan ook. Net als John Galliano gaat hij op zoek naar inspiratie in India of China; net als Alber Elbaz, creatief directeur van Lanvin, is hij Amerikaans-Israëlitisch; net als Tom Ford woont hij met zijn vriend in Parijs maar gaat hij vaak naar Londen en bezit hij een huis in Texas. Een leven zonder grenzen, als een spel. Ontwerpers produceren niet *ondanks* de feesten: hun werk bestaat ook uit feestvieren. Tweemaal per jaar beleeft dit *star system* zijn apotheose, op het moment van de shows, maar dat lijkt nog steeds niet op óns werk. Tijdens die evenementen zetten ze hun naam weer op het spel en beleven we samen met hen dat dramatische moment waarop we zullen weten of de couturier al dan niet het beste van zichzelf heeft gegeven: 'Uitstekende Gaultier', 'Een verrassende Galliano', of niets, stilte, want de slechtste kritieken krijgen vaak gestalte in de afwezigheid van commentaar.

Shows zijn voor de modewereld wat tropische kassen voor zeldzame planten zijn. Er is op kleine schaal een echte atmosfeer gevormd, waar alleen nog maar plaats is voor acteurs en een handjevol toeschouwers. In de allereerste plaats de journalisten, van alle nationaliteiten, vervolgens de mensen uit het vak, de inkopers van de grote Amerikaanse of Engelse warenhuizen, filmvedettes, een nabob en tycoons, een paar oligarchen, wat grote namen en goede klanten. Die hele beau monde wordt volgens een subtiel schema geplaceerd. Hoewel er een enorme chaos heerst en de shows met meer dan een uur vertraging beginnen, krijgt iedere gast een plaats *naar verdienste*. Zo vergeet niemand zijn rang, want buiten, in de democratische samenleving, zijn er geen rangen meer. De modeshow is een van de laatste gelegenheden die we hebben gekregen om te weten of *we die wel waard zijn*. Logisch toch? In die bedrijfstak waar het onderscheid aan de man wordt gebracht is het begrijpelijk dat men er in de eerste plaats naar streeft zichzelf te onderscheiden.

Het succes van een show speelt zich af op het podium, de *catwalk*, maar ook daaromheen. Er komen zo'n vijfentwintig of vijftig outfits naar voren, de 'nummers', gedragen door mannequins die betaald krijgen om niet te glimlachen naar de fotografen door wie ze worden bestookt. Op het podium is de juiste houding een blasé houding. En ook eromheen. Kunnen we ons een gelukkige of blije Begum, of een andere hindoestaanse prinses, voorstellen? Misschien is het trouwens wel onaangenaam om, soms halfnaakt, rond te wandelen onder een aanhoudende zon ten overstaan van een ijzig woud van camera's die je observeren zonder dat je ook maar één enkel moment weet waar ze naar kijken. De show loopt af, de ontwerper komt op samen met het laatste nummer, de bruidsjurk, of hij volgt met kwieke tred, alsof hij de verloren tijd wil inhalen. Er wordt geapplaudisseerd, alle ogen richten zich op de aanwezige vedettes op de eerste rij, natuurlijk op de eerste rij. Ten tijde van Yves Saint Laurent was er Catherine Deneuve, 'Belle de jour'. Wie van de twee vereerde de ander met zijn of haar aanwezigheid? Sterren delen hun macht niet, deze wordt bij elkaar opgeteld. De media, televisie en tijdschriften, zullen ons later verslag uitbrengen van dit evenement. De enigen die de pest in hebben zijn de stukken chagrijn, de slachtoffers van het syndroom van Saint-Tropez, die neiging van mensen om af te geven op gebeurtenissen waar ze niet voor uitgenodigd zijn.

Die hele ceremonie is een offer van de sterontwerper aan een granieten idool, dat hem voorbijstreeft maar waaraan hij het leven schenkt: het merk. Het koppel ontwerper-merk was niet meer dan één van de mogelijkheden van de mode, een mogelijkheid die niet onlosmakelijk deel uitmaakte van de trend-industrie. Er hadden anonieme mensen kunnen werken voor merken, eerlijke handwerkslieden die hun kleding bij fabrikanten afleverden. Het lot heeft anders beslist: ontwerper en merk nemen inmiddels deel aan hetzelfde avontuur. Ze zijn, in de woorden van Edgar Morin, 'zeldzaam als goud en onontbeerlijk als brood'. Hun ontwerpen – kleding, accessoires of parfum – krijgen een 'magische of mystieke waarde' toegekend; daarom kunnen ze worden 'verkocht tegen prijzen die ver uitstijgen boven de productiekosten'.[15] De ontwerper alsook het merk zijn moderne uitvindingen, die in stand worden gehouden door het productiesysteem, een machine die sterren maakt, in stand houdt en verheerlijkt. Tegenwoordig gaan de handwerksman, de ster, de kunstenaar en de zakenman soms samen in één enkel individu: de couturier.

DE FASCINATIE VOOR DE KUNSTENAAR

De couturier als kunstenaar en de mode als kunstvorm betitelen geeft bijna onherroepelijk aanleiding tot een polemiek. Het argument is bekend: een kledingstuk gelijkstellen aan een schilderij zou voortkomen uit de demagogische verleiding om elke populaire uitdrukkingsvorm als een vorm van kunst te zien. Men wil textielontwerp hoogstens de status van minder belangrijke kunstvorm toekennen.

Probleem: deze minder belangrijke kunstvorm wordt eer bewezen in belangrijke musea. Uit maatschappelijk oogpunt staat hij gelijk aan de meest legitieme kunstvormen. Zo heeft eerst het New Yorkse Guggenheim Museum en later dat van Bilbao in 2000 een tentoonstelling gewijd aan vijfentwintig jaar ontwerpen door Giorgio Armani. Een waarschijnlijk uniek geval van een kunstenaar – of vermeend kunstenaar – die er als zijn eigen mecenas niet voor terugdeinst een aan hemzelf gewijde manifestatie te financieren. Natuurlijk waren de controverses niet van de lucht toen deze couturier, die zijn naam aan een merk heeft geschonken, door een prestigieuze culturele instelling werd binnengehaald. En terwijl dit initiatief werd betreurd of verwelkomd, stemde het publiek met zijn voeten: met driehonderdduizend bezoekers brak de tentoonstelling in New York alle bezoekersrecords.[16]

Een deel van de controverse komt voort uit de vermenging van genres. Het valt immers niet te ontkennen dat het ontwerpen van kleding naar commercie neigt. Maar tegenwoordig is deze combinatie volgens de algemene opinie in hoge mate aanvaardbaar. Zoals Pierre-Michel Menger[17] overtuigend heeft benadrukt, staan de kunst en de kunstenaar niet meer tegenover het kapitalisme. Integendeel: ze belichamen voor de maatschappij een 'modelcontinent' voor het principe van vernieuwing en voor het individu een alternatief voor steeds terugkerend, eentonig werk dat vaak als vervreemdend wordt gezien. Zo belichaamt het werk van de modeontwerper een ideaal, dat een uitstekende manier is om de tegenstrijdigheden van het kapitalisme te benutten. Zijn personage steekt af tegen dat van de verdoemde kunstenaar, het broze genie, dat altijd zit te wachten tot zijn kunst wordt erkend. Piepjonge ontwerpers – gisteren Yves Saint Laurent, vandaag Alexander McQueen en John Galliano – zien hoe hun talent wordt geroemd, en beloningen oplevert die niet onderdoen voor die van grote ondernemers. Tom Ford is, net als iedere topmanager van Microsoft, in het bezit van aandelenopties. Maar zijn beroep, zijn tijdsbesteding, kortom, zijn leven spreekt oneindig meer tot de verbeelding dan dat van een directeur van een grote onderneming. Deze jonge mensen worden betaald om vernieuwend te zijn; zij trekken zowel in letterlijke als in figuurlijke zin profijt van de meerwaarde van hun oorspronkelijkheid. Ze hebben geleerd hoe ze de rentabiliteitseisen kunnen combineren met hun eigen inventiviteit, niet om zichzelf ervan vrij te stellen, maar juist om er zo goed mogelijk aan te voldoen. Marketing en commercie vormen voor Galliano geen rem of verplichting, maar zoals hij herhaaldelijk heeft gezegd zijn ze juist *part of the job*. In zijn ogen en in die van zijn collega's is de markt een rechtmatig tribunaal. Saint Laurent was een couturier, een ontwerper, een stylist. Tom Ford weigert deze kwalificaties en stelt zich voor als artistiek directeur. Hij kiest zonder sentiment voor de commercie: 'Ik ben cynisch. Ik ben geen kunstenaar. [...] Ik vraag me af of iets gaat verkopen. [...] Ik kan en ik wil verkopen. Ik ben een soort commerciële kunstenaar, niet een ontwerper.'[18] Zijn vak is het beschermen van de activa die het merk vertegenwoordigt. Wordt hij uitgemaakt voor *control freak*? Hij bevestigt het: 'Ik ben oud, ambitieus en autoritair geboren.'[19] Maar hoezeer hij alles ook in de gaten houdt, niemand beschouwt hem als een opzichter: iedereen schildert hem af als een veeleisende ontwerper.

Al die ontwerpers ontvangen een aanzienlijke beloning. Maar, zo wordt erbij gezegd om deze behandeling te rechtvaardigen, 'Pay hard, play hard' is het devies waardoor hun bestaan wordt beheerst: veel werken, veel ontvangen. Vroeger lag de nadruk op hun verbeelding, hun creativiteit. Inmiddels staat hun professionaliteit voorop. Ontwerpers zijn in de eerste plaats grote professionals; in zo'n context komt dit woord niet eens meer vreemd over. Hoe vaak hebben we het al niet gehoord met betrekking tot showbizz-sterren die hun persoon ter beschikking hebben gesteld om ons te vermaken... Maar in tegenstelling tot gewone werkenden onttrekken deze sterren, zoals Marx had voorspeld, zich aan vervreemdend werk: hoe meer ze werken, hoe vrijer ze zijn. Terwijl ze aan hun collectie werken worden deze ontwerpers steeds meer zichzelf, door in de ruimte van hun vrijheid de krachten aan te wenden die hen als mens vormen. 'Ik doe waarin ik geloof en ik ervaar het als een vervulling,' verklaart John Galliano.[20]

Toch hebben de meeste ontwerpers bazen, aandeelhouders. Maar al kan een directeur alles sturen en duizend ratio's beheersen, over het scheppend genie van een stylist kan hij zijn gezag niet uitoefenen. Bij iedere collectie laten die ontwerpers zien dat ze vrije individuen blijven. Via inmiddels vertrouwde provocerende acties – Galliano's daklozenshow bij Dior, porno-chic bij Gucci –, lijken ze het kapitalisme van binnenuit omver te werpen. Sommige leidinggevenden zijn verplicht een das te dragen, maar het is onmogelijk Alexander McQueen te vragen een eind te maken aan zijn uitspattingen en drinkgelagen, zelfs als hij artistiek directeur wordt van het modehuis dat symbool staat voor de Franse chic, Givenchy. Wie zich tegenover Galliano verwondert over zijn 'clochard'-collectie, krijgt als antwoord dat er geen greintje politiek achter zit: 'Ik ontwerp jurken, darling! [...] Mijn clochardcollectie [...] is mijn mooiste collectie. En ik snap niets van het schandaal dat daarna is ontstaan.'[21] Geen enkel conflict kan de aandeelhouder en zijn ontwerper uit elkaar drijven. Want in dit domein is provocatie een talent, en geen beproeving van de grenzen. Een bewijs, voor zover nodig: LVMH heeft alles in het werk gesteld om Alexander McQueen te behouden toen deze naar een concurrerend concern vertrok. Daarom verzwakken de excessen van John Galliano geenszins het team dat hij vormt met zijn zeer fatsoenlijke CEO, Bernard Arnault, maar maken ze dit juist sterker. Via die haute-couturehappenings, die op het eerste gezicht zijn gespeend van iedere directe commerciële ambitie, geven de ontwerpers weer betekenis aan het begrip 'l'art pour l'art'. Een show heeft niet als doel te verkopen: iedereen weet dat de enige hoop van de haute couture in het gebrek ligt. Die spectaculaire shows, waarbij geen enkel ontwerp zou kunnen worden gedragen in de echte wereld, en al helemaal niet verkocht, doen denken aan de feesten van Lodewijk XIV, waarbij de hoogte van de ostentatieve uitgaven in laatste instantie de kwaliteit van het schouwspel bepaalde. Want die kunst biedt vermaak. De modeshows, die op effect beluste riten waar de belangrijkste cijfers niet alleen worden meegedeeld maar er soms in worden gehamerd, verstrooien zelfs de meest afgestompte geesten.

Toch is een show bevorderlijk voor de verkoop. Als mode al een vorm van kunst is, dan is het, net als de fotografie of de filmkunst, een reproduceerbare kunstvorm. Het feit dat de kunstwerken worden vermenigvuldigd, doet geen afbreuk aan de waarde ervan. Evenals bij het wonder van de transsubstantiatie bevatten de kledingstukken allemaal de aura van hun ontwerper. In dat geval is het denkbaar de ontwerper met een kunstenaar te vergelijken, mits er een paar retorische voorzorgsmaatregelen worden genomen, zoals de CEO van Hermès, Jean-Louis Dumas, dat deed: 'Als ik niet vreesde pretentieus over te komen, zou ik ons vergelijken met een kunstschilder. We zeggen niet dat Picasso een schilderij heeft gemerkt. Hij heeft het gesigneerd. Wij delen dat besef dat het werk waardigheid bezit.'[22]

Desalniettemin is het niet vanzelfsprekend een reproduceerbaar voorwerp als kunstwerk te betitelen. De vragen die Walter Benjamin[23] formuleerde naar aanleiding van de fotografie en de filmkunst zijn ontegenzeglijk van toepassing op de mode. Volgens Benjamin is het onvermijdelijk dat de sociale en technische ontwikkelingen onze opvatting van kunst veranderen. Inmiddels, schrijft hij, kan iedere klank en ieder beeld worden vermenigvuldigd en over de hele wereld worden verspreid. Die mogelijkheid klopt overigens met de verwachting dat 'men elk voorwerp in de reproductie ervan [...] van zo nabij mogelijk kan bezitten'.[24] Een massabeschaving is van nature afkerig van het elitarisme van het unieke voorwerp. In dat geval verflauwt de aura van het kunstwerk. Een schilderij waar maar één exemplaar van bestaat zal – in alle betekenissen van het woord – minder toegankelijk zijn dan een foto of een film.

Benjamins diagnose is pessimistisch. Volgens hem zullen hedendaagse kunstwerken vergeleken met vroegere kunstwerken een heel zwakke aura hebben. Kunst is van functie veranderd: zij brengt de mensen een esthetiek van verstrooiing, die prachtig is samengevat door het in de modewereld zo populaire werk van Warhol. In deze context neemt de afstand tussen een modern kunstwerk en een textielontwerp af. De verhouding tot een film is niet religieuzer dan de verhouding die wij kunnen hebben tot een jurk: ze brengen ons een zekere ontspanning, om ze te waarderen hoeven we niet ingespannen onze aandacht te richten. Bovendien worden beide objecten op dezelfde manier ontwikkeld. Geen particulier – hoe rijk ook – heeft de beschikking over de middelen om ze te vervaardigen. De mensen die er ooit over hebben gedacht een film voor eigen gebruik te kopen zijn dun gezaaid; evenzo vereist de aanschaf van een volkomen nieuw parfum investeringen die een particulier onmogelijk kan opbrengen. Als antwoord op nieuwe behoeften die samenhangen met de massamaatschappij zorgt de mode ervoor dat individuele verlangens worden bevredigd. Zij verleent elk ontwerp dus iets van die verzwakte aura. Op dit mechanisme berust het begrip licentie: een ontwerper maakt gebruik van het feit dat hij beroemd is door zijn logo te zetten op een product dat hij niet heeft gemaakt, of door zijn naam te verhuren. En de ontdekking van deze magische handeling waardoor een onbeduidend product waardevol kan worden dankzij naamgeving, heeft de modewereld op zijn kop gezet.

NAAMSVERHUUR, DE UITVINDING VAN DE LICENTIE

Het idee om je persoonlijkheid aan een merk te verbinden, en dat merk vervolgens op de meest uiteenlopende producten te zetten heeft de modehuizen diepgaand veranderd. Het was Gabrielle Chanel die zich als eerste volop bewust werd van de mogelijkheden die haar bekendheid haar bood. En zo was zij de eerste die een uit couture ontstaan parfum creëerde.

In tegenstelling tot haar voorgangers keek Chanel serieus naar parfum, beschouwde het als een echt product. Poiret had zijn 'Parfums de Rosine' al gelanceerd, maar die hadden nooit de verkoopcijfers gehaald van de producten van echte parfumeurs als Coty of Guerlain. 'N° 5' van Chanel is daarentegen een uniek geval omdat het tot op de dag van vandaag bovenaan staat op de wereldranglijst van verkoopcijfers.[25] Om dit parfum te creëren bestelt Chanel bij een specialist vijf – haar obsessie met cijfers – monsters; voor elk monster vraagt ze een 'vrouwenparfum met een vrouwengeur'. Het resultaat is totaal vernieuwend: 'N° 5' – want zo noemt ze het bij de lancering in 1921 – is het eerste parfum met zowel een hoog aldehyde- als een hoog fruitgehalte. Aldehyden zijn synthetische componenten, aan het begin van de twintigste eeuw ontdekt, die bloementoetsen sterker kunnen doen uitkomen en leiden tot ongekende geursensaties. De geur van 'N° 5' is dus zowel krachtig als contrastrijk, en dit parfum geeft de aanzet tot de mode van vette aldehyden in de categorie chypre. Lanvin volgt op de voet met 'Arpège', en dan komen 'Chamade' van Guerlain, 'Calandre' van Paco Rabanne en 'Rive Gauche' van Yves Saint Laurent. Om het product goed te laten uitkomen besluit Chanel het in een flacon te stoppen met een eenvoudige, suggestieve vorm: van bovenaf gezien heeft de dop de vorm van de place Vendôme.

Maar de echte auraverkoper wordt Christian Dior. Hij ontpopt zich als degene die een omwenteling veroorzaakt in de wijze waarop een modemerk winstgevend kan zijn. Met zijn gezonde boerenverstand had hij voorvoeld welke enorme inkomsten te halen zouden zijn uit een naam die zo beroemd was als de zijne. Angstig als hij was dacht hij dat het om een noodzakelijke voorzorgsmaatregel ging, want hij kwam niet op het idee dat je voor je levensonderhoud uitsluitend van trends afhankelijk kon zijn. Dat gaf hij trouwens zonder omhaal toe: 'Mode, weet u: de ene dag heb je succes, de volgende dag beland je in de hel! [...] U weet dat ik geïnteresseerd ben in alles wat met eten te maken heeft! Ik ken vele recepten en op een dag, je weet het maar nooit, zou ik die misschien nodig kunnen hebben. Wie weet? Dior-ham, Dior-rosbief?'²⁶

Hij hoefde zich niet op de levensmiddelen te storten; mode en accessoires verschaften hem een terrein dat groot genoeg was om zich uit te kunnen drukken. Alles begon in 1948 met de kousenfabrikant 'Prestige', die Dior om diens naam vroeg om zijn artikelen op de Amerikaanse markt te vervaardigen en te verspreiden. Prestige bood destijds tienduizend dollar, een aanzienlijk bedrag vlak na de oorlog. Dior had het lef te weigeren; hij vroeg en kreeg een percentage van de opbrengsten. Het licentiestelsel was geboren. Eind jaren tachtig had Dior meer dan tweehonderd licenties. Ook hier ging het om een allegaartje van producten. Er bestond zelfs een licentie voor Dior-pantoffels, ontwikkeld met Aris Isotoner. Sommige van die licenties groeiden met vijfentwintig procent per jaar – hoe, dat was een raadsel... Om de waarheid te zeggen begreep niemand het bij Dior.

Deze uitvinding, die doorslaggevend was voor de economie van de mode, was niet uitsluitend het werk van Christian Dior. Zijn algemeen directeur, Jacques Rouët, heeft zich zeer ingespannen om haar voet aan de grond te doen krijgen en droeg er ook toe bij dat er steeds meer van dergelijke overeenkomsten kwamen. Bovendien kreeg deze uitvinding ook gestalte dankzij Henri Fayol, de belangrijkste medewerker van Marcel Boussac, die aan het hoofd stond van wat in die tijd een gigantisch textielimperium was. De vader van deze Fayol was beroemd om zijn gewaagde theorieën waarmee hij de manieren waarop de Franse bedrijven werden geleid wilde stroomlijnen. Alles lijkt erop te wijzen dat Henri Fayol veel en veel beter dan zijn baas doorhad hoe er winst kon worden gehaald uit een merk als Dior; in dat opzicht had deze man, die aangenomen was om alles wat verouderd was aan het imperium van Boussac te bestrijden, succes.

Na Dior maakten alle grote modenamen gebruik van het licentiestelsel. De onwaarschijnlijkste dingen trokken voordeel van het prestige van de grote couturiers. Pierre Cardin, die het stelsel ten volle benutte, 'signeerde' chocolade, bidetten, aanstekers voor reclamedoeleinden, enzovoort. Tegenwoordig vereist het optimaal leiden van een modemerk, zoals we zullen zien, dat licenties weer worden ingetrokken om het gebruik van de naam beter te beheersen. Maar het principe blijft gelijk: de meest uiteenlopende producten laten profiteren van een tot inkomsten getransformeerde aura. In dit opzicht vormen modemerken een uitzondering. Elk bedrijf kan zijn naam verbinden aan producten die ver verwijderd zijn van wat het oorspronkelijk produceerde, maar geen enkel bedrijf leent zich hier zo goed voor als een modemerk. Dat komt doordat weinig namen méér tot de verbeelding spreken dan die van een couturier. Dior was onhandig en verlegen, maar zodra dankzij hem de new look ingang had gevonden, werd hij een echte ster. Hij schuwde microfoons en camera's, maar in de Amerikaanse pers werd zijn naam tussen 1947 en 1949 twaalf- à veertienhonderd keer per maand genoemd. Toen hij naar New York kwam, kreeg hij een onthaal dat te vergelijken was met dat van Churchill. Cocteau, zijn oude vriend, ergerde zich uiteindelijk aan zo'n verbazingwekkende populariteit. De Amerikaanse industriëlen wachtten Dior onverschrokken op: zij hadden al begrepen dat een dergelijke naamsbekendheid van onschatbare waarde was.

2 Het mirakel van het merk

Eerst werd de ontwerper bedacht, en toen vond de ontwerper het merk uit. Ogenschijnlijk hebben de merken het gewonnen van de modes. Al meer dan een halve eeuw zijn het dezelfde: Dior, Gucci, Chanel, Lanvin enzovoort. Alles gaat voorbij, alles verveelt, behalve de merken, denken de meest optimistisch ingestelden. Toch zijn er legio merknamen die uit ons hart zijn verdwenen: Jacques Estérel, Christine Bailly, Poiret... behoren inmiddels tot de kostuumgeschiedenis. Zoals ieder jaar maken een paar andere merken zich op om zich bij hen te voegen... door in de mode te raken en zelfs door de motor van de mode te worden hebben merken zich blootgesteld aan de wisselvalligheid van de trends. De ene dag zijn ze 'in', de volgende dag zijn ze 'uit': vrijwel geen enkel merk ontkomt aan die cyclus. Deze onzekere situatie vereist grote handigheid, zowel in het ontwerpen als in de bedrijfsvoering. Na het roemrijke tijdperk van de pioniers, van Dior en de eerste licenties, is nu de tijd aangebroken voor professionals en het merkenstelsel. Hun doel is eenvoudig: de modes overleven.

ONDUBBELZINNIG KAPITALISME

Zakenlieden begrepen algauw welk voordeel ze konden behalen uit de wereld van de trends. Daarom staat de ontwerper inmiddels niet meer alleen: naast hem is altijd minimaal één zaakvoerder te vinden om hem bij te staan bij het beheren van zijn zaak.

De ontdekking van het mode-eldorado door financiers is van zeer recente datum. Voorheen vormde deze sector voor de captains of industry op zijn hoogst een tijdverdrijf. Boussac kende de sector, hij maakte textiel, maar hij verveelde zich. Daarom besloot hij Christian Dior te lanceren, en in financieel opzicht was dat een succes. Toch kon hij geen hartstocht opbrengen voor het werk. Boussac en Dior hebben elkaar overigens maar één keer ontmoet. Genoeg om een samenwerkingsverband aan te gaan, genoeg ook om te zien dat ze niet tot dezelfde wereld behoorden en dat geen van hen trek had om een bezoek te brengen aan die van de ander. Boussac, die destijds de machtigste man van Frankrijk was, dacht dat zijn reputatie en zijn betrouwbaarheid blijvend zouden worden aangetast als hij bij een modeshow zou worden gesignaleerd; dus stuurde hij zijn vrouw erheen. Tegenwoordig lijken weinig zaken zo serieus als de presentatie van collecties. Is een Dior-show denkbaar zonder Bernard Arnault, de eigenaar van het merk? Voor de zakenwereld is het een buitengewone eer om zich in het openbaar te vertonen met een modeontwerper, vooral als het een rare snuiter met een duistere leefstijl betreft: het is een buitenkans. De modemerken hebben gewonnen; het Boussac-imperium, met zijn tientallen fabrieken en duizenden werknemers, is nog slechts een herinnering. Tegenwoordig wordt er niet meer geproduceerd: er wordt een merknaam geleverd. Met andere woorden: het produceren wordt aan toeleveranciers overgelaten.

Boussac produceerde en verkocht textiel: de nieuwe modetycoons volstaan met het bezitten van merken. Mensen als Luciano Benetton, Armancio Ortega (Zara) of François Pinault (eigenaar van Gucci) hebben een fortuin vergaard dankzij hun labels; beurzen over de hele wereld hebben hun prestaties toegejuicht. Ook in onze tijd is er plaats voor dubbele persoonlijkheden, die tegelijkertijd ontwerper en zakenman zijn, zoals Ralph Lauren en Giorgio Armani. De laatste is niet gespeend van ironie: hij deinsde er niet voor terug een van zijn prêt-à-porterlijnen Emporio Armani te noemen. Het gaat goed met het imperium: in Milaan heeft de ontwerper voor zijn firma – maar zijn firma, dat is hijzelf – een ongelofelijk hoofdkantoor laten bouwen, een fabelachtig theater, resultaat van een verbouwing door de architect Tadao Ando. Giorgio Armani, die nu in de zeventig is, lijkt op Hadrianus, de legendarische keizer die Marguerite Yourcenar zo na aan het hart lag. 'Ik voelde me verantwoordelijk voor de schoonheid van de wereld', bekende Hadrianus... In die 3400 vierkante meter waar water, glas, beton en eenentwintigste-eeuws marmer samenkomen, denkt Armani waarschijnlijk na over de unieke aard van zijn lotsbestemming. Nog nooit had een monarch over een koninkrijk van kleren geheerst. In 2002 was Armani de grootste belastingbetaler van Italië.

Maar geld is niet alles. De generatie die vandaag de dag het lot van de modemerken in handen heeft, onderscheidt zich meer van de vorige generatie door haar mentaliteit en technieken dan door haar vermogen. De generatiewisseling geeft de overgang van het prekapitalisme naar het kapitalisme weer zoals die is beschreven door de socioloog Max Weber. In een beroemde these benadrukte hij de diepe verstandhouding tussen de geest van het kapitalisme met zijn werkdrift en schraapzucht, en de protestantse ethiek met haar calvinisme en ascese. Volgens Weber maken kapitalisten bij het zakendoen gebruik van rationaliteit omdat ze daarin het bewijs vinden van hun uitverkiezing in de toekomstige wereld, te midden van de gelukzaligen. Het maakt weinig uit of de mensen van LVMH of PPR wel of niet gelovig zijn; voor hen grenzen hun arbeid en de merken die ze beheren aan het heilige. Wat ze doen komt voort uit berekening: het doel is de waarde van de bedrijven waar ze in dienst zijn te maximaliseren, niet om zich spectaculaire levensstijlen aan te meten.

In tegenstelling tot dit model kende Maurizio Gucci, in de jaren zestig, vooral het woord 'uitgeven'. Waarom zou je geld verdienen, zou hij hebben gedacht, als je het vervolgens niet met veel vertoon zou verkwisten? Plezier was volgens hem iets wat hier op aarde moest worden nagejaagd. Maurizio Gucci is dus een prekapitalist, een avonturier met een overweldigend gevoel voor commercie, gedreven door zijn voorliefde voor genot. Grote concerns als LVMH en PPR houden niet van dit soort mensen en hebben hun best gedaan om ze te vervangen. Bernard Arnault daarentegen doet denken aan Benjamin Franklin, de grondlegger van het moderne kapitalisme, het symbool van calvinistische ascese. De verhalen over het leven van Bernard Arnault leggen, of ze nu kritisch of lovend zijn, de nadruk op zijn opvatting van werk als een plicht. Het is gemakkelijk voorstelbaar dat het vak voor hem 'de hoogste vorm' vertegenwoordigt 'die morele activiteit kan aannemen', zoals Weber het uitdrukte.[1] Iedere dag onderwerpt de baas van LVMH zich aan de plicht 'geld te verdienen, telkens meer geld, waarbij elke vorm van onbevangen genot ten strengste vermeden dient te worden'.[2] Bernard Arnault gaat vroeg naar bed, spreekt weinig, houdt van klassieke muziek en sport. Zijn opvoeding heeft hem, zo legt hij uit, principes bijgebracht voor een 'evenwichtig, ordelijk leven waarin alles zijn deel heeft maar waarin het streven is de essentie te zien'.[3] Deze ontboezeming is voldoende om de afstand tussen een Gucci en een Arnault te bepalen.

Inmiddels zijn de Maurizio Gucci's dun gezaaid; er zijn er maar weinig die de knoppen bedienen in de modewereld. Philip Green, in 2005 de op drie na rijkste inwoner van Engeland, is een van de laatste avonturiers in functie. In 2003 stond hij nog aan het hoofd van Arcadia PLC, een van de eerste Britse modeconcerns en eigenaar van enkele van de populairste merknamen van het koninkrijk: Principles, Evans, Miss Selfridge, Topshop, enzovoort. In tegenstelling tot de financiers die de wereld van de kleding bevolken, heeft deze kleine, gedrongen man, getekend door weddenschappen en angst, er nooit naar gestreefd respect af te dwingen. Net als voor andere, al eerder genoemde ontwerpers was mode voor hem een manier om zich maatschappelijk te revancheren voor een eenvoudige jeugd. In tegenstelling tot Bernard Arnault wil hij geen imperium maar een vermogen opbouwen. Zijn leven is een aaneenschakeling van 'heen-en-weertjes', bedrijven die hij overneemt om ze na een paar maanden weer te verkopen. Zijn dagelijks leven bestaat ook uit heen-en-weertjes, tussen Londen (waar hij werkt) en Monaco (waar hij woont). Vorig jaar heeft hij zijn vijftigste verjaardag gevierd in het vorstendom, een gelegenheid waarbij hij 7,5 miljoen dollar uitgaf; voor het feest nodigde hij Tom Jones, Earth, Wind and Fire en Rod Stewart uit en hij deed er alles aan om te voorkomen dat het evenement onopgemerkt bleef.

In het grote tijdperk van textielavonturiers zou Philip Green niet zijn opgevallen. Wie aan het hoofd stond van een modebedrijf had in het algemeen een originele persoonlijkheid en beschouwde zijn vermeende onvermogen om rustig te blijven als een instrument. De Gucci's waren, volgens een van hun voormalige werknemers, 'eenvoudige, ongelofelijk menselijke mensen, maar met een verschrikkelijk Toscaans karakter'.[4] Met de komst van de financiers wordt de heftigheid veel beschaafder. De beursepisode waarin de concerns PPR en LVMH in 2000 tegenover elkaar kwamen te staan met als inzet een meerderheidsbelang in Gucci, gaf aanleiding tot allerlei min of meer rechtmatige handelingen. Maar het ging om door advocaten en consultants bedachte streken, om redeneringen die ver afstonden van de logica die de beroemde familie van Florentijnse leerbewerkers normaal gesproken in stelling bracht. In dat opzicht is Gucci een symbolisch geval. Het bedrijf is een goed voorbeeld van de breuk die is veroorzaakt door de komst van financiers in de wereld van de mode. Tegelijkertijd heeft de opleving van dit in de jaren tachtig nog zieltogende merk laten zien welke kansen er ontstaan door dit soort processen.

GUCCI EN HET TWEEDE LEVEN VAN MODEMERKEN

De opleving van Gucci markeert een keerpunt in het bestaan van modebedrijven. Nog nooit was een firma in deze sector zo diep gezonken en vervolgens weer zo sterk teruggekomen. Het verhaal van de dubbele G, het beeldmerk, symboliseert de ingrijpende veranderingen die in deze sector zijn opgetreden.

De Gucci-saga begint niet in de jaren tachtig van de twintigste eeuw, maar in 1922, wanneer Guccio Gucci (1881-1953) in Florence een zaak in lederwaren opent. Volgens de legende zou Guccio een opleiding tot zadelmaker hebben gehad en zouden de Gucci's in de middeleeuwen de vaste leverancier zijn geweest van de vorst. De werkelijkheid is prozaïscher. Nadat zijn vader failliet is gegaan verlaat de jonge Guccio Italië om werk te zoeken in Engeland. In dienst van het Savoy Hotel ontdekt hij de wereld van de reizigers en eenmaal terug in zijn eigen land, besluit hij zich op de handel te storten en vervolgens op het produceren van reisartikelen. Na een moeilijk begin lukt het Guccio Gucci van zijn naam een bloeiend bedrijf te maken, dat zich ontwikkelt volgens twee principes die typerend zijn voor het 'Italiaanse model', dat ook voor Prada of Benetton geldt: de familie leidt het bedrijf, hoe groot dit ook is, en er is een nauwe samenwerking met een netwerk van toeleveranciers in Italië, in de omgeving van het hoofdkantoor. Zo hebben drie generaties Gucci de firma geleid, voordat deze werd overgenomen, waarbij een zeer uitgebreide familiegemeenschap – broers, zusters, neven en nichten – deel had in de zaak.

In navolging van een praktijk die je steeds vaker zag, opende Guccio Gucci filialen, eerst in Rome en vervolgens in Milaan. Kort na de oorlog, in de jaren vijftig, vond Aldo, een van zijn zoons, een winkel in New York, daarna in Londen, Tokyo en Hongkong en ten slotte in Parijs. Het merk viel in de smaak bij beroemdheden. Een van de modellen die symbool stonden voor het merk, '0063', kwam in 1957 op de markt: deze in zwart leer uitgevoerde tas met een hengsel van bamboe deed aan een paardenzadel denken. Liz Taylor en Jackie Kennedy zorgden ervoor dat hij bekend raakte door hem aan hun arm te showen. Aldo deed veel moeite om de naam Gucci te verbinden aan die van celebrity's. Via talloze kleine attenties zorgde hij ervoor dat zijn mocassins terechtkwamen aan de voeten van John Wayne of Jack Nicholson. Een briljante vondst: in 1964 bracht het modehuis een sjaal uit ter ere van Grace Kelly, die ze wel móést accepteren als geschenk... voor het oog van de camera. Om de volgende exemplaren werd gevochten.

Aan het einde van de jaren zeventig belichaamde Gucci de Italiaanse luxe. Maar in de loop van het volgende decennium verloor het merk een groot deel van zijn glans. Optimisten hadden kunnen zeggen dat het merk alledaags aan het worden was. In werkelijkheid was de situatie veel rampzaliger. Niet minder dan tweeentwintigduizend producten droegen het beeldmerk van de dubbele G, en vormden samen een op zijn zachtst gezegd heterogene lijst: een fles scotch, een rivaliserende lijn in lederwaren, T-shirts, sleutelhangers...⁵ In feite had iedere neef die in het kapitaal vertegenwoordigd was – Roberto, Paolo of Maurizio – een eigen kleine Gucci gecreëerd door artikelen op de markt te brengen of licenties te ondertekenen. Op een dag moest al die vuile was van de familie wel gewassen worden. Het bedrijf deed afstand van de gebruikelijke vorm van communiceren, produceerde een fascinerend melodrama over de familie en verspreidde dit over de hele wereld. De kranten hadden waardering voor het spektakel, een subtiele mengeling van een Griekse tragedie en een spaghettiwestern. Zoals de

Daily Express destijds schreef: 'Gucci is een bedrijf dat miljarden binnenhaalt en waar meer wanorde heerst dan in een Romeinse pizzeria.' Een onverhoopte attractie. De confrontaties waren even stevig als de inzet. Paolo trok de aandacht door zijn vader Aldo en vervolgens zijn twee broers bij de fiscus aan te geven. Aldo, eenentachtig, zal een jaar in de gevangenis doorbrengen. In juni 1987 verkoos Maurizio (een neef van Paolo), die aan het hoofd van de onderneming stond, Italië halsoverkop te verlaten, uit angst naar een gevangenis te moeten verhuizen. Hij stak de Zwitserse grens 's nachts op de motor over. Op die datum waren er bij rechtbanken over de hele wereld achttien zaken in behandeling waar de familie bij betrokken was. In het laatste, bijna sublieme bedrijf werd Maurizio in 1995 vermoord door een huurmoordenaar, in opdracht van zijn ex-vrouw Patrizia, die de hoop had opgegeven haar echtgenoot weer in huis te krijgen en zo een manier had gevonden om in ieder geval zijn vermogen binnen te halen.

Op het moment dat Maurizio wordt vermoord is het alweer zes jaar geleden dat het merk Gucci is verkocht aan Investcorp. En met de komst van deze groep als aandeelhouder verandert de situatie. Tot dan toe werd de firma Gucci eerder geleid door figuren die op hun intuïtie vertrouwden dan door bestuurderstypes. Met hun kortetermijnvisie zetten ze als valsemunters hun logo op allerlei producten, en in magere jaren nam hun waakzaamheid af. Maurizio Gucci ging dus af op zijn intuïtie. Hij was bescheidener dan de andere leden van de familie en wist daardoor mensen voor zich in te nemen. Het lukte hem Investcorp over te halen hem aan het hoofd van het bedrijf te laten nadat het concern aandeelhouder was geworden, en het kostte hem nauwelijks moeite hun duidelijk te maken dat dat een verkeerde beslissing was geweest. Maurizio nam zijn beslissingen onverwachts en impulsief, wat tot verbijstering leidde bij bestuurders die gewend waren aan uitgewerkte en onderbouwde strategische plannen. Jarenlang was het gezonde handelsverstand voldoende om de zaak te laten draaien. Maar nu bleek Maurizio niet in staat de crisis het hoofd te bieden. Werd het merk te grabbel gegooid? Hij besloot plotseling te stoppen met de lijn van stoffen tassen, die het verst af stond van het handelsmerk van

Gucci – leer –, maar ook het meest winstgevend was. In dezelfde geest besloot hij op te houden met de verkoop in het groot om de verspreiding uitsluitend te concentreren op merkwinkels. Keuzen die lonend hadden kunnen uitpakken maar die het bedrijf ondertussen enorm op kosten joegen. Omdat het bedrijf ook nog werd geconfronteerd met een aanzienlijke verhoging van de reclamekosten, verloor het veel geld. Maurizio Gucci moest al zijn verleidingskracht aanwenden om het vertrouwen van Investcorp te winnen. Maar alle mensen van zijn soort slepen legenden achter zich aan die veel zeggen over hun overredingskracht. Terwijl iedereen dacht dat hij rijk was, zat hij aan de grond. Toch slaagde hij erin bijna vijf miljoen dollar te lenen van de algemeen directeur van Investcorp, Domenico De Sole.

Sinds deze rustige, bedachtzame man aan de leiding staat, zijn de managementmethoden radicaal herzien. De financiers van Investcorp zetten de strategie van het bedrijf op zijn kop door de familie Gucci ervan te overtuigen dat ze over de kwaliteit van de producten moest waken om de prijzen te rechtvaardigen. Zoals Guccio graag zei 'duurt de kwaliteit voort als de prijs allang vergeten is'. Deze financiers hadden niet een industrieel apparaat gekocht: het kon hun weinig schelen dat het bedrijf een netwerk van Florentijnse toeleveranciers beheerste, en wat stijl betreft hadden ze geen vaste meningen. Daarentegen wilden ze hun investering rendabel maken en winst behalen uit de activa waar het merk voor stond. Ze hielden dan ook veel nauwlettender dan de familie Gucci in het oog of er wel samenhang bestond tussen de voorwerpen waar de dubbele G op kwam te staan. Omdat ze niet ten einde raad waren, wilden ze liever in alle redelijkheid het merk met mate hanteren dan het te grabbel gooien en daarmee het imago aantasten. Hun wens was het verzoenen van verschillende strategische vereisten: op de korte termijn de verliezen een halt toeroepen; op de middellange termijn van het merk weer een doeltreffende commerciële troef maken om het geheel te verkopen aan een industrieel of aan de markt. Toen ze de macht grepen wilden ze op dezelfde wijze te werk gaan als tussen 1984 en 1987, bij de overname van de Amerikaanse juwelier Tiffany: door het bedrijf over te nemen om het weer vlot te trekken en door het vervolgens weer te verkopen hadden ze een rendement op investering van 174 procent per jaar ge-realiseerd. Dat had ze ertoe gebracht een *turnaround*-operatie uit te voeren op een modemerk. Het was een origineel plan: er waren weinig precedenten waarbij het grootste belang van een ingreep lag in het potentieel van een merk.

Domenico De Sole, inmiddels oud-topman van de Gucci Group, heeft dus in hoge mate bijgedragen tot de hernieuwing van het merk Gucci. Maar meer nog dan de manier waarop hij het bedrijf bestuurde, is de tandem die hij samen met ontwerper Tom Ford vormde tegenwoordig emblematisch, omdat deze het ideaalbeeld is van een tijdperk waarin men droomt van kunstenaars-managers en creatieve sterren. De wedergeboorte van het merk met de dub-bele G is immers onlosmakelijk verbonden met de komst van Tom Ford als artistiek directeur van het merk. Deze Texaan heeft de stijl van het merk op z'n kop gezet: alles wat voorheen de naam Guc-ci droeg was bruin, zacht en rond; met hem werden de producten zwart, hard en hoekig.

Als er trouwens één bewijs nodig was voor het succes dat het 'model' Tom Ford heeft behaald, zou het de geschiedenis van Bal-ly zijn. De Zwitserse schoenenfabrikant, die geplaagd werd door ernstige financiële problemen, werd in 2001 overgenomen door de Texas Pacific Group (TPG), een investeringsfonds dat er een Guc-ci voor de minder vermogende van wilde maken. Onmogelijk om deze strategie tot een goed einde te brengen zonder een Tom Ford. In dat opzicht heeft de nieuwe directie wonderen verricht, omdat ze erin slaagde een kloon van de artistiek directeur van Gucci in dienst te nemen. Scott Fellows, die aantrad in april 2001, leek niet op Tom Ford: hij wás Tom Ford. Ze leken op elkaar als twee drup-pels water. Verder waren ze even oud, kwamen ze beiden uit Texas, waren ze bij een Italiaanse lederwarenfabrikant begonnen en com-bineerden ze een ontwerppraktijk met een goede kennis van mar-keting. De nieuwe CEO van Bally becommentarieerde de komst van Scott Fellows scherpzinnig als volgt: 'Dit is de nieuwe Tom Ford.'[6] Toch was er een verschil: het was de ambitie van TPG om een toegankelijker merk dan Gucci tot stand te brengen. Daarom paste Scott Fellows de toespraak die Tom Ford tot de jetset richtte, bijzonder knap aan voor een publiek van leidinggevenden tussen de dertig en de veertig. Uiteraard was de versie van Bally minder dromerig: 'Wij zijn geen kunstenaars, maar realistische ontwerpers. Wij leiden een aangenaam leven, reizen business class, komen vaak in bepaalde hotels, dragen de juiste kleding, eerder chic dan elegant, uitstekend gesneden met een paar opmerkelijke details, maar we zien er niet trendy of idioot modieus in uit.'⁷ Zoveel oprechtheid maakte misschien indruk maar leek daarentegen geen verleidingskracht te hebben. Liever grote offers brengen om eerste klas te reizen met Tom dan met Scott binnen de grenzen van de redelijkheid blijven in de business class. Temeer omdat de laatste er het hele interview op bleef hameren: 'Hier staan we niet voor "mode" maar voor trends. [...] Dat wil zeggen dat we een trendy toets willen aanbrengen in de garderobe van de leidinggevende "bobo" [bourgeois-bohème] tussen de dertig en de veertig. En ook al zijn de schoenen, de tassen en de prêt-à-porter van Bally echt van onberispelijke kwaliteit, ze blijven betaalbaar.'⁸ De poging om het merk te redden mislukte; Scott Fellows werd in juli 2002 uitgerangeerd. Ondertussen had Texas Pacific Group een van Gucci afkomstige CEO aangesteld. Alles wordt uit de kast gehaald om het allerkostbaarste bezit te beschermen: het merk.

HET MERK, DE DROOM VAN DE KAPITALIST

Het merk belichaamt voor het kapitalisme iets volkomen nieuws. Het duikt voor het eerst op in de loop van de negentiende eeuw en ondergaat in de twintigste eeuw een verandering. In die tijd signeerden sommige ambachtslieden hun werk; enkele handelaren waren in het bezit van een beroemde merknaam. Maar zij zagen allen persoonlijk toe op de productie van de dingen waaraan zij hun naam verbonden. Dat zij bereid waren op die manier hun reputatie op het spel te zetten, komt doordat zij specialisten waren op het gebied van de producten in kwestie. De modewereld brak met dat traditionele systeem en dreef het merksysteem op de spits door te bouwen aan de 'rentedroom'. De economie kent verschillende vormen van activa waarmee de eigenaren slapend rijk kunnen worden: grond, aandelen, goud, enzovoort. Evenzo bestaan er verschillende vormen van immateriële rijkdom: een scenario of een octrooi kan lange tijd na zijn totstandkoming voor inkomsten zorgen. Te midden van deze verschillende voorbeelden vormt het begrip merk het krachtigste immateriële actief; er zijn maar weinig verzinsels of voortbrengselen van de fantasie die zich kunnen meten met die rente die in het leven is geroepen door Coco Chanel en Christian Dior – bijna zonder dat ze het wisten. Zonder deze uitvinding zouden prestigieuze modehuizen als Dior of Saint Laurent hun haute couture nooit hebben kunnen financieren. In 1993 verloor Saint Laurent met deze activiteit meer dan vijf miljoen dollar per jaar; het merk kon uitsluitend blijven bestaan dankzij de inkomsten uit de parfums.

Bovendien leek het een bijna ideaal systeem, omdat het zowel risicoloos was als tot in het oneindige reproduceerbaar. Risicoloos omdat het bedrijf niet te lijden had onder de gevolgen van slechte verkoopcijfers. Het eiste immers gegarandeerde minimuminkomsten op die het incasseerde ongeacht wat er gebeurde. Oneindig omdat ieder consumptiegoed onder een merk leek te kunnen worden gebracht. Zoals bekend was Pierre Cardin de avonturier die de grenzen van dit melkwegstelsel verkende. Deze assistent van Dior had een echt couturierstalent; zo zijn aan hem sommige van de origineelste creaties van het 'ruimte'-tijdperk te danken, van het 'kosmolichaam'-pak tot zijn krankzinnige huis aan de Côte d'Azur, met de naam 'Palais Bulles' (bellenpaleis). Maar wat hem beroemd heeft gemaakt zijn de achthonderd licenties waarop met zijn toestemming zijn initialen zijn gezet. Aan deze zeldzaam bescheiden man wordt een zin toegeschreven die zijn lotsbestemming samenvat: 'Mijn naam is belangrijker dan ikzelf.' Inderdaad heeft de afkorting 'pc' de meest onverwachte voorwerpen gesierd: meubels, horloges, namaakjuwelen, chocolade, bidets, klokken, enzovoort. Pierre Cardin blijft voor altijd de man die de doelmatige exploitatie van een merk tot het uiterste heeft gedreven. Onze tijdgenoten mogen dan de spot drijven met deze tachtigjarige, maar de derivaten met zijn logo blijven goed lopen op de onwaarschijnlijkste plekken op de aardbol, in Centraal-Azië of in India.

Cardin is geen theoreticus. Toch had hij snel door welke voordelen hij kon behalen uit het feit dat hij zo beroemd was als modemerk. Algauw werd hij een licentie-industrieel; zo paste hij op het restaurant Maxim's de recepten toe die hij in de textielsector had beproefd. Ondanks zijn knowhow ondervond hij moeilijkheden bij het rendabel maken van de aankoop van deze luxekantine, die toch wereldberoemd was. Hij moest het aantal bars en restaurant van die naam uitbreiden en vooral producten onder het merk brengen, wilde de aanschaf rendabel worden. Dat komt doordat textiel niet het monopolie heeft op licenties, getuige de parfums van het merk Harley Davidson. Niettemin lijkt de modewereld meer dan welk ander domein de noodzakelijke verbeelding voort te brengen om een product te verfraaien.

Het licentiestelsel heeft inmiddels bewezen doeltreffend te zijn. De meeste modemerken hebben dan ook besloten bijna alle producten onder hun naam te ontwerpen en op de markt te brengen, inclusief die welke het verst af blijken te staan van hun oorspronkelijke metier. Lederwarenfabrikanten zijn met prêt-à-porter gekomen, haute-couturehuizen verkopen accessoires, een groot aantal heeft partnerships gesloten om onder eigen naam parfum, namaakjuwelen, uurwerken of tafelgerei te kunnen verkopen. Natuurlijk noemt iedereen Cardin als het voorbeeld dat geen navolging verdient. Maar men is altijd de Cardin van iemand anders; brand stretching (diversifiëring) is een gemeenschappelijke doelstelling geworden van alle modemerken. Zowel de meest prestigieuze als de meest bescheiden luxemerken storten zich erop.[9]

In feite hebben luxemerken de neiging de soorten producten waarop ze hun naam zetten uit te breiden. Zo doet de verscheidenheid van merkartikelen van de meest prestigieuze firma's niet onder voor die van Cardin, waar toch om gelachen wordt. Het logo van Gucci heeft inmiddels een draagbare massagetafel, handboeien enzovoort getooid. Deze artikelen zijn ogenschijnlijk ongelijksoortig; toch hebben ze een punt van overeenkomst: ze hebben geen enkel nut, zijn onbetaalbaar en kunnen slechts in de smaak vallen bij mensen die voor de show grote uitgaven willen doen. Voor de firma Gucci zijn deze artikelen louter anekdotisch; ze bestaan bij wijze van knipoog en worden in het algemeen door de bladen als zodanig vermeld. Het belangrijkste deel van de omzet van een luxemerk is afkomstig van de inmiddels traditionele uitbreidingen van het modemerk, van cosmetica tot namaakjuwelen. Voor het merk met de dubbele G zijn de inkomsten uit parfums, net als voor talloze concurrenten, belangrijker dan die uit prêt-à-porter. Armani is in dat opzicht een uitzondering, omdat het om een textielmerk gaat dat in 2002 nog meer dan 50 procent van zijn omzet – om precies te zijn 51 procent – uit zijn kleding haalt.[10]

Vandaag de dag is Armani een van de meest geraffineerde voorbeelden van merkuitbreiding: de verschillende lijnen die onder dit label zijn gelanceerd vormen een zeer brede waaier, waarbinnen het bijna onmogelijk is zijn weg te vinden. Maar laten we dat toch proberen. Alles begint in 1975 met de belangrijkste lijn, Giorgio Armani, een A-merk dat zowel op onderkleding als op brillen (1987) en accessoires (2000) wordt gezet. In 1981 wordt een toegankelijker lijn gelanceerd: Emporio Armani, met zijn eigen prêt-à-porter, horloges en parfums. In hetzelfde jaar besluit het merk zich ook op jeans en kindermode te werpen: als logisch gevolg roept het achtereenvolgens Armani Jeans en Armani Junior in het leven. Een jaar later, in 1982, wordt Armani Parfum gelanceerd, dat zich op vrouwen richt, en in 1984 ook op mannen. Tot dan toe is de situatie complex maar beheersbaar. In 1991 wordt deze lastiger, met de lancering van Armani Exchange, een sportieve prêt-à-porterlijn voor betaalbare prijzen. Korte tijd later komen er twee lijnen – Mani en Le Collezioni – met kleding in de hoogste prijsklasse. Het aantal parfumlijnen wordt uitgebreid, met name 'Acqua di Giò' (1995) en 'Mania' (2000). Ten slotte gebruikt Armani Casa, de laatste toevoeging, de naam van de ontwerper op meubels en artikelen voor woninginrichting.

Het is lastig om de logica van het merk verder door te drijven dan Armani: een ware zegen voor de rijken, een unieke naam en een veelheid van artikelen voor de meest uiteenlopende cliënten. Toch is deze droom van industriëlen – een immaterieel bedrijf zonder fabriek of personeel; ontslaan is niet meer nodig, er is niemand in dienst – voor anderen soms in een nachtmerrie ontaard: de bestellingen gingen naar de fabrieken zonder dat men zich bekommerde om de arbeidsomstandigheden van de werknemers. Er wordt voortdurend druk uitgeoefend op de prijzen: er wordt van toeleveranciers en zelfs van landen gewisseld zodra er een beter aanbod opduikt. In die omstandigheden beperkt het moederbedrijf zich tot een paar leidinggevenden die belast zijn met het ontwikkelen van producten, de marketing en het omgaan met toeleveranciers. Een soort 'perfectionering' van het systeem dat bedacht is door Cardin of Lacoste, waarin het bedrijf een licentieportefeuille optimaliseerde. Tegenwoordig wordt het spookmodel, als illustratie van het op hol geslagen immateriële kapitalisme, belichaamd door Nike. Deze in 1971 opgerichte firma, de eerste fabrikant van sportkleding ter wereld, heeft een omzet van meer dan 10 miljard dollar (10,7 miljard dollar in 2002), zonder ook maar één fabriek te bezitten. Het bedrijf fabriceert niets; het bestuurt.

Het verschil tussen een sportmerk en een modemerk is subtiel. Nike en soortgelijke merken hebben geprofiteerd van de trend om sportschoenen anders te gebruiken dan waar ze oorspronkelijk voor bedoeld waren; twee derde van dergelijke schoenen zal nooit een sportief doel dienen.[11] Net als bij de prestigieuze luxemerken is de aanwezigheid van een van deze namen voldoende om hoge prijzen, en dus marges, te rechtvaardigen. Sportschoenen die voor honderd euro worden verkocht, worden voor acht of tien euro gemaakt. Er werken ontwerpers voor deze labels, wat de scheidslijn met een traditioneel luxemerk nog dunner maakt. In 2002 signeerde Yamamoto voor het vijfde achtereenvolgende jaar een exclusieve collectie voor Adidas. Eenmaal modemerk geworden, kunnen deze merken uit de mode raken[12] en weer terugkomen: Puma heeft baat gehad bij een turnaround-strategie die vergelijkbaar is met die van Gucci. Het bedrijf, dat is overgenomen door Arnon Milchan, producent van de film Pretty Woman, heeft zeventig stylisten in dienst. Voor de heractivering van het merk is gebruik gemaakt van de klassieke technieken: de voeten van beroemdheden (Madonna, Cameron Diaz) van schoenen voorzien, de producten schaarser maken door te kiezen voor een selectieve verspreiding, ingang vinden bij Colette, de meest trendy 'concept store' van het moment.

In tegenstelling tot modes die komen en gaan, gaan merken nooit helemaal dood. Het bewijs dat geleverd is door Gucci of Burberry staat eenieder voor de geest. Dior heeft onlangs, onder leiding van LVMH, een minder dramatische versie gegeven van de strategie die Investcorp in staat had gesteld Gucci over te nemen.

Deze inmiddels klassieke strategie telt drie bedrijven. Het eerste bedrijf is, volgens een bekend schema, een onemanshow waarin de ontwerper ten tonele wordt gevoerd die gekozen is om de schone slaapster te wekken. Zo dook John Galliano in 1996 op met de opdracht voor Dior te doen wat Karl Lagerfeld ooit voor Chanel deed: een – te – respectabel modehuis overhoophalen. Voor dit doel neemt de artistiek directeur de zorg voor het gehele merk op zich, van het ontwerpen van de producten tot de promotie ervan: John Galliano houdt zich bezig met Dior voor vrouwen, Hedi Slimane met Dior voor mannen. Het doel van deze ontwerpers komt voort uit het traditionele drieluik: verjongen, provoceren, focussen.

Tweede bedrijf, minder glamoureus: het binnenhalen van de licenties. In het begin van de jaren negentig had Dior er bijna vierhonderd. Het doel is tweeledig: weer greep krijgen op het beeld van het merk en de winstmarge terughalen van de licentiehouders. Het is afgelopen met de producten die in ruil voor wat royalty's het imago van het merk kunnen bezoedelen (zoals de beruchte pantoffels van Dior). Wie de licenties weer in eigen hand neemt kan zelf kiezen waar de producten worden verkocht: voor deze merken zijn de winkels waar de producten liggen van cruciaal belang voor hun aanzien.

De derde strategische handeling bestaat dan ook in het bezit van eigen winkels. Dat betekent een enorme belasting vergeleken bij een louter immateriële strategie. Vooral voor een luxemerk vergen de verkooppunten zeer forse investeringen. Niets is te mooi voor een merk als Dior: iedere winkel moet op een tempel lijken, die zich uiteraard in het heilige der heiligen bevindt; 5th Avenue in New York, Peking Road in Hongkong of de Omotesandowijk in Tokio. Je kunt je niet veroorloven ergens anders te zitten, of er op een bescheiden manier te zitten. Deze merkeconomie eist dan ook haar deel aan onroerend goed op, de eerste uitgaven[13] van deze merken. Als deze strategie vrucht afwerpt, levert ze indrukwekkende resultaten op. Artikelen die voor hoge bedragen te koop worden aangeboden gaan van de hand alsof het massaproducten zijn: honderdduizend exemplaren van de tas 'Lady Dior' in het jaar dat deze werd gelanceerd, veertienduizend stuks per maand van zijn opvolger, de 'zadeltas', honderdduizenden 'J'adore Dior'-T-shirts, voor 150 euro per stuk. Er zijn uitstekende resultaten behaald,[14] maar de investeringen die deze vergen moeten aandeelhouders of bankiers, die geacht worden de ontwikkeling van een immaterieel actief te financieren, wel een gerust gevoel geven. Daarom is het allerbelangrijkste dat de waarde van het merk wordt gegarandeerd.

MERKEN VAN WAARDE EN DE WAARDE VAN MERKEN

Hoe kon het anders: de ontdekking van de winsten die behaald kunnen worden met een luxemerk leidde tot een plotselinge prijsstijging. Zo was Vuitton goed voor 8 miljard euro,[15] oftewel het jaarlijks bruto nationaal product van Bolivia! Chanel en Hermès worden ook op aardige bedragen geschat: bijna 5 miljard euro voor de eerste, iets meer dan 3 miljard euro voor de tweede, nauwelijks minder dan het merk Peugeot. De winstverwachtingen van een modemerk verklaren het feit dat er in 2002 drie textielbedrijven tot de toptien van Franse merken behoorden. Andere, bescheidener modemerken zijn evengoed fortuinen waard: Lacoste staat op de negentiende plaats in het klassement, Pierre Cardin op de vierentwintigste, ondanks de minachting die hem vaak ten deel valt. Deze bedragen lijken misschien hoog, maar zijn toch nog redelijk in verhouding tot de cijfers dic tijdens de internetluchtbel werden gemeld.[16]

De waardebepalingen van merken spelen een cruciale rol; zij maken het mogelijk de aanzienlijke belangen die deze voor de modebedrijven vertegenwoordigen op waarde te schatten. Dat is de reden waarom de topmensen in deze sector er bijzondere aandacht aan schenken. Deze hoge bedragen rechtvaardigen de investeringen die gedaan worden om dergelijke namen op te bouwen en in stand te houden. De meeste merken in dit klassement, met Pierre Cardin als duidelijke uitzondering, doen talloze uitgaven op immaterieel gebied – reclame, marketing, enzovoort – maar ook op materieel gebied. Deze bedrijven, die streven naar een bedrijfsvoering zonder productiedwang, maken hoofdzakelijk gebruik van toelevering. Daarentegen moeten ze wel beschikken over een winkelbestand op het niveau van het imago van hun merken. De reclame-uitingen die nodig zijn om het verlangen naar een merk op te roepen mogen dan een hoop geld kosten, ze zijn in het algemeen minder kostbaar dan de verkooppunten, die onontbeerlijk zijn voor deze bedrijven.

Er zijn maar weinig bedrijven die deze uitgaven uit eigen middelen kunnen bekostigen. Meestal moeten ze zich tot de beurs wenden of een lening aangaan om zich conform hun ambities uit te breiden. Ze ontkomen er dan ook niet aan de aandeelhouder of bankier gerust te stellen, te bewijzen dat dit systeem, hoe immaterieel het ook is, bijdraagt tot het opbouwen van substantiële activa. In deze context is de waarde die aan de naam wordt toegekend van cruciaal belang. Een beurskoers fluctueert, de resultaten ook; maar wat doet dat er uiteindelijk toe als het merk zijn waarde behoudt. Een deel van de economie van het immateriële berust op deze fictie; een merk zou een vermogenselement zijn dat losstaat van het bedrijf waartoe het behoort, en zou als zodanig net als ieder ander object kunnen worden verkocht.

Het belangrijkste probleem waarop deze voorstelling van zaken stuit: hoe wordt de prijs van een merk bepaald? Reclamemakers zouden graag willen dat men vertrouwen heeft in de investeringsuitgaven, maar geen enkele formule kan garanderen dat de gelden goed zijn besteed. Sommige merken maken nooit gebruik van reclame – Agnès B., Zara –, en zijn evengoed heel bekend. Kortom, het lijkt onmogelijk te bepalen hoe een reclame-investering de waarde van een merk doet stijgen. Volgens de boekhoudlogica zou men zich op gelijksoortige transacties moeten baseren; maar vervreemding van prestigieuze merken komt zelden voor en ieder geval staat op zichzelf; die gevallen zijn niet te gebruiken voor het aanleggen van een beoordelingsmaatstaf. Er blijft dus een methode over die iedereen naar eigen inzicht gebruikt: de actualisering van toekomstige geldstromen. Ieder merk wordt op waarde geschat op grond van wat het in de toekomst kan opbrengen. Voor producten in een stabiele markt is dat goed te doen. Maar hoe gaat men te werk op het gebied van de mode? Winsten in de toekomst zijn al even moeilijk te voorspellen: er bestaat niet één manier om winst te behalen uit de bron van inkomsten die een label is. Een voorbeeld: in 2003 heeft Prada nog steeds geen parfum. Stel dat het merk besluit er een te lanceren, welke inkomsten moeten het bedrijf dan worden toegekend? Het antwoord kan niet anders dan willekeurig zijn. Daarom monden al die waardebepalingen uit in soms vreemde, en altijd discutabele resultaten.

Deze waardebepalingen berusten op aanvechtbare hypothesen, in het bijzonder de volgende: een merk zou een waarde hebben onafhankelijk van de mensen die er de drijvende kracht achter zijn, van de onderneming die de eigenaar is, enzovoort. Toch lijkt de recente geschiedenis van de mode het omgekeerde te bewijzen: een merk heeft geen essentie die het een waarde zou toekennen aan de sterrenhemel van kapitaal en activa. Het potentieel van een merk staat niet in het merk gegrift als een genetische code die alleen maar tot uitdrukking wil worden gebracht. Gucci lijkt nu een juweel dat slechts wil schitteren zoals vroeger. Achteraf lijkt deze vaststelling te getuigen van gezond verstand. Maar daarmee wordt er weinig waarde gehecht aan het feit dat in modekringen het noemen van de leerfabrikant voordat deze een nieuw leven ging leiden, rampzalige gevolgen had; een ouderwets luxemerk voor een clientèle die minstens zo ouderwets was, zo werd er gepraat over de dubbele G. Toch werden sommige artikelen waar het merk nu rijk van wordt, zoals de 'bamboetas', al in die tijd te koop aangeboden, maar niemand keurde ze een blik waardig... Als logisch gevolg van de waardebepaling van een merk als ware het een zelfstandig bedrijfsmiddel, krijgt elk merk een kerneigenschap toegekend die doorslaggevend is voor het potentieel ervan. Toch heeft John Galliano de codes van Dior meer dan omvergeworpen om te zorgen dat het luxemerk weer tot de laatste mode behoort; de stijl van Givenchy is bijna mishandeld door Alexander McQueen... Als anderen zouden zijn belast met de taak deze twee modehuizen nieuw leven in te blazen, zouden ze die op een andere manier hebben herontdekt – een bewijs dat de identiteit van een merk niet gemakkelijk op zichzelf kan staan.

De opleving van sommige merken heeft er in ruime mate toe bijgedragen dat de waarde van merken in het algemeen is gestegen. Toen de beurskoersen hoog waren en de kranten vol stonden met bepaalde overnames, dachten de eigenaren van de eenvoudigste namen dat ze op een goudmijn zaten. Nu is irrationele uitbundigheid niet gebruikelijk meer. Toch is het voor elk modebedrijf van belang om net als Bernard Arnault luidkeels te verkondigen 'buitenaardse' merken te hebben waar meer dan dertig jaar aan gebouwd zou moeten worden.

LUXE, ALTIJD IN DE MODE

Ogenschijnlijk gaat alles goed; het merkidee maakt het uitstekend. Er lijken geen grenzen te zijn aan de uitbreidingen rond een naam die in de smaak valt. Alles verloopt alsof modeontwerpers voordeel halen uit een inkomstenbron die de handigste figuren winstgevend kunnen maken. Daarom zijn merken inmiddels fortuinen waard.

In een wereld waar ontrouw de regel is en waar het aanbod altijd hoger is dan de vraag, lijkt een bekende naam een echte troef te zijn. Hij vormt vooral een uitstekende bescherming tegen de crisis in de modesector, die zich al twintig jaar aftekent. Die crisis heeft velerlei oorzaken. In Frankrijk berust ze, net als in de meeste andere westerse landen, voornamelijk op het feit dat het deel van het huishoudbudget dat bestemd is voor kleding afneemt.[17] Daarom hebben de talrijke merken die 'trendy' artikelen aanbieden voor lage prijzen zo'n groot succes. In deze omstandigheden kun je het beste, of zelfs uitsluitend weerstand bieden door te profiteren van een sterk merk dat verschillende vernederingen kan doorstaan. Vandaag de dag is dit bijna synoniem geworden met luxemerk. Bernard Arnault vat de algemene opinie samen wanneer hij van mening is dat 'er dertig jaar nodig is om een echt luxemerk op te bouwen, maar als dit eenmaal tot stand is gekomen, kan het iedere crisis het hoofd bieden'.[18] Een dergelijke overtuiging is in staat aandeelhouders gerust te stellen. Temeer daar de winsten in deze sector in het algemeen zeer hoog zijn. Hoe discreet Prada ook is over zijn kostprijzen, er wordt gefluisterd dat de winstmarges op sommige nylonproducten een factor 10 bedragen. Daarom ten slotte beschikken Vuitton, Cartier en Gucci over brutomarges in de orde van 70 procent en over operationele marges van tegen de 20 procent; alleen de farmaceutische industrie doet het beter.[19]

Toch is het niet vanzelfsprekend om het over luxe te hebben terwijl het hedendaagse systeem een combinatie is van consumptie en massaproductie. Zoals Jack Goody benadrukt[20] ontmoeten luxeculturen elkaar vooral in hiërarchische maatschappijen. Onze wereld kent een uitgebreide sociale stratificatie. Toch zijn alle lagen gebaseerd op de formele gelijkheid van individuen. Dientengevolge richten de exclusieve kledingmerken zich in werkelijkheid tot de massa. Zoals Tocqueville had voorspeld is niet de luxe gedemocratiseerd: de democratie biedt iedereen de *formele* mogelijkheid om alle goederen te verwerven. 'Wanneer alle klassen door elkaar heen lopen,' schreef hij, 'hoopt iedereen dat hij kan lijken wat hij niet is en levert grote inspanningen om dat te bereiken [...] Om deze nieuwe behoeften van de menselijke ijdelheid te bevredigen is er geen enkele vorm van bedrog waar de kunsten geen gebruik van maken; de industrie gaat soms zo ver in deze richting dat zij zichzelf weleens schaadt.'[21] Dus is luxe een etiket dat bepaalde producten onderscheidt die exclusiever worden geacht dan andere. Onze tijdgenoten zijn dol op die kwalificatie; in 2001 was dit thema in de pers aanleiding tot meer artikelen dan milieubescherming of seksualiteit.[22] Tegelijkertijd koopt meer dan 60 procent van de Amerikanen, Europeanen en Japanners op z'n minst af en toe een luxemerk.[23] De doelgroep van deze bedrijven beperkt zich dus niet tot de hyperbourgeoisie.[24]

Kortom, luxe is in de mode. Op dit moment komt deze situatie de luxe-industrie prima uit; het stelt haar in staat producten met deze kwalificatie te verkopen met een aangename marge. Maar morgen? Misschien krijgt deze bron van inkomsten een knauw; want als luxe in de mode is, betekent het dat ze uit de mode kan raken.

EEN EIGEN LEGENDE CREËREN

Sommige merken lijken, hoewel ze nog maar kort geleden zijn ontstaan, nu al vaste grond onder de voeten te hebben en behoren inmiddels dankzij de handigheid van hun topmensen tot de club van begeerde namen. Hun aanwezigheid is al voldoende om iets duur te verkopen wat misschien onopgemerkt zou blijven als het onder een andere naam in de winkel lag.

Tod's is de perfecte illustratie van dit principe: sommigen lijken dit merk al een eeuwigheid te kennen, terwijl het bedrijf dat het exploiteert dertig jaar geleden nog een vaag bestaan leidde. Onder het grote publiek is het tien jaar geleden werkelijk gaan leven. Het gezonde verstand zou zeggen dat een dergelijk succes berust op een uitzonderlijk product. Maar gezond verstand is hier niet op zijn plaats: dit merk ontleent zijn bekendheid aan een mocassin die zo lelijk is dat hij zijn bestaan uitsluitend aan trends te danken heeft. Zonder hulp van de mode was onmogelijk te verwachten dat men een hoge prijs kon krijgen voor deze onooglijke schoen met noppen op de zolen, een op schoenen voor automobilisten geïnspireerd model... Ja, Tod's zijn comfortabel, een waarschijnlijk doorslaggevend argument om pantoffels te verkopen, maar een belachelijk en zelfs gênant argument voor wie de voeten van de meest vooraanstaande figuren op de aardbol van schoeisel wil voorzien. Om zijn merk en vervolgens een concern rond die schoenen op te bouwen moest Diego Della Valle, oprichter en huidige C E O van Tod's, een flinke chutzpah aan de dag leggen.

Bij Tod's is alles mooi, maar niets is waar: de geschiedenis van deze schoen is een aaneenschakeling van leugens. In 1979, zo wil de legende, ontdekt de jonge Della Valle deze mocassin in een uitdragerij in de Verenigde Staten en vindt hem waanzinnig lekker zitten. Hij is nog danig onder de indruk wanneer hij besluit deze vreemde schoen te fabriceren en in de handel te brengen onder de strikt denkbeeldige naam JP Tod's. Als twintig jaar later het merk populair genoeg wordt geacht, worden de letters JP losgelaten. Een paar dat geschonken was aan Gianni Agnelli zou het bij de baas van Fiat, die aan de andere kant van de Alpen de toon aangeeft in mondaine kringen, helemaal hebben gemaakt. Fotografen nemen de taak op zich hem te vereeuwigen met die malle schoenen... Ook andere, nog legendarischer figuren hebben ze gedragen, uitsluitend omwille van de publiciteit. Dat was speciaal het geval met Cary Grant, die het postuum op zich nam deze pasgeboren schoenen voor een klassieker te laten doorgaan, net als de Kelly-tas of het Hermès-sjaaltje.

Andere vormen van reclame kwamen gratis tot stand door toedoen van de traditionele beroemdheden die deze schoenen, in alle kleuren en materialen, van het klassiekste leer tot opzichtige krokodillenhuid, al snel gingen dragen. De legende – alweer een! – wil dat krokodillenleer zo kostbaar is dat het in kluizen wordt bewaard... Al is de schoen niet elegant, de prijs is dat wel. Halverwege de jaren negentig, op het hoogtepunt van de populariteit van de Tod's, was er in de winkels die ze vertegenwoordigden niet genoeg voorraad: een teken van succes of berekening? Sommigen vermoedden dat Diego Della Valle de schaarsheid van zijn product had georganiseerd, door de vraag naast zich neer te leggen nog voordat die helemaal tot uiting was gekomen. Della Valle is er nu in geslaagd een klassieke vervalsing, misschien zelfs een *vorm*, te creëren, een mocassin die oud zal worden zonder het te lijken, met behulp van een paar facelifts. Rond de naam Tod's zijn er nog andere artikelen succesvol gelanceerd, in het bijzonder een zeer gewilde tas, de 'D-bag', die in 1997 op de markt kwam en de beroemde noppen van de schoen had overgenomen. Uiteindelijk heeft de groep nog andere merken ontwikkeld, waarvan er een, Hogan, ditmaal sinds 1986, het fabeltje vertelt over een cricketschoen uit de jaren dertig van de vorige eeuw. Misschien omdat deze minder lelijk is dan grote zus Tod's, vertegenwoordigt hij slechts 30 procent van de omzet van 320 miljoen euro die het concern over 2001 behaalde.

Tod's, nog maar begin dertig, wordt als een 'groot merk' beschouwd; ontegenzeglijk spreekt deze naam het publiek aan. Maar er bestaat geen leeftijdseis of een minimaal vereiste omvang voor het vertellen van verhalen. Dat is de les die kan worden getrokken uit het succes van Gérard Darel, een merk dat niet het aanzien van Tod's geniet, maar er toch ook in is geslaagd zich op listige wijze in de kijker te spelen.

Het merk Gérard Darel is een prêt-à-portermerk in de gemiddelde prijsklasse dat zich ten doel heeft gesteld kleding te ontwerpen voor vrouwen in de veertig. Dit bedrijf, ontstaan in de wijk Sentier, leidde tot 1996 een redelijk bloeiend en bevredigend bestaan, maar het lukte niet echt zich te onderscheiden van zijn concurrenten. Geen enkele mythe was in staat dit merk van het peloton los te koppelen. Op dat moment schijnt Danielle Darel op het idee te zijn gekomen munt te slaan uit 'haar passie' voor Jackie Kennedy. Ze besloot de banden tussen het bedrijf en deze legendarische vrouw te benadrukken, een uiteraard volkomen willekeurige verbintenis. Niets wees erop dat deze twee hoofdrolspelers met elkaar in contact zouden komen. Om te zorgen dat deze twee namen met elkaar zouden worden geassocieerd, kwam er een geraffineerd idee tot stand. In plaats van Jackies beeld in de reclame te gebruiken – iets wat niet zo eenvoudig en waarschijnlijk te grof was – kwam Danielle Darel op de gedachte om op de veiling van Sotheby's in New York de halsketting te kopen die mevrouw Kennedy droeg toen ze haar echtgenoot vergezelde bij het officiële bezoek in 1961.[25] In ruil voor vijfhonderdduizend francs werd de halsketting eigendom van de Darels, die deze meteen wilden gebruiken in het kader van hun reclamestrategie. Een goede aankoop, die doet denken aan een andere: Ralph Lauren verwierf, ook op een veiling, voor 13 miljoen dollar de tot dan toe oudst bekende Amerikaanse vlag. In zekere zin werd hij eigenaar van zijn oudste logo, want de stars and stripes zijn ook op zijn truien te vinden.

Sinds de halskettingaffaire is Gérard Darel Jackies beeld blijven gebruiken in zijn communicatie, die niet alleen uit reclame bestaat: een bedrijf met zo'n bescheiden omvang heeft natuurlijk niet de budgetten waarover de reuzen in die sector beschikken. Daarom verkoopt het merk een replica van Jackies halsketting in zijn winkels, gebruikt het Stephanie Seymour (een mannequin van wie men vindt dat ze op Jackie lijkt) in zijn reclame-uitingen, sponsort het een aan het echtpaar Kennedy gewijde fototentoonstelling bij Unesco, en een expositie van Jackies jurken in het Metropolitan Museum, enzovoort. Sinds 1996 en de beroemde veiling is de omzet van Gérard Darel meer dan verdubbeld. Een bewijs dat de willekeurigste associaties kunnen werken en dat het niet nodig is om dertig jaar lang leverancier van de koningin te zijn geweest om haar beeld op te roepen. Blijft over een onbekende: op een veiling in 2003 heeft Gérard Darel de beroemde vragenlijst van Proust verworven. Wil het merk zich op de prêt-à-porter voor mannen storten?

81

Om zich te doen gelden, zoals Tod's en Gérard Darel hebben gedaan, moet een merk zijn clientèle vinden, wat verre van eenvoudig is. Het doelwit is namelijk in beweging en het is niet altijd hetzelfde als waar aanvankelijk het oog op gericht was...

GEWENSTE MERKEN EN ONGEWENSTE KLANTEN

Alle merken streven ernaar in contact te komen met een bepaalde clientèle. Met dat doel bewerken ze hun doelgroep. Toch vermag marketing niet alles. Het onderscheid tussen wat 'in' en wat 'uit' is, heeft ieder seizoen invloed op de merken en ontwikkelt zich naargelang van de verschillende groepen en sferen. Weliswaar kunnen sommige merken dankzij de traagheid van de consumenten hun inkomstenbronnen behouden; maar niet één ligt er werkelijk vast. Zoals bekend zijn consumenten steeds minder trouw. Uiteindelijk ontwikkelen mensen tegenover merken een houding die lijkt op die welke ze aannemen tegenover instellingen in het algemeen: geen enkel merk, of het nu een luxemerk is of niet, is veilig voor een verandering in de publieke opinie. Merken moeten in staat zijn verantwoording af te leggen op het moment dat ze misschien worden geconfronteerd met een dreigende boycot of in vergetelheid raken.

Luxemerken spelen in onze maatschappij namelijk een buitengewoon ingewikkelde rol. De lezers van Naomi Kleins *No Logo* kunnen in verband worden gebracht met de massa's die zich tijdens de uitverkoop in de winkels verdringen. De afwijzende reacties aan hun adres zijn overigens net zo indrukwekkend als bepaalde uitingen van verheerlijking. Ieder merk ontsnapt voor een deel aan degenen die het moeten promoten. Nike, Gap en Christian Dior (om nog maar te zwijgen van McDonald's of Coca-Cola) zijn daar treffende voorbeelden van. Niemand heeft er opzettelijk naar gestreefd ze al in het begin te voorzien van de symbolen die ze nu oproepen; geen merk kan meer zeker zijn van zijn toekomst. Ieder merk kan voor de onaangename verrassing komen te staan dat een seriemoordenaar met zijn logo gaat lopen pronken en dat dit beeld in alle media wordt herhaald, zoals het geval was met Guy Georges die vereeuwigd werd met een groen Umbro-T-shirt. Zo had Doc Martins er waarschijnlijk niet voor gekozen de lievelingsschoen van de neonazi's te worden. Maar hoe pak je zoiets aan? Het recente voorbeeld van Lacoste laat de grenzen zien aan de invloed die deze entiteiten op zichzelf kunnen uitoefenen.

Het geval van de krokodil is welbekend. Tegen iedere verwachting in werden de artikelen van dit merk, dat gewoonlijk in de smaak viel bij de bourgeoisie, omstreeks 1995 plotseling populair onder jongeren in achterstandswijken. Deze bevlieging gold voor alle kleding van dit merk, of, op subtielere wijze, voor bepaalde soorten artikelen, bovenkleding of petjes, die tot herkenningsteken werden verheven voor een groep of een wijk.[26] Het verschijnsel berustte op een heldere logica die de leidende figuren opeisten: zich meester maken van een bepaald aantal onderscheidende symbolen van de meest bevoorrechte bevolkingsgroepen. Volgens de socioloog Serge Liminana namen het merk met de krokodil en de grondlegger ervan, de tennisser René Lacoste, een onverwachte plek in de verbeelding van deze jongeren in. Ze waren op de hoogte van de verrichtingen van de speler en van de verschillende artikelen in het assortiment, maar bovenal beschouwden ze elk artikel waar het logo op stond als een ambivalent teken van integratie. Door zich die kleding toe te eigenen lieten ze zien dat ook zij in staat waren uiterlijke tekenen van rijkdom tentoon te spreiden. Tegelijkertijd draaiden ze de onderscheidingsstrategie in zekere zin om door dit merk te dragen, dat eigenlijk voor de bourgeoisie bestemd was, waarbij ze heel goed beseften dat deze laatste groep deze vorm van samenzijn niet als vanzelfsprekend zou beleven.

Lacoste is niet het enige merk dat de subtiele hiërarchie die deze jongeren hebben ingesteld, heeft geïntegreerd. Naast de krokodil waren er in 2002 'Sesam'-merken te vinden – bijvoorbeeld Hugo Boss – die geacht werden degenen die ze droegen toegang te geven tot plaatsen waar ze van oudsher geweigerd werden, zoals nachtclubs. Daarentegen bestaan er ook merken die synoniem zijn met het opeisen van een lidmaatschap, zoals het merk Dia, dat op zijn beurt is geïnspireerd op het merk FUBU, 'For us, by us'. Toch is er bijzondere media-aandacht geweest voor de toekomst van Lacoste, deels om heel Franse redenen. In vele geamuseerde of neerbuigende commentaren werden deze jongeren zonder geld, die de goede burgerij haar herkenningstekens afnamen, beschreven. Sommigen voorspelden dat de traditionele klanten zouden weglopen; anderen zagen dat al gebeuren. Geconfronteerd met dit alles hulde het bedrijf zich in opperst stilzwijgen: het maakte er nooit enig gewag van dat zich onder zijn kopers jongeren uit de voorsteden bevonden. Natuurlijk maakte het zijn cijfers niet openbaar, en vanwege de bedrijfsstructuur waren deze moeilijk te achterhalen. Niets wijst erop dat de traditionele kopers zich afkeerden van het merk, dat overigens sinds 1998 niet in topvorm is. Er zijn tijden geweest dat het aantrekkelijker was, en enige tijd geleden heeft het zich aan een facelift gewaagd, waarvoor het speciaal een jonge stylist, Christophe Lemaire, heeft aangetrokken. Er is een voorzichtige, misschien zelfs onbewuste stap gezet in de richting van de ongewenste aficionado's: een zwart model op een brochure, een banaantas (tas die rond het middel wordt gedragen) voor een bescheiden prijs. Maar daar is geen bewust beleid aan te pas gekomen.

Net als de commentaren rond dit verschijnsel is de reactie van Lacoste onthullend voor een bepaald standpunt dat Frankrijk inneemt tegenover minderheden: ze verraadt een bijzondere opvatting van integratie. Bij alles lijkt het of er voor de vorm een universalistisch sausje over een werkelijk bestaand snobisme wordt gegoten. In de Verenigde Staten is uiteraard de tegenovergestelde houding te zien: sinds de jaren negentig van de vorige eeuw is etnische marketing een dooddoener. Sommige merken die massaal worden omarmd door etnische minderheden, hebben het toeval omgetoverd in een kans en hebben het gebruikt om de kloof tussen hen en hun concurrenten te verdiepen. Het label Tommy Hilfiger, dat oorspronkelijk een fletse kopie was van Ralph Lauren, heeft op die manier van deze situatie geprofiteerd en zich van een echte identiteit voorzien. Tolerantie ten aanzien van het anderszijn is niet de enige reden voor dit gedrag. Afro-Amerikanen besteden blijkbaar meer geld aan kleding dan de gemiddelde Amerikaan: 46 procent meer voor dameskleding, 86 procent voor herenschoenen en 25 procent voor pakken.[27] Dit contrast wordt in het algemeen geïnterpreteerd als een manier om te bewijzen dat ze gelijk zijn, via een volledige deelname aan de consumptiemaatschappij; het gaat erom dat het stereotype van de arme gemarginaliseerde zwarte wordt weerlegd. Dit gevoel bestaat ook bij de kopers van Lacoste uit de arme wijken. Maar deze plotselinge opwelling is in Frankrijk schijnbaar niet opgevat als een kans, maar eerder als een tegenslag. Het merkensysteem is echter geen kastesysteem; geen enkel merk is eigenaar van zijn clientèle en geen enkel merk kan voorkomen dat sommige van zijn producten worden gekocht door 'onaanraakbaren'. Merken ondergaan dus een les in nederigheid: ze beseffen dat hun macht over collectieve beslissingen veel zwakker is dan normaal gesproken wordt gedacht. Sommige fiasco's getuigen van hun kwetsbaarheid ten aanzien van modeverschijnselen.

MODE IS NIET TE BEHEERSEN

Mode laat zich niet gemakkelijk overheersen, zoals de tegenslagen van Hussein Chalayan, een van oorsprong Cypriotische ontwerper, bewijzen. Niet alleen is hij er nooit in geslaagd zijn naam om te zetten in een merk, maar in december 2000, op het moment dat zijn jaargenoot Alexander McQueen bij zijn vorige werkgever werd weggehaald door de Gucci Group, moest hij zelfs noodgedwongen zijn zaak sluiten. Waarom hij?, vroegen sommigen zich af. Want over Chalayans talent bestaat niet de geringste twijfel; niemand uit het vak zou het ter discussie durven stellen. Toen hij in 1994 van de academie kwam, werd hij meteen al bestempeld als conceptueel talent; in twee achtereenvolgende jaren werd hij gekozen tot British Designer of the Year.

Natuurlijk zou het kunnen dat het conceptuele slecht verkoopt: de eerste creaties van Chalayan – kledingstukken van ijzervijlsel of papier, 'salontafel'-jurken of kleding vervaardigd in een mal van glasvezel – lijken niet te zijn aangeslagen bij een breed publiek. Net als in andere kunstzinnige werelden is er soms een kloof tussen de smaak van de professionals en die van het publiek. In de mode hebben ontwerpers nooit succes kunnen behalen met abstracte en conceptuele ontwerpen. Zo zijn het ook vooral de media die waardering hebben voor politiek getinte provocaties, zoals toen Chalayan in een show naakte vrouwen liet lopen die slechts bedekt waren met een chador. Zoals we nog zullen zien liggen andere soorten provocaties beter in de markt.

Nu probeert Chalayan terug te komen. Daartoe draagt hij een boodschap uit waarvan zijn woordvoerder de kern samenvat: 'Wat Hussein voor mannen heeft willen doen is absoluut niet conceptueel.'[28] Voorzichtig beperkt hij zich tot een enkel onderzoek naar het 'geredde kledingstuk', rond verschoten en gebleekte denim en fluwelen stoffen, gekookte jersey, fletse kleuren, gedeukte silhouetten en gerafelde randen. Net als voorheen denkt hij na over het gedragen kledingstuk, in navolging van het T-shirt 'Air Mail', dat in een verzegelde envelop wordt verstuurd en nog voor gedragen te zijn al geleefd heeft. Maar hij weet dat hij van dat alles niet zal kunnen leven. Naast originele stukken komt hij inmiddels met een onopvallende, bijna klassieke modelijn; te klassiek misschien om zich te onderscheiden. Bovendien heeft hij tot nu toe geweigerd in de openbaarheid te treden. Zelfs foto's van hem zijn schaars... Hoe moet je een merk creëren als de ontwerper blijk geeft van een dergelijke onwil?

Daarentegen ontbrak het Isaac Mizrahi niet aan de wil om zijn naam, zijn merk en zijn persoonlijkheid voor het voetlicht te brengen. Aan andere middelen trouwens ook niet: Chanel was in 1992 bereid hem te financieren. Toch heeft deze New Yorkse ontwerper in minder dan tien jaar, van 1988 tot 1997, roem en tranen gekend; van lieveling van de stad werd hij de vergeten beroemdheid onder de ontwerpers. De Miz, zoals de bijnaam luidde die de journalisten hem hadden gegeven, had de regels van het spel maar al te goed begrepen, en berustte erin zonder een spier te vertrekken. Zijn mode was ultrakleurrijk, sexy, vrouwelijk; kortom: allesbehalve intellectueel. Bovendien had de man alles in huis om in de smaak te vallen: show off (klatergoud), vol chutzpah, onverbrekelijk verbonden met New York, en ook nog een droom-cv. Hij wordt geboren te midden van New Yorkse confectiefabrikanten; wanneer hij van de Parsons School of Design komt, wordt hij de assistent van Calvin Klein. Zijn eerste collectie presenteert hij in 1988 in een loft in Soho: de stad ligt aan zijn voeten. Aan het begin van de jaren negentig is hij de jonge Amerikaanse ontwerper die door de pers nauwlettend in de gaten wordt gehouden. Zijn ontwerpen verspreiden zich heel snel, zoals zijn *tartan kilt* of zijn *boxy jackets*. Mede dankzij hem wordt de mode van *blaxploitation* (een samentrekking van *black* en *exploitation*) nieuw leven ingeblazen, en hij sluit zich aan bij de Jacky Browntrend die door de gelijknamige film van Quentin Tarantino is gelanceerd. Wanneer Chanel hem in 1992 helpt, wordt er gefluisterd dat híj de opvolger van Karl Lagerfeld is. Hij is een ster, maakt televisie. Dus waar zit 'm de kneep? Daar waar men het niet verwachtte: zijn kleding wordt bewierookt door de kritiek, die zijn schendingen van de monochromie aanmoedigt, maar ze wordt niet verkocht. Vele deskundigen hebben zich over het geval van de Miz gebogen. Gebrek aan talent, zegt de een. Voor anderen zou Isaac Mizrahi voor een deel slachtoffer zijn geweest van het systeem dat hem had voortgebracht. Het concert van de journalisten die om hem heen draaiden had hem er waarschijnlijk iets te snel van overtuigd dat kleur verkocht, terwijl er misschien maar een heel klein beetje heil ligt buiten de klassiekers zwart-wit-grijs-beige. Nu lijkt Mizrahi in een moeilijke situatie te verkeren. Geen enkel merk lijkt bereid zijn naam te verbinden aan die verliezer... De Miz ligt in de uitverkoop: hij ontwerpt kleren voor de discountketen Target, en het duurste kledingstuk van zijn collectie kost 69,99 dollar...

Deze twee voorbeelden laten zien dat een merk bepaald niet automatisch tot stand komt. Overigens biedt een even snel als groot succes geen bescherming tegen een al even plotselinge terugval. Wat dat betreft lijkt de geschiedenis van Uniqlo wel een horrorfilm voor mensen uit het vak. De lotgevallen van dit Japanse merk zijn ontluisterend: nooit heeft een modemerk zo'n plotseling en tijdelijk succes gekend. Uniqlo (een samentrekking van 'Unique Clothing Warehouse') werd in het leven geroepen door Tadashi Yanai. In minder dan vijftien jaar werd de firma die het merk uitbaatte de op twee na grootste Japanse textielhandel en kreeg een notering aan de beurs van Tokio. Op het hoogtepunt van zijn roem, in het jaar 2000, werd Uniqlo beschouwd als een overweldigend succes: vijfhonderd winkels, een omzet die van 1999 tot 2000 met 100 procent toenam. Een buitengewoon winstgevend bedrijf, want het realiseerde in 2000 een nettoresultaat van 350 miljoen euro, bijna 15 procent van zijn omzet, terwijl de meeste concurrenten met een derde genoegen namen. In juli 2001 besluit de keten, waarvoor Japan te klein is geworden, een internationaal offensief in gang te zetten en begint in het Verenigd Koninkrijk, waar het van plan was een vijftigtal verkooppunten te openen. Een maand later, in augustus 2001, daalde de omzet van Uniqlo voor het eerst in zijn bestaan, met 1,9 procent; de neergang is ingezet. Het bedrijf verliest een deel van zijn klanten en vervolgens, in 2002, zijn CEO. De uitbreidingsplannen voor het Verenigd Koninkrijk worden stopgezet; hoe dan ook hadden daarmee de verwachte resultaten niet kunnen worden behaald. Er worden volkomen nieuwe pogingen tot diversifiëring ondernomen, vooral met de handel in... groente en fruit. In 2003 leek de toekomst van Uniqlo nog altijd niet veiliggesteld.

Hoe is een dergelijk succes, gevolgd door zo'n terugval, te verklaren? In grote lijnen was het Uniqlo-concept wat deskundigen een 'me too' naar Gap noemden, een model dat strikt op de beroemde Amerikaanse keten was geïnspireerd – om een understatement te gebruiken. In grote winkels van 500 à 800 vierkante meter was een ruim assortiment zeer basale sportieve kleding – T-shirts, jeans, sweatshirts – te vinden. Op het hoogtepunt van zijn succes verkocht Uniqlo 300 miljoen artikelen per jaar, waarbij de communicatie in het teken stond van de eerlijkheid van zijn producten en de uitstekende prijs-kwaliteitverhouding (suggererend dat Uniqlo, in tegenstelling tot zijn beroemde Amerikaanse inspirator en concurrent, de klanten niet voor het merk liet betalen). In een markt die werd beheerst door hoge prijzen begon Uniqlo werkelijk druk op zijn concurrenten uit te oefenen. Dit beleid berustte op twee pijlers. Enerzijds werkte Uniqlo voor de Japanse textielsector de snelle-omloopmethode uit die in Sentier was opgezet en door H&M en Zara populair was gemaakt; zijn ambitie, zo zei het, was om het grootste snelle-omloopbedrijf ter wereld te worden.[29] Dit productiesysteem berustte op een uitzonderlijk netwerk van Chinese toeleveranciers. Uitgaande van productlijnen – spijkerjasjes, T-shirts enzovoort – had Uniqlo de supervisie over het geheel van de verrichtingen, van de productie van garen via het in elkaar zetten van de kledingstukken tot de aflevering in de winkels. Dankzij deze opzet konden de prijzen in de hand worden gehouden en kon tegelijkertijd de kwaliteit worden bewaakt.

Maar Uniqlo had een zwakke plek: zijn merk. Omdat het als een merk voor basics werd gezien, kregen de op Gap geïnspireerde producten het moeilijk toen die stijl uit de mode raakte. De 'eerlijke propositie'[30] van het begin keerde zich tegen Uniqlo: deze naam vormde geen bron van inkomsten voor zijn eigenaren maar trad eerder naar voren als een kwaliteitsgarantie voor het publiek. Toen Uniqlo's concurrenten hetzelfde snelle-omloopsysteem overnamen, werd de positie van het bedrijf zorgelijk. En de tegenaanval liet niet lang op zich wachten: in drie jaar tijd opende Itochu – een groot Japans handelshuis dat zeer betrokken is bij de textielhandel – 137 filialen in China. De aanpassing aan de productiewijze van Uniqlo leidde voor sommige merken[31] tot prijsdalingen van 40 à 50 procent. Het bewijs was geleverd dat een bekend merk op een bepaald moment in zijn geschiedenis succes kan hebben zonder de oprichters ervan te beschermen tegen de wisselvalligheden van de mode op korte termijn.

TWEEDE DEEL

De fabricage van trends

3 Mode is overgeleverd aan willekeur

Merken worden geacht trends te sturen. In werkelijkheid zijn ze eraan onderworpen. Dat is weinig bekend, omdat de mode een even vertrouwde als onbekende wereld is. Hoe ingewikkeld trends zijn is zelfs in alledaagse vocabulairekwesties zichtbaar. Ogenschijnlijk denkt iedereen te weten wat het is: een kledingstuk dat in de mode is. Maar in werkelijkheid is de term uitermate onduidelijk. Hij verenigt namelijk twee verschillende begrippen in zich: een feitelijk oordeel en een waardeoordeel. Het feitelijk oordeel omvat een eenvoudige statistische verklaring: op een bepaald moment is de verschijningsfrequentie van sommige dingen hoger dan die van andere. Heel vaak gaat het hier om massale en plotselinge bevliegingen. In een grafiek met de tijd op de verticale as en de frequentie op de horizontale as nemen deze verschijnselen de vorm van een 'klokcurve' aan.[1] Naast deze 'objectieve' opvatting van mode is er een andere, waarin het waardeoordeel heer en meester is. Volgens deze voorstelling van zaken kan alleen iets zeldzaams trend zijn. Dit soort gedachtewisseling kan aanleiding geven tot eindeloze discussies, want in deze context is de mode van de een niet die van de ander. Dat is wat een deskundige op dit gebied, Jean-Paul Gaultier, benadrukt: 'Wanneer wordt gesteld dat iets in de mode is, betekent dat niet dat honderd procent van de mensen eraan meedoet. Vandaag de dag bestaan modes naast elkaar. Er zijn grungeliefhebbers, neopunkers, oude punkers, hippies, technoaanhangers... En anderen maken overal een mix van.'[2] Deze oecumene ontslaat ons niet van de plicht bij onszelf te rade te gaan over wat wel en wat niet in de mode is.

93

Voor fabrikanten zou het trendstelsel de ultieme droom betekenen als het gemakkelijk te ontraadselen was. Want hoe zouden ze
zich een volmaakter mechanisme kunnen voorstellen dan het mechanisme waardoor mensen ieder jaar afstand moeten doen van
dingen lang voordat ze versleten zijn, omdat ze plotseling ouderwets zijn geworden? Helaas is het nooit gemakkelijk te voorspellen wanneer een bevlieging voorbij is. Erger nog: het lijkt heel lastig te raden wat de volgende zal zijn. Zo vormen trends een soort
modern circus, een organisatie zonder organisatoren. Natuurlijk
doen velen alsof ze deze verschijnselen manipuleren als waren ze
marionettenspelers; anderen beweren ook in de toekomst van de
mode te kunnen kijken als ware die een open boek. Toch blijven de
echte wijzen op dit gebied nederig: zij weten dat het niet eenvoudig
is om trends te begrijpen en nog moeilijker om ze te beïnvloeden.

Gewoonlijk wordt onder de noemer 'trend' ieder polariserend
verschijnsel geschaard waardoor een groot aantal mensen tegelijkertijd valt voor eenzelfde object – in de ruimste zin van het woord.
In ons dagelijks leven wemelt het van de gevallen van polarisatie. Als we er als toeschouwers naar kijken raken we erdoor geïn-
trigeerd of geamuseerd. Fabrikanten, die onderworpen zijn aan
sommige van die mechanismen, beschouwen ze met een zekere
bezorgdheid. Soms gaat nervositeit over in een obsessie: zo eisen
sommige bedrijven dat om de drie weken de trends van dat moment worden geïnventariseerd. Om de drie weken, waarom niet
elke dag, aangezien onze samenleving onderhevig is aan de wet
van de eeuwige beweging. Volgens Pierre-André Taguieff is verandering in onze samenleving een 'substituut van het Opperwezen'
geworden. Een dergelijke ongedurigheid maakt bijna iedere voorspelling aannemelijk; als je je maar niet druk maakt om details en
niet vergeet dat bedrijven het zich kunnen veroorloven om te denken: laat de mensen maar lachen. Euro RSCG Worldwide heeft dat
bewezen door in 2001 te voorspellen: 'Trends zijn uit.'[3]

Trends symboliseren oppervlakkigheid, maar het oppervlakkige sluit het mysterieuze niet uit; de redenen voor frivool gedrag
zijn niet gemakkelijker te verklaren dan die voor serieus gedrag.

Geen enkele triviale regel stelt ons in staat te begrijpen waarom, op elementair niveau, mensen die elkaar niet kennen en soms op duizenden kilometers van elkaar wonen, besluiten zich op gelijke wijze te kleden. Toch is er voor hen geen enkele dwang. Er is geen grote roerganger die hen, zoals vroeger in China, verplicht hetzelfde pak aan te trekken. Als onze tijdgenoten zouden worden gesommeerd een uniform aan te trekken, zouden ze in opstand komen. Waarom besluiten sommigen van hen in die omstandigheden dan om het geheel vrijwillig te dragen? Niets is heilig voor trends: tegenwoordig streven zij ernaar hun terrein uit te breiden naar kinderkleding. In Frankrijk zijn er twee nieuwe tijdschriften die die taak op zich willen nemen: *Extra small*, dat op het omslag van zijn eerste nummer zet: 'Trends – 60 pagina's over mode van 0 tot 12 jaar', terwijl concurrent *Milk* (ook in zijn eerste nummer) kopt: 'Kindermode: de arena in!' en aan dit onderwerp 80 pagina's voor de herfst-winter 2003 wijdt.

Trends richten zich dus op alle kleding, maar bestaan niet alleen maar in het domein van de textiel. Sommigen denken dat het geheel van wat er wordt 'geconsumeerd' – van goederen via ideeën tot en met plekken – voortaan onderhevig is aan periodes van bevlieging en vervolgens van bekoeling. Toch wordt dit gevarieerde samenstel, waaronder een plek, een kledingstuk en een theorie, niet door één enkele wet geregeerd.

Het leven biedt een schouwspel van velerlei vormen van kudde- of groepsgedrag. Sommige daarvan hebben duidelijke oorzaken, zoals files. Andere bevliegingen zijn eenvoudig te verklaren. De wok is aantrekkelijk omdat hij een exotische sfeer op tafel brengt en het vet ervan verdrijft. Blijven over de massaverschijnselen die soms lijken te worden geregeerd door opwellingen. Zo gaat het met de door Birkenstock uitgeoefende aantrekkingskracht. Hoe is het te verklaren dat deze sandaal, die ooit goed lag bij milieuactivisten uit de voormalige DDR, inmiddels gedragen wordt door de beroemdste topmodellen ter wereld? Sommigen waarderen misschien het comfort van dit onechte kind van een slipper en een klomp. Anderen zijn wellicht in staat hem mooi te vinden. Maar waarom zouden we daar op dit moment over beslissen? Zijn er oorzaken of redenen voor het onrecht dat andere merken van orthopedische schoenen wordt aangedaan?

Het succes van Birkenstock illustreert een geliefde volkswijsheid: het leven is onrechtvaardig. Dat is zelfs waarin kledingmode zich onderscheidt; geen enkel ander kuddeverschijnsel kent zo'n belangrijke plaats toe aan willekeur. Aan de oorsprong van iedere mode ligt het toeval. Laten we, alvorens inzicht te krijgen in hoe toeval gestuurd kan worden, proberen te begrijpen wat echte modes onderscheidt van andere onbestendige verschijnselen uit het sociale leven.

'MODE IS WAT UIT DE MODE RAAKT'

Terug naar het gezond verstand, dat wil zeggen Chanel. 'Mode is wat uit de mode raakt', verkondigde zij. Deze stelregel is bevestigd door de antropoloog Alfred Kroeber.[4] In de jaren twintig waagde hij zich aan een gigantisch onderzoek waarvoor hij drie eeuwen gravures en schetsen bestudeerde om te meten aan welke schommelingen de kleding in die periode onderhevig was geweest. Volgens zijn conclusies zou dameskleding in die driehonderd jaar periodieke wisselingen hebben gekend, cycli van ongeveer vijftig jaar. Zo zouden de rokken gedurende vijftig jaar steeds langer worden en in de vijftig jaar daarop weer korter. Kroeber legde zelfs een verband tussen de lengte van de rok en de diepte van het decolleté.

Ondanks zijn onvolkomenheden heeft het werk van Kroeber een enorme verdienste, namelijk dat het de aandacht heeft gevestigd op het bestaan van een 'klokcurve' die de tijdelijkheid van modeverschijnselen beschrijft. De vorm van deze curve is ons inmiddels bekend: hij vertaalt de verschillende fases, van bevlieging tot onverschilligheid, waaraan een 'trend'-product onderhevig is. Dankzij deze klokcurves weten we dat kledingcycli niet vijftig jaar duren maar, in de meeste gevallen, tussen de drie en zeven jaar. Omdat het om een industrie gaat is de neiging groot de modefabrikanten ervan te verdenken dat ze hun best hebben gedaan om de lengte van de cycli te verminderen. Ook al hebben ze waarschijnlijk alles gedaan wat in hun macht lag om onze behoefte aan vernieuwing te doen toenemen, er zijn aanwijzingen waaruit men zou kunnen afleiden dat modes inmiddels korter zijn, ook op niet-commerciële gebieden.

Want trends zwaaien niet alleen de scepter over goederen die verkocht en gekocht worden. Ook voornamen, die toch heel ver van de commerciële wereld afstaan – een voornaam wordt uiteraard niet gekocht! –, zijn onderhevig aan modes. De wijze waarop ouders in het Westen hun kinderen een naam geven, is veranderd.[5] In traditionele samenlevingen maakten voornamen en kledij weinig ontwikkeling door. Zo hebben in Frankrijk tussen 1600 en 1850 de tien meest voorkomende voornamen zich vernieuwd in een ritme van 0,25 per jaar. Tegenwoordig ligt dit ritme tien keer hoger: ongeveer 2,5. Natuurlijk is dit niet kenmerkend voor Frankrijk. De plotselinge verandering die daar rond 1850 te zien is, doet zich in de andere Europese landen ongeveer in dezelfde tijd voor. In Denemarken gebeurt het iets eerder, in Schotland beduidend later, omstreeks 1925. In IJsland vindt de verschuiving in 1875 plaats; voor die tijd hadden voornamen zich in een vergelijkbaar ritme vernieuwd sinds... 1075! Er is niets geheimzinnigs aan dit verschijnsel, het hangt nauw samen met het uiteenvallen van de traditionele samenlevingen. Daarom doet het zich in het algemeen in dezelfde tijd voor als verstedelijking of uitbreiding van het onderwijs. Maar het heeft de verdienste aan te tonen dat de westerse samenlevingen inmiddels een uitgesproken voorkeur aan de dag leggen voor vernieuwing, zonder dat er per se stimulering aan te pas komt. Niet alles wat verandert is per se in de mode.

Het voorbeeld van de voornamen laat zien dat het verlangen naar vernieuwing in onze samenlevingen zelfs tot uiting kan komen als er geen enkele commerciële prikkel aan te pas komt. Modes maken zich meester van domeinen waar vluchtigheid niet aan de orde is: een voornaam is voor het leven! Diezelfde honger naar vernieuwing is te zien op andere gebieden die toch weinig frivool zijn en ver afstaan van iedere handelslogica. Dat is met name het geval in het politieke domein, waar kiezers tijdens de laatste presidentsverkiezingen geneigd waren de zittende kandidaat naar huis te sturen. Ook het intellectuele toneel wordt opgeschud door stromingen die tot kortstondig enthousiasme leiden en vervolgens weer verdwijnen, van het maoïsme tot het lacanisme. Met een soms polemisch oogmerk worden deze stromingen tot modeverschijnselen bestempeld. Maar het is de vraag of dat een geschikte term is.

Wanneer er maar weinig redenen zijn om aan het ene object de voorkeur te geven boven het andere, hebben we vrijwel zeker te maken met een trend. De behoefte aan 'roze ballerina's' of een broek met wijde pijpen laat zich niet beargumenteren, behalve wanneer men blijk wil geven van een flinke dosis onoprechtheid. Zelfs als een artikel ons figuur voordelig laat uitkomen, is dat vaak een idee dat wordt gebruikt om de verkoop te bevorderen. Er bestaan weliswaar 'rationele' redenen om de aanschaf van een minishort af te remmen. Als we een hiërarchie moesten aanbrengen in onze handelingen en zouden beginnen met die welke het makkelijkst te beargumenteren zijn, om te eindigen met moeilijk te staven handelingen, zou de kledingmode een goede laatste plaats bezetten. 'Over smaak en kleur valt niet te twisten', luidt het spreekwoord. In iedere aankoop zit iets willekeurigs. De 4x4 is niet het voertuig dat het meest is toegesneden op het verkeer in de stad, ook al is hij daar in steeds grotere aantallen te vinden. Toch zijn er verschillende argumenten te noemen – of ze acceptabel zijn of niet doet er niet toe – die een dergelijke aanschaf rechtvaardigen: het streven naar veiligheid, de voorkeur voor een ruime cabine... op het gebied van de kunst zijn onze smaakvoorkeuren moeilijker te motiveren en een overstelpend aantal denkers, van Kant tot Bourdieu, heeft over deze kwestie nagedacht. Er bestaat echter een traditie en er bestaan klassiekers, waardoor wij onderscheid kunnen maken tussen een zomerhit en een opera van Mozart. Op het gebied van de mode lijken gelijksoortige gevallen onvindbaar.

De kledingmode kent zo goed als geen rechtvaardigingen. Ze belichaamt een van de volmaaktste vormen van overheersing door willekeur. Wanneer de afgezaagdste verklaringen – het is fatsoenlijk, het staat goed, enzovoort – terzijde zijn geschoven, wat blijft er dan over? Niet alleen mogen de beweegredenen niet rationeel van aard zijn, maar het rationele komt in het onderhavige geval over als een scheldwoord. Zal men de keuze van een Dior-jurk beargumenteren door uit te leggen dat hij zo comfortabel, praktisch of nuttig is? De Corolle-lijn, die Christian Dior zelf in 1947 presenteerde, was natuurlijk subliem. Maar al is de new-lookrok nog steeds even mooi, hij is absoluut niet meer in de mode. Zoals de *baggy trousers* en nettruien aantonen, heeft mode slechts bij toeval te maken met schoonheid en wordt ze slechts beheerst door willekeur. Toen de ontwerper van de Tod's schoenen werd gevraagd waarom zijn schoenen 133 noppen onder de zool hebben, liet hij zich lachend ontvallen: 'Waarom niet?' Mode vormt haar eigen verklaring. Waarom blijft zij een antwoord schuldig als het om keuzes maken gaat? Omdat alleen een individu rekenschap kan geven van zijn drijfveren. De mode gaat echter, door de manier waarop ze in elkaar zit, niet uit van een persoonlijke keuze maar van de samenvoeging van een aantal individuele beslissingen. Mode accepteert maar één wet: die van haarzelf.

Willekeur heerst onverdeeld over de mode; willekeur beslist over de vorm van de kledingstukken, over de merken die in trek zijn. Zo zijn de merken inmiddels de ultieme *fashion victims*. Deze laatste grillen worden verraden door de met logo's versierde T-shirts: het ene seizoen moet er Cerruti op je bovenlichaam staan, het volgende seizoen is het Dior, en ongetwijfeld verandert het morgen allemaal weer. De merken hebben heel wat moeite om zich tegen die stemmingswisselingen te wapenen. De enige complotten waartoe ze kunnen aanzetten om druk uit te oefenen op de vervaardiging van mode, zijn denkbeeldige complotten.

HET DENKBEELDIGE COMPLOT

Het bestaan van een 'modecomité' dat zou beslissen over de trends van het volgende seizoen heeft menigeen tot fantaseren aangezet. De textiel is een industrie; ze zou – veel – kunnen betalen om de vraag te sturen. Deze constatering heeft vaak voedsel gegeven aan het fabeltje dat er een complot zou bestaan met het doel trends op te leggen aan het publiek.

Het primitiefste scenario voert de 'professionals van het vak' ten tonele. Een soort centraal lichaam zou textielfabrikanten, stylisten, prestigieuze merken en winkels die ertoe doen bijeenbrengen. Volgens een iets verfijnder gerucht wordt in een soortgelijke context een bijzondere rol gespeeld door de toeleveranciers, met name de Italiaanse wolindustrie. Volgens de legende zouden zij geheime vergaderingen houden aan de oever van het Comomeer. Maar deze professionals zijn het over zo weinig zaken eens dat ze er niet eens in zouden slagen een restaurant te kiezen. En als ze bij toeval al overeenstemming zouden bereiken, zou niemand van hen geloven dat zijn concurrent oprecht zou willen samenwerken. Het is dus onmogelijk op deze wijze trends uit te kiezen. En zelfs al zou men dat kunnen, dan zouden ze nog in de samenleving moeten worden verbreid, wat nog ingewikkelder lijkt.

Een andere complotversie gelooft dat kledingtrends hun oorsprong zouden vinden in de ontdekkingen, of voorspellingen, van trendbureaus. Deze gespecialiseerde werkplaatsen[6] geven ieder seizoen trendboeken uit waarin zij op min of meer bondige wijze hun visie op de aankomende collecties geven. Van oudsher bestond er zo'n boek voor iedere productfamilie. Maar het trendimperium groeit: deze boeken behandelen inmiddels dan ook niet-textiel, van de wereld van de badkamer tot het rijk der cosmetica. Om deze boeken op te stellen sporen gekwalificeerde deskundigen net als tovenaars de bevliegingen van morgen op. Baseren ze zich op hun intuïtie, hun talent of hun ervaring? Welke methoden er worden gebruikt blijft in mysterie gehuld: het doet er niet toe, deze magie draagt ruimschoots bij tot de fascinatie die het vak van trendwatcher uitoefent.

Deze futurologen, die nooit te beroerd zijn om een voorspelling te doen, zijn immer bereid voor Pythia te spelen en ons uit te leggen hoe morgen eruit zal zien. En morgen is vaak al vandaag: 'We hebben klonering en de hygiënewaanzin definitief achter ons gelaten [...]. In Korea werd ik "gegrepen" door de nieuwe, zogenoemde dynamiserende watertjes, met allerlei dingen die erin drijven – kruiden, enzovoort – ("Chi"-water is binnenkort te koop bij Colette). Dat doet me denken aan de uiteenzettingen van Amélie Nothomb over rottend fruit. Dat is de trend,'[7] voorspelde Vincent Grégoire, een van de beroemdste Franse trendwatchers aan het begin van het nieuwe seizoen in 2001. Het is niet minder wreed om andere 'voorspellingen' van zijn collega's in herinnering te brengen. Ook in 2001 voorzag Faith Popcorn, een beroemde Amerikaanse visionair, dat consumenten net als sportlieden gecontracteerd zouden kunnen worden door een merk om hun leven lang korting te krijgen. Een concurrent, 'The intelligent factory', kondigde aan dat iedereen over de prijs van zijn kleren zou kunnen onderhandelen.[8] Voor zover wij weten is geen van deze voorspellingen uitgekomen. In plaats van hun bijziendheid in de openbaarheid te brengen hadden deze 'profeten' zich beter kunnen laten inspireren door de methode van Li Edelkoort, die 'al enkele seizoenen lang' (!) de verdwijning aan zag komen van 'agressieve bimbo's ten gunste van een agressiever vrouwelijk archetype: de veroveringslustige amazone'.[9] Met zulke gewaagde voorspellingen loop je weinig kans dat de toekomst je logenstraft!

We moeten de trendbureaus echter niet onheus bejegenen. Ook al zouden de genoemde voorspellingen een willekeurige waarzegger veranderen in een mogelijke kandidaat voor de Nobelprijs voor natuurkunde, deze bedrijven doen ook degelijker en betrouwbaarder werk. Velen van hun cliënten zitten niet in de mode; ze verbreiden bij hen dus bepaalde trends van het moment. Bovendien houden de trendboeken die ze verkopen zich verre van alle prietpraat over trends die op komst zijn. Ze bestaan voornamelijk uit modellen en kleurengamma's waarmee niet gesjoemeld kan worden. Als deze boeken nutteloos zouden zijn, zouden de merken ze niet meer kopen. Ze hebben echter voortdurend succes en worden gekocht door de meeste wijdverbreide merken. Maar ze maken geen deel uit van een complot: de hipste merken doen het bijna allemaal zonder. Niet dat deze niet onderhevig zijn aan trends, dat zijn ze uiteraard wel. Maar ze moeten wel creatiever zijn, als bewijs dat er trends zijn die *meer trendy* zijn dan andere. Heel vaak worden de ideeën die in de trendboeken staan verkocht voor het seizoen n + 2, maar ze worden al gebruikt in het seizoen n + 1.

Ook al dekt het complot dan geen enkele werkelijkheid, het werkt wel degelijk als een symptoom; we kunnen ons niet voorstellen dat er geen stuwende kracht zit achter zo'n invloedrijk mechanisme als de maalstroom van trends. De gedachte dat de mode geen enkel centraal gezag heeft stuit op ongeloof. Het geloof in het trendcomplot onthult onze onmacht om ons een macht voor te stellen waarvan de invloed overal en het centrum nergens te vinden is. In de mode stemt iedereen, net als in een democratie. Maar net als bij het censuskiesrecht heeft niet iedereen hetzelfde aantal stemmen. Daarom hebben ontwerpers een duidelijke invloed. Maar in laatste instantie wint de mening van de straat.

HET LABORATORIUM VAN DE MODE IS DE STRAAT

Ooit was de haute couture een waar trendlaboratorium. In die droomateliers kwamen door feeënhanden verblindende modellen tot stand die meer of minder getrouw door de straat werden nagebootst. Dit tijdperk is inmiddels voorbij. Zoals bekend verwachten de paar haute-couturehuizen die er nog zijn absoluut niet dat ze deze activiteit ook maar enigszins rendabel kunnen maken. Ondanks de steun van een handjevol vrouwen die er geen been in zien voor een jurk enkele tienduizenden euro's neer te tellen, blijft de activiteit van deze sector zwaar verliesgevend. Alles wordt in het werk gesteld opdat de haute couture geen geld verdient. Zelfs na een versoepeling zijn de statuten van de Franse haute-couturefederatie nog steeds zeer veeleisend. Er is hooggekwalificeerd personeel nodig dat meestentijds met de hand werkt en honderden uren over een kledingstuk doet. De gebruikte materialen mogen alleen maar waanzinnig luxueus zijn – struisleer, haaienleer, chocoladekleurig pythonleer, superzuivere zijde –, en dan nog verrijkt met Swarovski-kristallen of borduursel van Lesage. Deze exercitie bezorgt de huizen die zich eraan onderwerpen onmiskenbaar naamsbekendheid; de shows krijgen veel media-aandacht en worden nauwgezet gevolgd. Slechts een handjevol huizen verzorgt haute-coutureshows, terwijl er een overstelpend aantal prêt-à-portershows is.

Dat neemt niet weg dat deze wereld even ver afstaat van de trends zoals die zich voordoen, als Jennifer Lopez van keizerin Sissi. Niet alleen is het tegenwoordig zo goed als onmogelijk geworden zich door de haute couture te laten inspireren om de 'lage' te ontwerpen, maar vaak is zelfs het omgekeerde verschijnsel te zien. Als een van de eersten introduceerde Karl Lagerfeld voor Chanel de spijkerbroek in een haute-couturecollectie. In dezelfde geest kwam John Galliano voor Dior in juli 2003 met een model bestaan-

de uit een zeer haute-coutureachtige XXL rok met een veel minder haute-coutureachtig jack met rits. Dergelijke ontleningen zijn
niet toevallig; ze getuigen inmiddels van een andere beweging van
trends. Zoals Helmut Lang opmerkte: 'Het classificatiesysteem
van haute couture, prêt-à-porter en *street fashion* is vandaag de dag
niet meer geldig. Er zijn geen begrenzingen meer, de categorie-
en in hun zuivere vorm bestaan niet meer.'[10] Het piramidevormige
model – waarbij een minderheid de rol toebedeeld krijgt om voor
de meerderheid te ontwerpen – is een illusie.

De modewereld leeft in de greep van een verzinsel dat vele artistieke kringen gemeen hebben: dat van de verticale smaakverbreiding. Volgens dit verzinsel zou een avant-garde de taak hebben om
als het ware vanuit uitkijkposten de trends van morgen te ontdekken. Deze visie, die met name door Kandinsky is uitgewerkt, stelt
de wereld van de smaak voor als een driehoek. In dit perspectief
zal 'datgene wat nu nog voor de rest van de driehoek onbegrijpelijk
geleuter is en slechts voor het uiterste topje betekenis heeft, morgen voor het deel dat daar het dichtstbij zit, vol emoties en nieuwe
betekenissen lijken'.[11]

De gedachte dat er een trend-avant-garde zou bestaan verklaart
vele praktijken op het gebied van de mode. Een voorbeeld: sommige bureaus hebben ervoor gekozen tijdens modeshows niet de
mannequins maar het publiek te fotograferen, in de overtuiging
dat ze diegenen te pakken hebben die de mode van de nabije toekomst aankondigen. De professionals van de modemarketing leven met die mythe van de *influentials*, zoals ze in de Verenigde Staten heten, diegenen die worden geacht hun smaak aan anderen
te dicteren. In de bestseller *The Influentials* staat op die manier in
detail de invloed van die mysterieuze figuren beschreven.[12] De auteurs, die werden geprezen door de gespecialiseerde pers, willen
onze aandacht vestigen op die tien procent van de Amerikanen
die volgens hen de beroemde opinieleiders zouden vormen en een
voorsprong van 'twee tot vijf jaar op de anderen' hebben wat de komende trends betreft. Om hun stelling kracht bij te zetten halen de
auteurs van het boek een opiniepeiling aan volgens welke 93 procent van de Amerikaanse consumenten bij hun aankoopkeuzes is
beïnvloed door mond-tot-mondreclame, tegen 67 procent in 1977.

Het bestaan van deze *influentials* lijkt echter deel uit te maken van de stadsfolklore. De mens laat zich inderdaad iets gelegen liggen aan de mening van anderen op het moment dat hij bepaalde beslissingen neemt, vaak om zich daarop te verlaten, soms om het tegenovergestelde te doen. In ieder geval wordt uiteraard niet over alle verschillende onderwerpen hetzelfde deel van de bevolking – precies die tien procent, geen procent meer of minder – geraadpleegd.

Maar de bewijzen van het bestaan van de *influentials* doen er weinig toe; mensen uit de modewereld zijn dol op dit soort verhalen. Ze ontlenen aan deze sprookjes een genoegen dat Michel Foucault het 'voordeel van de spreker' heeft genoemd. Ze vinden het leuk om zich voor te stellen dat de massa bij zijn kledingkeuzes bewerkt wordt door een paar *happy few*, doodeenvoudig omdat ze denken dat ze die *happy few* zelf zijn... Logischerwijs dachten sommige ateliers dat ze die mensen alleen maar hoefden aan te spreken om een nieuwe trend te lanceren. Maar allemaal staan ze voor een dilemma: hoe beïnvloed je de *influentials*? Daarom worden sommige ateliers gedwongen spijkerbroeken uit te delen op schoolpleinen. Een methode die, al is ze niet doeltreffend, degenen die er gebruik van maken niet kan schaden: cadeautjes maken iemand zelden impopulair.

Ondanks deze voorstelling van zaken rond de verspreiding van modes blijven veel trends nog steeds beperkt tot (heel) kleine kringen. Niemand dient – officieel – als topje van de driehoek voor de yuppen, en toch kleden ze zich! De meest abstracte of ironische modes behalen, evenals hedendaagse kunst, zelden groot algemeen succes. Slechts een klein, ultra-Parijs groepje kleedde zich in een bepaald seizoen voor zijn plezier in 'Deschiens', waarbij ze net als de theatergroep, hemden met 'taartschep'-kraag combineerden met polyester broeken. Het trainingspak als kleding die in de stad wordt gedragen heeft daarentegen een onverwacht traject gevolgd. Nadat het populair was geworden dankzij jongeren uit de voorsteden, hebben de modeontwerpers het drie jaar na zijn opkomst overgenomen. Deze anekdote laat zien hoe moeilijk het inmiddels is om van tevoren de manipulator van de gemanipuleerde te onderscheiden.

Het 'manipulationisme' – het idee volgens welk wij zonder dat we het weten worden gedwongen de trends te volgen – kan verwoestingen aanrichten. Dit idee vond in de jaren zestig algemeen ingang dankzij Vance Packard,[13] schrijver van een bestseller waarin reclamemakers ervan worden verdacht in hun advertenties heimelijk subliminale boodschappen te stoppen. Uiteraard wordt de consument gestuurd door reclame op het gebied van mode. Maar die promoot in het algemeen een merk en niet een speciale trend. De gespecialiseerde pers, met haar vele titels, speelt een belangrijke rol bij het verspreiden en promoten van modes. Zij spreekt echter een doelgroep aan die gevoelig is voor deze thema's en bij het lezen op zoek is naar informatie daarover. Deze groep vertoont ten aanzien van trends geen uniform gedrag. Een – helaas oud – onderzoek[14] heeft overigens geprobeerd de reacties van vrouwen op trends te analyseren, waarbij het als criterium de roklengte nam. De resultaten laten duidelijk zien dat de meeste vrouwen niet slaafs de trends volgen. Wanneer de rokken korter of langer worden, volgen die vrouwen de beweging in afgezwakte vorm. Zo zoomde een vrouw van een meter zeventig haar rok gemiddeld op vijfenveertig centimeter van de grond, terwijl een vrouw van een meter zestig voor een zoom op veertig centimeter koos. Door deze heen-enweerbeweging tussen bepaalde modellen en de aanpassing die individuen eraan verrichten, door deze woordeloze onderhandeling, komen trends tot stand. En door dit onophoudelijke proces kan de mode aan iedere triviale logica ontsnappen.

MODE, WEERSPIEGELING VAN DE MODE

Het ene jaar kan de mode mooi zijn of, waarom niet, praktisch en comfortabel, en het jaar daarop abstract en gekunsteld worden. Wat bewijst dat? Niets, behalve 'de totale onverschilligheid van de mode ten opzichte van de objectieve normen van het leven',[15] zoals de socioloog Georg Simmel heeft benadrukt. De *vorm* mode laat zich niets gelegen liggen aan de betekenis die inherent is aan de specifieke inhouden. Weliswaar kan zij incidenteel op feiten gebaseerde inhouden opnemen, maar, zo zegt Simmel, 'zij werkt pas als mode wanneer concreet waarneembaar is dat ze onafhankelijk is van iedere andere motivatie'.[16]

Dit beeld, dat over het algemeen vanzelfsprekend is, kent een paar uitzonderingen. Met name wanneer nationale gemeenschappen traumatische gebeurtenissen doormaken – oorlog, rouw, enzovoort – dringt zich gewoonlijk een zekere soberheid op. Daarentegen lopen degenen die proberen trends in verband te brengen met grote maatschappelijke verschijnselen, het risico dat ze ernstig worden gelogenstraft. Vandaag de dag zou niemand met de historicus James Laver staande durven houden dat 'de verdwijning van het korset immer gepaard gaat met twee verschijnselen, moreel laxisme en geldontwaarding. De afwezigheid van het korset gaat samen met een ongezonde munt en losse zeden; het dragen van het korset met een gezonde munt en het aanzien van een demimondaine, dat lijkt de regel.'[17] Natuurlijk is het feit dat het korset niet meer wordt gedragen een gevolg van de toenemende gelijkheid tussen mannen en vrouwen, van een minder formele kledingstijl. Maar dit kledingstuk kan niet worden verheven tot symptoom van een maatschappelijke crisis. In dezelfde trant lijkt men volledig te zijn afgestapt van het idee dat rokken in perioden van depressie korter worden en in welvarende tijden langer. Toch is het niet gemakkelijk de gedachte dat trends gemetaboliseerde maatschappelijke gebeurtenissen zijn op waarde te schatten. Zelfs een ontwerper als Helmut Lang bevestigt dat 'mode altijd een spiegel van maatschappelijke processen is. Om kleding ingrijpend te wijzigen moet er een noodzaak van buitenaf zijn.'[18] Maar ook al kan een ontwerper zich laten inspireren door de wereld om hem heen, een algemene, massale trend heeft zelden zijn oorsprong in het maatschappelijke klimaat.

In het treffendste voorbeeld, dat ten onrechte telkens wordt aangehaald, wordt de mode van de militaire stijl in verband gebracht met de oorlogszuchtige stemming die sinds 11 september 2001 heerst. Het is een slimme gedachte, maar deze trend had al ingezet nog voordat de Twin Towers in elkaar stortten... In maart 2001 waren de ontwerpers de oorlog al begonnen. Rei Kawabuko stopte haar collectie vol met camouflageprints en soldatenbroeken. In dezelfde tijd toonde Miguel Adrover in zijn shows in New York tulbanden, chadors en combinaties waarbij hij geheel van witte stof gemaakte westerse uniformen een plaats gaf naast traditionele tunieken in de belangrijkste kleuren van vlaggen van westerse naties: rood, wit, blauw. De oorlog is ook aanwezig in de collecties van Raf Simons, die voor zijn najaars-wintercollectie 2001 (die dus vóór 11 september werd geshowd) stadsguerrillataferelen liet zien, evenals Balenciaga en vervolgens Celine.

Evenmin werd de combatbroek in de herfst van 2001 gelanceerd. De opkomst ervan in de haute couture is te danken aan John Galliano, die een model in de Dior-collectie van de zomer van 1999 opnam. Uiteraard in een volkomen nieuwe versie, van doorschijnende mousseline, gecombineerd met lurex.[19] In die tijd verbaasden sommigen zich erover dat de etalages van de Dior-winkel aan de avenue Montaigne meer op een dumpzaak leken dan op een luxewinkel. Die door Galliano gelanceerde combatbroekmode werd met meer of minder talent overgenomen in de collecties van haute-couturehuizen. Nicolas Ghesquière maakte voor Balenciaga een opvallende versie, in zuurstokroze en in mintgroen. Maar in werkelijkheid was de combatbroek een modeverschijnsel geworden voordat hij (opnieuw) werd uitgevonden door de ontwerpers: in 1999 was hij allang op straat te zien. In de jaren zeventig was er een gedragslijn die inhield dat je de symbolen van een instituut dat je verwierp juist droeg om daar beter de spot mee te kunnen drijven. Dankzij die manie hebben de dumpzaken fortuin gemaakt. In het begin van de jaren negentig zijn er niet veel hippies meer, maar wordt de combatbroek steeds meer gedragen door *ravers*. De modefotograaf Wolfgang Tillmans legitimeert de combatbroek door er een reportage aan te wijden voor een toonaangevend tijdschrift: *I.D.* Sindsdien hoort de combatbroek er helemaal bij; hij is niet meer gewoon in de mode, maar is een *basic* geworden. Vertaald: iedere zichzelf respecterende garderobe, zowel voor meisjes als voor jongens, moet er een hebben. Het is dus niet het artikel op zich dat onderhevig is aan mode, maar de manier waarop het gedragen wordt.

Per slot van rekening is mode onderworpen aan het mechanisme waarop de baron van Münchhausen de aandacht heeft gevestigd. Zoals bekend was Zijne Excellentie op het goede idee gekomen om zich, teneinde zichzelf uit het moeras te wurmen waarin hij was weggezonken, aan zijn eigen haren omhoog te trekken. Net als de baron wordt de mode beheerst door haar eigen willekeur. Die willekeur brengen wij zelf iedere dag tot stand door middel van een groot aantal beslissingen. Die zijn niet allemaal even belangrijk, maar elk ervan heeft een plekje in het ontstaansproces van trends. Door de manier waarop ze in elkaar zit is de mode de *wederkerige handeling* bij uitstek; ze berust, in de woorden van Simmel, op het feit dat 'het naast elkaar bestaan van individuen die onderling contact hebben in ieder van hen iets teweegbrengt wat niet vanuit een enkeling te verklaren zou zijn'.[20] Het hele probleem om mode te begrijpen of, meer nog, eraan deel te nemen, met name door te proberen trends te voorspellen, zit hem in die bijzondere aard waarop ze gebaseerd is. De ontwerper bevindt zich dus in de lastige positie van de kunstenaar die Goethe heeft beschreven: hij is zowel slaaf als meester. Slaaf omdat de enige middelen binnen zijn bereik een aards karakter hebben, meester omdat hij de gemeenschap moet overheersen door middel van hogere, persoonlijke ingrepen. Onder die omstandigheden is het begrijpelijk dat de mode angstwekkend is voor degenen die haar produceren. Zoals Simmel heeft benadrukt zijn de marktbewegingen beter in de gaten te houden dan vroeger. Van tevoren kan men behoeften voorspellen en de productie reguleren om deze te beschermen tegen de grillen van de conjunctuur en de chaotische schommelingen in vraag en aanbod. De enige uitzondering zijn wat Simmel de 'zuivere modeartikelen'[21] noemt, artikelen die ontdaan zouden zijn van iedere objectieve, nuttige functie, en niet meer zijn dan modieuze producten die als warme broodjes over de toonbank gaan of die men daarentegen links laat liggen. Zoals met de stropdas of schoenen met sleehakken...

In dit harde beroep zijn mislukkingen soms net zo moeilijk te begrijpen als sommige successen. Hier volgen twee voorbeelden die laten zien hoe groot het mysterie achter de trends is.

Soms is er iets wat nog een grotere verrassing is dan een flop: suc-ces. De ervaring van een plotselinge populariteit viel het merk Aigle ten deel via het 'Copeland'-jack, waarvan de verkoopcijfers ineens stegen zonder dat iemand dat had voorzien. Zo'n verras-sing brengt niet alleen maar voordelen met zich mee. Het is vooral moeilijk om, terwijl men de consument een volledig assortiment biedt, zich vereenzelvigd te zien met één bepaald product. Des te meer omdat een dergelijk succes van nature onmogelijk te herha-len is. Agnès B. is erin geslaagd het succes met haar vest te overle-ven; Barbour, dat op zijn beurt een driekwartjas maakte, is het niet echt gelukt een vervanging te vinden voor het product dat ooit ver-antwoordelijk was voor zijn groei.

Inzicht in het succes dat het Copeland-jack overviel krijgen we echter niet door het artikel zelf nauwgezet te bestuderen. Het gaat immers om een doodgewoon jack, geïnspireerd op het matrozen-jack, met op de mouw een logo met marinevlaggetjes en het jaar waarin het bedrijf werd opgericht, 1853. Toch zijn er in Frankrijk tussen 1996 en 2002 van dit jack meer dan vijfhonderdduizend exemplaren verkocht, terwijl twintigduizend stuks in deze markt al een behoorlijke score is. Dit onschuldige kledingstuk was een extra slachtoffer van de mode. Daarvan getuigt de ontwikkeling van de verkoopcijfers, die over vijf jaar een klokcurve laat zien. En dan is die nog vervormd: in de eerste jaren werd er om dit ar-tikel gevochten terwijl de productie geen gelijke tred hield. Zoals zo vaak als een product een plotselinge aantrekkingskracht geniet, worden de verkoopcijfers beperkt door de fabriekscapaciteit. Ie-dere productlancering dwingt de fabrikant dus om te kunnen gaan met het risico afzet mis te lopen en het risico te veel te produce-ren.

Voor het succes van het Copeland-jack zijn er drie soorten ver-klaringen aan te voeren. De eerste is van irrationele aard en gaat ervan uit dat de mens de mode als een zombie ondergaat, zonder echt blijk te kunnen geven van een eigen wil. In zijn gehoorzaam-heid aan de mode zou het individu een speelbal zijn van mechanis-men die hem boven de pet gaan. In die context volgen trends de smaak van de hogere klassen, die zo goed en zo kwaad als het gaat door alle andere worden nagevolgd. Deze theorie zou ogenschijnlijk passen bij het Copeland-jack, aangezien dit korte tijd de onontkoombare uitrusting vormde van hoger kader in een chique ontspannen stijl. Volgens het bedrijf begon dit jack goed te verkopen in de Bretonse zeilwinkels in Vannes, Saint-Brieuc en Brest, die vanaf het eerste ogenblik versneld bestellingen deden, en verbreidde het zich vervolgens naar de grote steden in het westen van Frankrijk, zoals Nantes en Rennes. Zo heeft dit artikel Frankrijk vanuit het westen in oostelijke richting veroverd, vanaf de havens naar de hoofdstad.[22] Het pleit is dus beslecht: de beoefenaars van de watersport, die uiteraard tot de heersende klassen behoren, hebben het Copeland-jack mee naar de stad genomen. De tweede hypothese: mensen zijn overgeleverd aan de consumptiemaatschappij en de mode is de zichtbaarste weerspiegeling van de vervreemding die daarmee gepaard gaat. Zo is het succes van het Copeland-jack het succes van het overbodige: een voor de zware omstandigheden op zee bestemd jack aantrekken om die van het openbaar vervoer het hoofd te bieden heeft weinig zin. Dit is dus een illustratie van de 'ostentatieve consumptie' uit de theorie van Thorstein Veblen, volgens welke mode de aangewezen manier was om mensen in staat te stellen geld te verkwisten terwijl de ander toekijkt.[23] Of het is, in dezelfde 'kritische' trant, weer een list van het kapitalisme dat ons ertoe brengt illusies te consumeren, in dit geval een drogbeeld van de natuur. Tot slot de derde hypothese, die voornamelijk door sommige marketingdeskundigen wordt ondersteund: er zouden trends bestaan die het succes van zo'n jack zouden verklaren. Dat is de mening van een van hen, Jean-Noël Kapferer, die naar aanleiding van het Copeland-succes de volgende uiteenzetting geeft: 'Sport maakt deel uit van de heersende ideologie, maar in werkelijkheid wordt sport slechts in zeer geringe mate beoefend. Vandaar het succes van sportmerken die de consument in staat stellen dit dilemma op te lossen.'[24] Zoals we zullen zien is geen van deze drie opties volledig toereikend. Maar laten we ons, voordat we dit bevestigen, richten op de flop, die soms net zo raadselachtig is als succes.

De vormelijke mannenhoed – panamahoed, bolhoed en ande-

re hoofddeksels –, die omstreeks het jaar 2000 wat snel ten grave is gedragen, wordt zeldzaam. Hoe is de verdwijning van dit accessoire te verklaren? Vele onderzoekers hebben zich over dit verschijnsel gebogen en hebben de volgende oorzaken aangevoerd:[25]
– het gebruik van haar als middel om zich uit te drukken;
– de mode van lang haar voor mannen, die moeilijk te verenigen is met het dragen van een hoed;
– het idee dat de jeugd blootshoofds door het leven gaat;
– een algemene trend om vormelijkheid in kleding te verminderen;
– de verbreiding van de auto, die niet goed samengaat met het dragen van een hoed;
– het steeds grotere wantrouwen tegenover autoriteit en de associatie van de hoed met macht;
– het feit dat charismatische persoonlijkheden, van Kennedy tot James Dean en Marlon Brando, de hoed voor gezien hielden.

Hoe steekhoudend ze ook zijn, geen van deze argumenten lijkt op zichzelf een afdoende verklaring te kunnen geven voor de verdwijning van de hoed. Elk ervan kan worden tegengesproken:
– het einde van de langhaarmode heeft niet tot een heropleving van de hoed geleid;
– de jeugd is altijd even 'trendgevoelig': toch heeft het pak niet hetzelfde lot ondergaan als de hoed;
– de hoed was al in onbruik geraakt voordat de auto gemeengoed was geworden;
– de voorbeelden van James Dean en Marlon Brando verklaren niets; ze zijn hooguit een illustratie van deze teruggang.

Ten slotte – een niet te verwaarlozen detail – wordt het hoofd weer bedekt! Weliswaar niet met een panamahoed, maar veel jongeren dragen inmiddels een hoofddeksel, of het nu een petje of muts is. Dit verschijnsel is overigens niet het voorrecht van een groep in het bijzonder: *ravers* hebben een voorliefde voor wollen mutsen, rapgroepen voor petjes. Wetenschappelijke onderzoeken die trachten te bewijzen dat de hoed wel moest verdwijnen als gevolg van de maatschappelijke ontwikkelingen, lijken nu al even nutteloos als twijfelachtig. De maatschappij alleen is meester over de trends; er bestaat geen enkele algemene wetmatigheid die een verscheidenheid aan modeverschijnselen kan verklaren.

EEN WERELD WAARIN ALLES MOGELIJK IS

Mode heeft geen inhoud, daarom kan ze alle vormen aannemen. Hoezeer trends ook worden uitgeplozen, in hun kern is geen enkele essentie te vinden waardoor we, voor een gegeven tijdperk of in het algemeen, rekenschap zouden kunnen geven van de keuzes die erin gemaakt worden. De enige logica die ze accepteert is een innerlijke logica.

Omdat geen enkele autoriteit vat op haar heeft kan de mode zich alles veroorloven: ineens laat ze ons in zwijm vallen voor een tas in de vorm van een Cadillac-deur (Dior), een beschilderde tas (Vuitton) of zelfs een Sportsac, een onwaarschijnlijke schoudertas die geboren is uit de onwettige liefde van een K-Way en een plastic tas. Natuurlijk wordt de mode ook geregeerd door regels van het gezonde verstand; maar de meeste van die regels kennen uitzonderingen.

Sommige modes hebben naar verluidt hun succes te danken aan het feit dat ze makkelijk te dragen zijn en het lichaam vorm geven door bepaalde onvolkomenheden te verbergen. Die regel zou bijvoorbeeld het succes van de spijkerbroek verklaren, die zoals bekend een mooi figuur kan opleveren. Inderdaad verklaren dezelfde redenen dat de minishort altijd moeite heeft gehad om door te stoten, behalve bij tienermeisjes. Daarentegen hebben leggings en topjes die de buik vrijlaten bij hun succes geen hinder ondervonden van de meedogenloze wijze waarop ze de vormen aftekenden.

Een ander argument dat vaak wordt aangehaald: draagcomfort, dat geacht wordt de manier waarop wij ons kleden te sturen. Voor mannen richten de fabrikanten daar inderdaad bijzondere aandacht op. De gebruikte materialen zijn steeds *vriendelijker*, voelen zacht aan; een broek moet een goed afgesteld heupstuk [26] hebben, enzovoort. Bij dameskleding bestaan deze zorgen ook. Maar ze sturen niet het geheel van trends: hoe valt anders het succes van de string te verklaren?

Blijft over de ethiek, die misschien de boventoon zou kunnen voeren. Anders gezegd: de 'ethiek' op het gebied van de mode betekent vaak de hardnekkige strijd die wordt gevoerd tegen bont. Stella McCartney, voormalig stylist van Chloé, verkondigde luidkeels haar liefde voor de levende vos en haar minachting voor bontwerkers. Een fotoserie met bontmantels maken was een heidens karwei geworden, zozeer lag deze strijd de meeste modellen na aan het hart. Bontwerkers dachten dat hun laatste uur geslagen had. Maar je moet een strijd kunnen beëindigen: de winter van 2003-2004 ging gepaard met een wapenstilstand in de vorm van de terugkeer van bont in de collecties.

Zoals de voorgaande voorbeelden laten zien, kennen trends geen vooroordelen. 'Nooit' is een woord dat de mode niet kent. 'Nooit paars', verklaarde de modehistoricus Michel Pastoureau in het voorjaar 2003 in *Elle*. Te veel negatieve connotaties – rouw, heiligheid – houden het succes voor deze kleur tegen, in tegenstelling tot blauw. Ja, maar: trends komen tot stand om zichzelf op hun kop te zetten. De zomer van 2003 was paars. Vanuit het oogpunt van kleding maar niet alleen: zo was er ineens een Heinz-ketchup die, met behoud van het ongewijzigde recept, paars was gekleurd en Funky Purple Ketchup heette; Colette zat zonder voorraad. Het verschijnsel doet zich ook voor bij logo's, auto's, mobiele telefoons, voetbalshirts, enzovoort. Trends kunnen ook keren voor trendwatchers: paars is in overeenstemming met de tijdgeest, leggen ze ons geleerd – en achteraf – uit. Een bloemlezing: deze kleur 'wekt de indruk dat men naar een zekere afstand streeft', hij wordt 'een nieuw zwart' (een dergelijke kwalificatie was eerder al toegekend aan grijs en beige, kortom aan elke kleur die werkt), mauve voegt een 'geestelijk extra [toe], rustgevend en misschien een beetje magisch',[27] enzovoort.

De moraal van dit verhaal is dat paars geen substantie of essentie heeft die samen zou vallen met de tijdgeest. De mode zet deze Hegels in het klein die op gezette tijden het begin van een nieuwe of het einde van een oude levenskunst aankondigen, voor schut. De trend is mager, maken ze ons duidelijk, rond de topmodellen, Kate Moss, Eva Herzigova, enzovoort, waart anorexia. Geen bezwaar! Daar zijn de weelderige figuren en brede heupen weer terug. Monica Bellucci heeft echte vormen, het nummer van *Elle* met Emmanuelle Béart op de cover,[28] naakt van de rug gezien in half-profiel, heeft met de commentaren waartoe het in de hele wereld heeft aangezet zoals bekend alle verkooprecords gebroken. Als bekroning van de breedheupige godin wordt Jennifer Lopez voor de mensen de leidsvrouw van Vuitton. Sindsdien schijnen sommige chirurgen verzoeken te hebben gekregen om bepaalde achterwerken te vergroten. Reden genoeg om degenen die denken dat een trend nooit zal aanslaan aan het denken te zetten en degenen die van de mode leven te verontrusten.

4 Staan trends op zichzelf?

Omdat het altijd riskant is de komende mode te voorspellen, doen vormen van bijgeloof het goed bij ontwerpers. Zo is de kleur groen *non grata* bij een haute-couturehuis: als deze opduikt, zou een heel seizoen op het spel worden gezet. Chanel doorspekte het dagelijks leven met lievelingsgetallen: 2, 19 en natuurlijk 5. Dior, die toch de meest aardse mens ter wereld is, leefde beschermd door een hele reeks magische praktijken. Volgens de overlevering moest zijn chauffeur op sommige dagen zeven rondjes rond het huizenblok rijden voordat hij hem op de avenue Montaigne afzette. Zijn collectie kon hij slechts ontwerpen als hij gewapend was met zijn rijzweepje, zijn geluksstokje. Ten slotte luisterde hij voor belangrijke beslissingen uitsluitend naar de adviezen van zijn helderziende. Enkele decennia later hebben waarzegsters nog steeds evenveel werk en een bonte clientèle, van Maurizio Gucci tot Tom Ford. Toch zijn tarotkaarten alleen niet voldoende. Als de toekomst van de trends eenmaal bekend is, hoeft die alleen nog maar beïnvloed te worden. En daarvoor gaat er niets boven bepaalde methoden: het geheel lijkt zo minder magisch, maar absoluut doeltreffender.

EEN HEEL KLEIN WERELDJE

Alles begint met een *focuseffect*. Al een paar seizoenen kondigen moderedactrices en andere invloedrijke vrouwen de terugkeer van de jaren tachtig aan op grond van een paar stukken waarvan zij een glimp hebben opgevangen in de collecties. Omdat deze aangekondigde terugkeer zich – nog – niet heeft vertaald in een algemeen succes, kon men zeggen dat het om een geval van wishful thinking ging, om een soort nostalgische vertoning waarop journalistes van in de veertig zichzelf en elkaar trakteerden. Temeer omdat, dankzij het uitgebreide aanbod van de diverse merken, tegenwoordig bijna iedere bevlieging kan worden gepresenteerd als een van de rages van het moment. Zo werden voor de winter 2003-2004 tegelijkertijd roze, zilver, glimmende en fluorescerende kleuren, paars, zwart enzovoort aangekondigd. Sterker nog: geen enkele couturier zal weigeren speciaal voor een spread in een tijdschrift een kledingstuk te ontwerpen als een redactrice hem daarom vraagt. Als het themanummer gewijd is aan vinyl en vinyl niet in zijn collectie zit, hoeft hij alleen maar een kledingstuk in dat materiaal te ontwerpen om bij het thema genoemd te worden.

Maar laten we doorgaan met het voorbeeld over de jarentachtigstijl. Dit tijdperk heeft altijd zijn aanhangers gehad, zoals – hoewel ze het ontkennen – het duo Alexandre Matthieu-Marc Jacobs, of Hedi Slimane, die op de vraag 'Wat is er over van de jaren tachtig?' het bondige antwoord 'Wij' gaf.[1] Het succes van deze drie ontwerpers werd vaak geïnterpreteerd als een teken dat de *eighties* terugkeerden. Maar tot nu toe was deze trend vertrouwelijk gebleven; de jaren tachtig waren nog te dichtbij, hoorde men zeggen. De algemene opinie stelde ze voor als de belichaming van lelijkheid, 'van enorme grofheden, onbeschrijflijke pretenties, weerzinwekkende proporties, afschuwelijke schoenen', volgens Karl Lagerfeld.[2] Meer prozaïsch gezegd ging deze trend slecht samen met de ontwikkelingen van dat moment. Tegenwoordig lijken zijn kansen om door te breken reëel. De mogelijke teruggang van de broek en terugkeer van de rok zullen noodzakelijkerwijs gepaard gaan met nieuwe topjes, bijvoorbeeld met de kenmerkende proporties van de *eighties*. Sterker nog: om de broek te vervangen zonder de rok te hoeven trotseren wordt zelfs de terugkeer van de legging voorzien. Blijft het mysterie hoe ontwerpers die zo ver van elkaar af staan uiteindelijk op gelijke trends kunnen uitkomen. Drie voorbeelden kunnen dit mysterie verhelderen.

Eerste hypothese: de trend is geen trend, zelfs geen aanleiding tot een snel voorbijgaande bevlieging. Zo is de spread met de vijftien op de eighties geïnspireerde artikelen er omdat een moderedactrice het wil, en de populariteit van die artikelen zal niet verder reiken dan de pagina's van het tijdschrift.

Tweede hypothese: de trend beantwoordt aan een *logica* waarvan iedere modeontwerper een voorgevoel heeft. Zoals bekend kunnen verschillende wetenschappers op hetzelfde moment een probleem oplossen met dezelfde methoden zonder deze van elkaar te hebben gekopieerd; op dezelfde manier kennen ontwerpers uitstekend de drijfveren van hun vak. Ze weten dan ook bijvoorbeeld dat minirokken moeilijk te verkopen zijn; de meesten van hen zullen ze dus opluisteren met accessoires (laarzen, lieslaarzen, leggings, enzovoort).

Derde hypothese, de meest gewaagde: de tijdgeest. De modewereld is een – heel – klein wereldje. Een vlinder die bij Dior met zijn vleugel klappert, veroorzaakt bij Prada vaak een orkaan. Een voorbeeld? Een zinnetje dat iemand liefjes heeft laten vallen in *Le Figaro* over 'Tom die heeft besloten dat de winter in het teken zal staan van de panterprint'. De Tom in kwestie heet Ford en degene die dit zinnetje heeft geschreven is Carine Roitfeld, voormalige leidsvrouw van Tom Ford bij Gucci en sinds 2001 hoofdredactrice van *Vogue*. Door deze woorden in augustus 2002 te bezigen geeft ze een dubbel signaal af: het is alsof een dame met gezag instaat voor een aankomende trend, gelanceerd door een merk waar je niet omheen kunt. Moraal? Een jaar later, in augustus 2003, bevat 'rages van het nieuwe seizoen', een zesenveertig pagina's dik (exclusief advertenties) nummer van *Vogue* waar bijzonder naar is uitgekeken, vier pagina's met artikelen in luipaardprint! Deze overdaad laat zich niet verklaren doordat Carine Roitfeld zo nauw verbonden is met het merk Gucci: de luipaardprint van Gucci dateerde van het jaar daarvoor, 2002. In 2003 waren het Marc Jacobs, DKNY, Moschino, Lanvin, Prada, Loewe, Vuitton, Versace en Alexander McQueen die de katachtige gebruikten. Een bijkomende vraag: hoe kunnen de meningen van Carine Roitfeld – al waren ze voorbarig – de huisvrouw van onder de vijftig beïnvloeden? Antwoord: op twee manieren. Direct, doordat ze met de overvloed van aan luipaardprint gewijde artikelen in de bladen bij haar een verlangen naar die print losmaken. Maar Roitfelds woorden hebben vooral indirecte gevolgen. Ook al schenken niet-ingewijden maar weinig bewust aandacht aan haar interviews, waarvan de functie en de invloed hun ontgaan, de modeprofessionals weten ze daarentegen te ontcijferen. Wanneer ze er kennis van nemen is het waarschijnlijk dat een aantal van hen deze informatie in overweging neemt voor het seizoen daarop. Dat is bijvoorbeeld het geval met de – bijzonder strategisch ingestelde – inkopers van de warenhuizen in New York, Tokyo, Londen, Parijs en Milaan, die zeker luipaardprint zullen inslaan. Maar laten we het roofdier blijven volgen. Laten we ons bijvoorbeeld voorstellen dat artikelen in luipaardprint in de warenhuizen goed zullen blijken te verkopen. Dan verspreidt het nieuwtje zich uiteraard: iedere verkoper, in de mode maar ook elders, krijgt toegang tot de resultaten van een of meer verkooppunten die voor hem als test dienen voor zijn artikelen én die van de concurrentie. Als de verkoopcijfers overtuigend zijn, zal de luipaardgoudmijn worden geëxploiteerd door de populaire merken, vooral filiaalbedrijven, postorderbedrijven, enzovoort. Zo kan een bevlieging van Tom Ford die in 2001 is ontstaan en in 2002 door Carine Roitfeld in de openbaarheid is gebracht, een reëel algemeen succes worden tot in 2005...

Natuurlijk is de luipaardprint slechts een voorbeeld. Ieder jaar wemelt het in de modefamilie van de geruchten over de komende trends, waarvan er sommige daadwerkelijk bewaarheid zullen worden. De textielwereld is een heel klein wereldje; het bestaat uit figuren die, ook al ontkennen ze het, uiteindelijk altijd dezelfde plaatsen bezoeken. Ondanks al zijn inspanningen volgt dit kleine gezelschap altijd dezelfde voorkeuren, dat wil zeggen dezelfde tekens dat men erbij hoort. Voor meubels was het de jarendertigstijl in de jaren tachtig, Jean-Michel Frank in de jaren negentig, Prouvé nu. Ingewijden zijn eensgezind en achtereenvolgens dol op de vormgeving van de groep Bazooka, de schilderijen van Basquiat, de kunstwerken van Gilbert en Georges en Vanessa Beecroft. Natuurlijk zal ieder zijn persoonlijke eigenaardigheden verdedigen, Nolita verkiezen boven Soho, de Abbesses boven de Marais en Corsica boven Sardinië. Maar afgezien van die eigenaardigheden houdt de familie dezelfde voorkeuren in stand; het is zelfs een conditio sine qua non om erbij te horen. Het publiek bij de shows maakt dan ook sterk een eenvormige indruk. In deze wereld zou het minachten van kuddegedrag een beetje neerkomen op bevuiling van het eigen nest. Daarom zorgt iedereen ervoor dat hij bij Costes eet en in New York in het Mercer Hotel slaapt, kortom de geboden in acht neemt van de *Cityguide Vuitton*, de eerste incrowdgids van de modewereld, gelezen én geschreven door modefiguren.

Ondanks uiteenlopende oorsprongen, behoorlijk grote inkomensverschillen en werkzaamheden die in de praktijk zeer ver uit elkaar liggen, is de modewereld een tamelijk homogene wereld. Hoe zou het verbazing kunnen wekken dat degenen die de mode maken op hetzelfde moment zin hebben in dezelfde dingen, op dezelfde plekken wonen en komen, zich aan dezelfde bronnen laven? Het accountantsvak heeft zijn eigen tijdschrift en vakverenigingen; toch leven accountants niet samen, gaan ze slechts bij uitzondering naar dezelfde feesten en onderscheiden ze zich niet door inteelt. In de modewereld daarentegen zijn er duizend aanleidingen om samen te dineren, te reizen en feest te vieren. Net als in de filmwereld of in bepaalde kunstzinnige beroepen is de grens tussen werk en privé soms moeilijk aan te geven. Zo krijgen mensen uit de modewereld talloze uitnodigingen die ze niet kunnen afslaan, tenzij hun het lot beschoren is tot hun schande niet uitgenodigd te worden.

Al die gezamenlijk doorgebrachte momenten vormen evenzovele gelegenheden om een *doxa*, een gemeenschappelijke mening, te vormen. Tijdens deze ontmoetingen worden geruchten en informatie, roddels en spotternijen uitgewisseld, evenals overtuigingen over de mode van de jaren twintig of de terugkeer van echt bont. De afwezigen kunnen zich laten bijspijkeren met hulp van figuren die zelf bij geen enkel modehuis horen maar zich voortdurend tussen de verschillende huizen bewegen. Sommige fotografen, stylisten, journalisten en persattachés hebben het voorrecht voortdurend door de merken formeel of informeel te worden geraadpleegd over de trends die ze moeten overnemen: ze spelen bij iedere collectie een cruciale rol waar het erom gaat te zorgen dat deze in de smaak valt en met betrekking tot de verdere ontwikkelingen. Een voorbeeld? De Londense artdirector Katie Grand geeft zowel Prada als Louis Vuitton als Calvin Klein reclameadviezen.[3] In de modewereld krioelt het van dit soort professionals die als telegrafistjes het gebied in alle richtingen doorkruisen. Dat geldt in het bijzonder voor adviserende redactrices, die in het algemeen het vak van foto-stylist voor de pers en reclame uitoefenen. Een fotostylist zoekt de kleding uit, soms de modellen, en bepaalt samen met de fotograaf de thema's van de series. Het gaat om volkomen onbekenden die echter onontbeerlijk zijn voor het systeem. Sommige modehuizen gebruiken ze vanaf de keuze van de stoffen tot de voorbereiding van de show.[4] Hun aanwezigheid is logisch te verklaren: ze weten beter dan wie ook wat voor een bepaald seizoen kan werken, om-dat zij degenen zijn die de mode maken in de pers. Dientengevolge móét hun bemoeienis de mode wel vormgeven. Ook de muze, al-tijd wel in de buurt van iedere ontwerper, kan die rol vervullen. In deze lastige exercitie hebben de toeleveranciers hun eigen rol: voor veel artikelen of bewerkingen zijn er maar heel weinig keuzemo-gelijkheden. Men zal zich dan ook bij voorkeur tot Lesage wenden voor borduurwerk, tot Swarovski voor fantasiekristalwerk, tot een paar stoffenleveranciers, enzovoort. Die paar namen vormen even-zovele knooppunten – chique mensen zeggen *hubs*: ze zorgen er, vaak onopzettelijk, voor dat informatie circuleert, door hun klan-ten voor te lichten bij het kiezen van een kleurengamma of een uit-voering. Elk van deze *hubs* draagt ertoe bij dat de modewereld in zijn geheel bij bepaalde trends uitkomt. Maar bij sommige gebeur-tenissen doet zich dat ook wel spontaan voor.

DE TIJDGEEST OPSNUIVEN

In theorie staan ontwerpers en merken in een verschillende rela-tie tot trends. De eersten staan aan de wieg ervan, de tweede vol-gen ze. De hipste merken worden gedwongen origineel te zijn: hun kleding moet niet eens een voorsprong hebben op de trends, maar moet zich ergens anders bevinden. De doe-het-zelfkleding van APOC, een van de lijnen van Issey Miyake, is niet uitgelopen op een mode: ze zal waarschijnlijk voor altijd voorbehouden blijven aan een kleine kring van ingewijden.

Dit streven naar originaliteit geeft soms aanleiding tot verras-sende creaties, zoals die van Olivier Theyskens, een jonge Belgi-sche ontwerper die ook aan de collectie van Rochas werkt. In de hippe stijl die hem eigen is rechtvaardigt hij bepaalde ontwerpen op de meest onverwachte wijze. Zo antwoordt hij op de vraag waarom hij op zeker moment zwart met geel combineerde, een combinatie die volstrekt niet trendy is, dat hij besloot zijn 'podium met mosselen [te bedekken] [...] om de maritieme sfeer die de gele regenkleding van zijn collectie ademt te onderstrepen. [...] Geel en zwart,' voegt hij eraan toe, '– dat durfde ik destijds niet te bekennen! – was de combinatie mosselen-friet. We lachten ons dood om die "private joke", mijn assistenten en ik. Natuurlijk moet je Belg zijn om het te vatten! We kunnen zo subtiel zijn. Vooral in Brussel!'⁵

Niet alle ontwerpers kunnen zich dit soort private jokes veroorloven. Degenen die voor de prestigieuze merken werken moeten handig zijn in het combineren van respect voor trends met creativiteit. Daarom volgen de meesten een aanpak waarmee ze hun verbeelding kunnen voeden. Zo maakt John Galliano ieder seizoen gebruik van een zeer geraffineerde methode om zijn collectie te tekenen. Ieder halfjaar neemt hij zijn team mee naar een ver land – voor de zomer van 2003 was dat India – waarvandaan hij kleding, ideeën, schetsen, voorwerpen, foto's, stukjes stof enzovoort mee terugneemt. Het geheel wordt in een 'bijbel' bijeengebracht waaruit eenieder inspiratie kan opdoen.⁶ Deze verzameling bevat geen afgeronde collectie, verre van dat. Het is moeilijk een verband te leggen tussen elementen uit India en een collectie die uiteindelijk draait om dans met tutu's, flamencokleding en ballerina's. Het gaat eerder om 'creatieve snacks', volgens de gangbare term, die allen in staat stellen voor ideeën uit dezelfde bron te putten.

Iedere ontwerper ontwikkelt een methode naargelang van zijn eigen temperament. Terwijl Galliano de hele wereld afreist op zoek naar ideeën, sloot Dior zich juist op. 'Ik treuzel [...] een paar weken,' vertelde hij. 'Daarna trek ik me terug buiten de stad. Die minieme verplaatsing lijkt door de precisie en het automatisme ervan op de enorme reis van de paling naar de Sargassozee. [...] door op weg te gaan weet ik van tevoren dat ik tussen de eerste en de vijftiende van de maand zal beginnen vellen te bedekken met piepkleine figuurtjes, echte hiërogliefen die alleen door mijzelf te ontcijferen zijn.'⁷

Vervolgens leiden die krabbels tot schetsen, die schilderijen worden en uiteindelijk 'model staan', in Diors woorden, voor de vrouwen die het verdienen.

Het creatieve proces dat deze ontwerpers in acht nemen kan niet één model volgen omdat iedereen zijn eigen kwaliteiten en zijn eigen methoden heeft. Sommigen kunnen, net als Jeanne Lanvin, niet tekenen: zij dicteren dus wat ze wensen. Zo bestaat het werk van Miuccia Prada in het leiden van een team. Afgezien van hun verschillende benaderingen is het enige punt van overeenkomst voor bijna alle stylisten dat ze hun toevlucht zoeken tot trendborden. Het abc van het modeontwerpen wordt heel vaak geschreven met behulp van deze grote panelen waarop zich geen modellen of eindproducten aftekenen, maar een sfeer. In het algemeen gaat het om grote samenraapsels waarop foto's, tekeningen, woorden en lapjes stof te zien zijn. Ze kunnen heel abstract zijn – 'lucht en water' –, naar een gebied in de wereld verwijzen – 'Bali' – of naar een film – Roman Holiday. De intellectuele weg die wordt afgelegd zodat het trendbord een ontwerp wordt, is meestal erg bochtig. De rol van het bord is vaak om een ontwerp neer te zetten en er richting aan te geven, maar vooral om aan het denken te zetten. De methode berust, zoals duidelijk moge zijn, op vrije associaties: alles mag. In dit stadium van het ontwerpen zijn er nog geen marketingbeperkingen en trendvoorspellingen opgedoken. De volgende stap is dus om rekening te houden met de trends. Geen enkele ontwerper, al is hij op het hoogtepunt van zijn roem, kan zich daar volledig van losmaken. Slechts weinigen geven het toe, maar je hoeft alleen maar naar de collecties voor een bepaald seizoen te kijken: er bestaan verrassende overeenkomsten tussen de ontwerpen van de verschillende modehuizen.

De mode is van de maatschappij gescheiden door een membraan waarvan de werking moeilijk te voorspellen is. Sommige gebeurtenissen vinden onmiddellijk hun weerslag in de trends terwijl andere daar geen enkele invloed op lijken te hebben. Ontwerpers negeren de buitenwereld niet; ze letten gewoon meer op sommige soorten informatie dan op andere. In het algemeen schenken ze niet altijd aandacht aan de actualiteit. Wil een gebeurtenis hen raken en doorschemeren in hun ontwerpen, dan moet hij de afmetingen van een grote ramp hebben. En dan nog leidt hij uiteinde- lijk niet tot gelijksoortige trends. Al heeft 11 september 2001 onder ontwerpers vele reacties teweeggebracht, het heeft zoals we heb- ben gezien niet een *eigen* mode opgeleverd. In de paar weken die op het drama volgden zetten de modebladen in op soberheid, door bijvoorbeeld monochrome omslagen te gebruiken.

Daarentegen wordt de culturele scene veel aandachtiger gevolgd door de modeontwerpers. Agnès B. heeft zoals bekend belangstel- ling voor hedendaagse kunst, maar sponsort ook jonge filmma- kers en luistert al lange tijd naar rap; Karl Lagerfeld heeft een bre- de artistieke ontwikkeling, evenals een kunstgalerie-boekhandel. Dergelijke voorkeuren zetten de ontwerpers er op bijna natuurlijke wijze toe aan zich te voeden met esthetische invloeden buiten de mode, die vaak terug te vinden zijn in de trends van het moment. Er zijn maar weinig esthetische of muzikale vernieuwingen die hun ontgaan; hun beroepsmatige ideologie stimuleert hen om te den- ken dat alles wat nieuw is deel is van hun wereld. Velen beschik- ken over een gedegen visuele en muzikale ontwikkeling; ze onder- zoeken op natuurlijke wijze de vernieuwingen in de rockscene en op het gebied van fotografie en film. Zo is grunge onlosmakelijk verbonden met het succes van Nirvana. En we kunnen zien hoe daarvóór de punkesthetiek zo ongeveer een coproductie was van de manager van de Sex Pistols, Malcolm McLaren, en de modeont- werpster Vivienne Westwood. McLaren, een cynische, flamboyante figuur, dacht dat deze stroming ingang zou vinden via de bijbeho- rende muziek én kleding; hij probeerde zo goed mogelijk voordeel te trekken van deze business. Films houden de geesten binnen de modewereld zeer bezig, voor zover zij voortvloeien uit de moderne verbeelding. Om inspirerend te zijn moet een film een bijzondere esthetiek te zien geven, zoals *Bonnie and Clyde*, *West Side Story* of *Les parapluies de Cherbourg*, drie titels die vaak worden herbewerkt door de mode. Sommige films geven zo aanleiding tot echte *focussing*- verschijnselen.

Het meest recente voorbeeld is de film *In the mood for love* van Wong Kar-wai, die in november 2000 in de bioscopen kwam en alle kenmerken in zich had om populair te worden in modekrin- gen. De filmmaker, die slechts in beperkte kring bekendheid genoot, gaf namelijk een compleet universum te zien: een dromerig Hongkong, een bijzonder gelikte vormgeving, een met zorg gemaakte geluidsband, een verhaal – liefde, altijd de liefde – dat niemand onberoerd liet... In the mood for love kende een algemeen succes (de recensies waren goed, de cd's met de filmmuziek gingen grif van de hand) en werd ook in de damesbladen een ware inspiratiebron. Veel tijdschriften maakten modespecials rond de film, waarbij ze ervoor kozen kleren te laten zien in een stijl die aan die van In the mood for love deed denken. Deze film is dus voor een groot deel verantwoordelijk voor de invloed van een mythisch Azië op het werk van vele ontwerpers: Gaultier bracht Chinese thema's in zijn shows; Gucci deed dat ook; Galliano voelde hetzelfde 'verlangen naar Azië' en vertrok met zijn hele team naar dit deel van de wereld: 'We komen [in november 2002] terug van een grote rondreis door Azië van Hongkong naar Tokyo via Peking, Sjanghai, het Chinese platteland en Osaka. Wanneer ik aan mijn zoektocht begin, zuig ik me helemaal vol met het onderwerp. Ik moet de lucht van mijn intuïtie inademen, vandaar die "studiereizen" die we met het hele team maken. We maken aantekeningen, we kopen dingen, we maken foto's en schetsen. Een voorwerp, een suikerzakje, muziek, een schilderij, een kledingstuk of zelfs een onnozele knoop, alles kan een suggestieve kracht hebben! [...] Dat de komende look Chinees zal zijn lijkt me iets te letterlijk genomen. China heeft me ontroerd, enthousiast gemaakt, geprikkeld, uitgedaagd, gestimuleerd. Ik heb er dingen van grote schoonheid gezien, en andere dingen die me hebben gechoqueerd, maar het geheel is tegelijkertijd ongelooflijk geraffineerd en ongelooflijk ruig, een mengsel dat very Galliano is, nietwaar?'[8]

Maar de tijdgeest is niet de enige factor: het komt ook voor dat een trend die al is aangeslagen bewust wordt teruggehaald. Een voorbeeld: het leren motorjack van Gucci, dat in de herfst van 1999 verscheen. Het was de tijd van de Gucci-mania en iedereen wilde dat jack. Alle merken, van de kleinste tot de grootste, maakten het, sommige van leer, andere van heel wat minder edele materialen. Natuurlijk was die gelijktijdigheid niet schatplichtig aan de tijdgeest: het ging om een 'inspiratie' die algemeen was maar zich in het geval van andere merken dan Gucci later voordeed, tenzij we het hier simpelweg over kopieën hebben. De grens tussen ontwerp en kopie is dunner dan wordt gedacht. Het komt immers voor dat de meest prestigieuze modehuizen zich door hun concurrenten laten beïnvloeden. Zo werd zelfs Yves Saint Laurent slachtoffer van zijn gevoeligheid voor de tijdgeest: in 1985 werd hij veroordeeld wegens het overnemen van een model van Jacques Estérel. 'De overwinning van iemand zonder benen op Nureyev', was het commentaar van Pierre Bergé[9] ... Toch zijn dergelijke kwesties zeldzaam. Ze kunnen immers rampzalig zijn voor ontwerpers die bekend zijn vanwege hun creativiteit. Wie zich door trends laat inspireren zonder het tot vervalsing te laten komen, komt bovendien voor serieuze technische problemen te staan. Voor de merken die overal verkrijgbaar zijn is dat geen probleem. Maar hoe moeten de andere, de prestigieuzere merken te werk gaan?

Het ontwerpen van een collectie kent vele beperkingen. Eerst worden stoffen uitgekozen en modellen getekend, dan volgt de show. In september wordt de zomercollectie voor het jaar daarop getoond; in het voorjaar die voor de volgende winter. Deze verplichting om te anticiperen laat weinig ruimte voor vergissingen. Gelukkig zijn er nog de 'wonderen', die op het laatste moment kunnen worden verricht, met andere woorden na de shows van de anderen, geen haan die ernaar kraait. Er zijn een paar momenten waarop er stilletjes modellen kunnen worden toegevoegd waarvan men denkt dat ze in de trend passen. Twee voorbeelden: de voorcollecties en de tussencollectie. Uiteraard onttrekt men zich hier aan het proces. Van oorsprong – en in de meeste gevallen nog steeds – bestaat de voorcollectie uit kledingstukken die niet per se worden geshowd maar die aan de kopers worden aangeboden, omdat het gaat om basics of omdat ze geen plekje konden vinden in de algemene show. Omdat deze kledingstukken per definitie niet op de show zijn gezien, kunnen ze heel goed achteraf worden toegevoegd... Hetzelfde geldt voor de tussencollectie, die van oorsprong bedoeld was om elegante vrouwen te kleden die in de winter op reis gingen met een oceaanstomer... Een kleine klantenkring vandaag de dag? Natuurlijk, maar ook hier wordt het principe omzeild, waardoor het mogelijk wordt om, terwijl de wintercollectie loopt, nieuwe elementen in te brengen. Ieder modehuis gunt zichzelf inmiddels via deze omweg een tweede kans. Zo komt het bij de meest prestigieuze huizen van de avenue Montaigne voor dat bij het veranderen van de etalages, om de vier of zes weken, nieuwe kledingstukken worden toegevoegd die er eerder, aan het begin van het seizoen, nog niet waren.

Een modehuis kan niet anders dan datgene wat zijn rijkdom uitmaakt, met andere woorden de intellectuele eigendom, beschermen. Deze strijd vereist een zekere vechtlust, tegenover andere huizen maar ook tegenover die paar industriëlen, heel vaak Chinese, die dat heel lang een zeer abstract begrip hebben gevonden. Wat voor schade richt namaak aan voor het vak? Dat is moeilijk te zeggen: deze artikelen worden in het algemeen niet in dezelfde circuits verkocht, de klanten weten heel goed dat ze namaak kopen. Bovendien geven sommige namakers blijk van werkelijke vindingrijkheid, door aan Chanel of Gucci producten toe te dichten die die firma's nooit hebben ontworpen, laat staan in de handel gebracht. Misschien worden die originele kopieën ooit collector's items... Ondertussen hebben sommige bedrijven vastgesteld dat deze producten een bijdrage hebben geleverd aan hun bekendheid. Nike stelt geen vervolging meer in tegen degenen die zich zijn logo toeeigenen. En boze tongen fluisteren dat sommige ontwerpers des te giftiger zijn op namaak als ze er nog nooit het slachtoffer van zijn geweest. Er is altijd een geluk bij een ongeluk: wie zijn merk op een exotische markt ontdekt, heeft daarmee een betrouwbaardere aanwijzing dat hij bekendheid geniet dan met talrijke onderzoeken.

Zowel kleine als grote bedrijven kunnen een oplossing voor het trendprobleem vinden door in het lopende seizoen actuele modellen te lanceren. Meestal gebeurt dat ongemerkt; de bedrijven hanteren voldoende fingerspitzengefühl om zich te onderscheiden van de modellen waardoor ze zich hebben laten inspireren. In ieder geval is het, als men niet op tijd heeft gereageerd, vaak mogelijk het jaar daarop de schade in te halen. De hipste modes, de rages, gaan het kader van het seizoen niet te buiten. Andere daarentegen doen er langer over om van de grond te komen: daarom kan de lancering soms pas een jaar later worden gerechtvaardigd. Een voorbeeld? De Vanessa Bruno-tas: inmiddels kennen alle Parijse vrouwen deze boodschappentas met pailletten en sommige hebben er

zelf een. Toch duurde het twee jaar voordat dit artikel bekendheid
kreeg: nadat het in 1999 was gelanceerd begon het pas populariteit
te genieten in 2000-2001, en oefende in 2003 nog steeds aantrekkingskracht uit. Een extra bewijs dat mode soms lang duurt; een
vertraging die winstgevend wordt gemaakt door de goedkope mode-industrie, waar het mensen hun vak is reeds stevig verankerde
trends te versterken.

DE KORTE KANALEN VAN DE TRENDS, OF HET SENTIER-MODEL

De mode respecteert haar voorlopers niet. Daarom is de Sentier in
algehele onverschilligheid aan het verdwijnen, terwijl zijn methoden juist zegevieren. Maar reïncarnatie bestaat: het systeem dat op
proefondervindelijke wijze is uitgevonden door die in hartje Parijs
gevestigde kleine middenstanders, wordt tegenwoordig op industriële wijze winstgevend gemaakt door ketens als Zara en H&M.
Want de Sentier is niet alleen een folkloristische plek die de gedachte aan illegaal werk oproept, maar ook de plek waar een originele manier is uitgevonden om kleding te fabriceren: de korte kanalen, in het Engels het *Quick Response System*.
    De Sentier is de Parijse versie van de in textiel gespecialiseerde
wijk die in iedere grote stad al eeuwenlang bestaat. Helaas lopen
die paar smalle straatjes sterk het gevaar zich bij andere *lieux de mé-
moire* van de Franse industrie te voegen en een etnografisch museum te worden. De Sentier kwijnt weg bij gebrek aan afzetmo-
gelijkheden. Het multimerknetwerk dat vroeger de eenvoudigste
steden van een prêt-à-porterwinkel voorzag is aan het verdwijnen.
Zo'n dertig jaar geleden hielpen vijfendertigduizend zelfstandige
verkooppunten de Fransen aan kleding. Tegenwoordig nemen de
gespecialiseerde ketens 40 procent van de verkoop voor hun rekening, de hypermarkten 15 procent, postorderbedrijven 10 procent
en zelfstandigen maken nog maar 22 procent van de omzet in deze
markt. Het ironische aan de kwestie is dat de Sentier ten onder is
gegaan als gevolg van het feit dat machtiger concurrenten zijn methoden hebben overgenomen. Enkele grote merken die hun oor-

sprong op deze plek hebben – Kookaï, Morgan, Naf Naf, enzovoort – houden de herinnering eraan levendig. Voor de rest wordt de markt gedomineerd door twee bekende namen: Zara en H&M. Het succes van deze twee bedrijven berust op de combinatie van korte kanalen en een distributienet waar ze directe invloed op hebben.

Het kortekanalensysteem is een onorthodoxe manier om naar mode te kijken, die de voorkeur geeft aan trends ten koste van creativiteit. Van oudsher werkt een modemerk twaalf of achttien maanden vooruit; dat is de tijd die er gemiddeld verstrijkt tussen de selectie van de stoffen en de levering van de kledingstukken aan de winkel. Is de voornaamste zorg van de grote couturehuizen het creëren van een originele mode, het kortekanalencircuit springt er juist uit vanwege de tegenovergestelde obsessie: zo laat mogelijk produceren om dezelfde kleding te maken als alle anderen en zich niet in de trend te vergissen. Het hele systeem berust dus op reactief vermogen; de meeste kenmerken ervan vloeien uit dit vereiste voort. Zo wordt, om optimaal aan de vraag te voldoen, de productie verdeeld over kleine ateliers, die niet altijd alle wettelijke verplichtingen in acht nemen. Een van de positieve dingen die de Sentier op zijn naam heeft staan is dat het een plek is waar nieuwkomers werk kunnen vinden. Reeds voor de oorlog vormde de textielsector voor pas aangekomen immigranten een mogelijke bron van inkomsten, zelfs als hun papieren nog niet in orde waren. Dit kenmerk geldt nog steeds: de meest uiteenlopende gemeenschappen leven samen te midden van textielarbeid, van joden via Joegoslaven en Turken tot Pakistanen. Een negatieve kant van het systeem die vaak benadrukt wordt zijn de vrijheden die men zich veroorlooft met betrekking tot het arbeidsrecht. Door de zeer korte termijnen die deze productiemethode vereist, wordt men ertoe aangezet arbeidskrachten in te huren die worden uitgebuit; vaak krijgen ze bij het stuk betaald, soms tegen de geldende wetten in.

Zara en H&M hebben dit systeem alleen maar verfijnd en verkopen in hun eigen winkels kleding die volgens het kortekanalensysteem wordt geproduceerd. Net als ooit in de Sentier, maar dan op industriële en systematische wijze, worden de trends en merken die goed lopen opgespoord en min of meer letterlijk gekopieerd. Daarvoor is het niet nodig over enige mate van helderziend-heid te beschikken: dankzij deze methode kunnen achteraf kleren worden gemaakt die overeenkomen met de trends van dat moment. Door ongeveer tweederde basics en eenderde 'mode'-artikelen te combineren kunnen deze firma's het zich veroorloven hun producten een kwartaal voor aanvang van het seizoen te lanceren. Op dat tijdstip zal iedere professional kunnen vaststellen wat de trends van het moment zijn. Bovendien minimaliseren deze bedrijven de risico's waaraan ze zich blootstellen door zich tot kleine series te beperken; in deze omstandigheden kunnen er hooguit kleine aantallen onverkochte artikelen overblijven. Door gebruik te maken van een netwerk van toeleveranciers, die in Zuid-Europa of in verre landen fabriceren, kunnen zij deze kledingstukken voor zeer concurrerende prijzen aanbieden. Die tarieven zijn des te lager omdat er geen royalty's worden overgemaakt naar de ontwerpers van de oorspronkelijke modellen, of naar de Sentier waar deze methode is uitgevonden. Grosso modo ontslaat dit systeem fabrikanten van de noodzaak een merk of een mode in het leven te roepen; het stelt hen juist in staat succes een handje te helpen.

SUCCES UITLOKKEN

Trends dragen bij tot een eenvormiger textielmarkt. In deze omstandigheden is het voor een merk niet gemakkelijk om op te vallen. Daarom heeft de mode, meer dan welke andere industrie ook, haar toevlucht genomen tot uitlokking. Vandaag de dag zijn toespelingen op het lichaam, het geoorloofde en het ongeoorloofde verplichte nummers in de textielwereld.

Provocatie als een manier om de aandacht te trekken heeft buitengewoon veel te danken aan een stylist met de naam Rudi Gernreich. Hoewel het grote publiek er geen idee van heeft wie deze man was, is zijn werk daarentegen zeer bekend bij professionals; Tom Ford heeft vaak benadrukt hoezeer hij schatplichtig aan hem is. Gernreich gaf inderdaad blijk van die mengeling van commercieel opportunisme, kunstzinnigheid en de strijd voor vrijere zeden, die zo eigen is aan de modewereld; alle complexe banden tussen mode en het schandaal kwamen in hem alleen al samen. Deze ontwerper heeft een kans gekregen die misschien geen enkele andere couturier nog zal krijgen: hij heeft zijn naam onder de aandacht weten te brengen dankzij wereldwijde protestbetuigingen. Met het ontwerpen in 1964 van het topless badpak (de monokini) ontketende hij een polemiek die we ons vandaag de dag moeilijk kunnen voorstellen. Hoe we ook zoeken, er is geen kledingontwerp meer te vinden dat de publieke opinie nu nog zo kan beroeren. Maar deze ontwerper heeft ons niet alleen de monokini nagelaten: hij heeft ook van provocatie een stijlmiddel gemaakt dat onontbeerlijk is voor modemerken.

Zoals vele andere ontwerpers leidde Gernreich een atypisch leven, waarin de crises van de eeuw samenkwamen. De man die van alle ontwerpers de meest Amerikaanse wordt genoemd, wordt in de jaren twintig in Wenen geboren in een joodse familie. Al op zeer jonge leeftijd krijgt hij te maken met kommer en kwel: als hij acht is pleegt zijn vader zelfmoord; vervolgens moet hij met zijn moeder – die hij verafgoodt – vluchten, met de dood op de hielen, wanneer Hitler de macht grijpt. Zijn leven lang zal Gernreich tegen ziekelijke obsessies vechten. Zijn eerste baan in de Verenigde Staten is in een lijkenhuis, waardoor hij het menselijk lichaam beter kan bestuderen, zoals hij met zijn wrange humor uitlegt: 'Ik ben gewend geraakt aan lijken. Maar soms moet ik lachen als mensen me zeggen [...] dat ik waarschijnlijk anatomie heb gestudeerd. En óf ik anatomie heb gestudeerd!'[10] Hij verdiept zijn anatomiekennis door danser te worden en verdient bij met het ontwerpen van kleren. Zijn stijl betekent een breuk met die van Franse ontwerpers uit die tijd, die toen de boventoon voerden. Diana Vreeland, de grote moderecensent van Harper's Bazaar, is degene die zijn werk ontdekt en hem mede bekendheid geeft.

Gernreich wist hoe hij over zichzelf moest praten; een van zijn compagnons beschreef hem zelfs als een 'publiciteitsdier'. Het lukte hem inderdaad ieder jaar de aandacht te trekken door verrassende verhalen te vertellen en door in zijn shows cowboys, kabukipersonages, nonnen of gangsters ten tonele te voeren. In 1971 ging hij zelfs zover dat hij zijn kleren bij wijze van accessoire voorzag van revolvers en identiteitsplaatjes zoals die van soldaten. Toch waren deze ensceneringen logisch voor deze man die overtuigd was van de noodzaak de zeden te veranderen en lid was van een clandestiene homoclub, de Mattachine Society.

Door na te denken over de laatste taboes op het gebied van kleding die nog doorbroken konden worden, kwam Gernreich voor het eerst met het idee van het topless badpak. In september 1962 verklaarde hij tegenover de *Women Wear Daily* (*wwd*) dat binnen vijf jaar borsten te zien zouden zijn. Hing het idee in de lucht? Een andere couturier, Pucci, verklaart vlak voordat hij zijn herfst-wintercollectie zal presenteren, dat vrouwen binnen tien jaar afstand zullen doen van het bovenstukje van hun badpak. Gernreich schrikt: hij vreest dat zijn idee wordt gepikt. Aan hem de taak deze nieuwe grens op te heffen. Er zit een zekere logica in, denkt hij: in het begin van de jaren zestig was hij zo ver gegaan met het decolleté van zijn badpakken dat hij die beweging niet meer kon versterken zonder de borsten te ontbloten.

Gernreichs voorspelling over de afschaffing van het bovenstukje bleef niet onopgemerkt. Eind 1963 deelt Susanne Kirtland van het tijdschrift *Look* hem mee dat ze een artikel aan het topless badpak gaat wijden. Het is lastig om een stuk te schrijven over iets wat nog niet bestaat... ze smeekt Rudi om het te maken! Gernreich schat de risico's in: 'Ik wist dat die actie mijn carrière kon vernietigen, mij definitief buitenspel kon zetten, maar mijn overtuiging dat het om een juist concept ging en mijn angst door iemand anders voorbijgestreefd te worden waren een stimulans om akkoord te gaan. Ik vond het nog een beetje vroeg, maar aangezien het binnen twee jaar zou gebeuren, had ik me al helemaal bij die termijn neergelegd.'[11] Gernreich komt eerst met een Balinese sarong die vlak onder de borsten ophoudt. Susanne Kirtland wil er niets van weten: niet heftig genoeg, te weinig provocerend. Ten slotte ontwerpt hij een badpak met bretels dat de borsten helemaal vrijlaat. Er komt een fotosessie voor dit kledingstuk op de Bahama's, en deze keer schrikt *Look*, alleen de foto van het model op de rug gezien komt erdoor. Gernreich neemt wraak: het model is een plaatselijke prostituee, en hij zorgt ervoor dat dat bekend wordt. Overigens is hij niet tevreden over de fotoserie. Er wordt een nieuwe sessie georganiseerd met zijn favoriete model: Peggy Moffit. De ontwerper is vastbesloten deze foto's naar verschillende bladen in het land te sturen, maar hij voorkomt dat ze bij Playboy en blootbladen terechtkomen. Verbazend genoeg durft echter niemand ze te publiceren: Life en Harper's Bazaar weigeren ze; Newsweek besluit, na een gesprek, het silhouet op de rug gezien te publiceren; alleen WWD stemt er uiteindelijk in toe een foto van Peggy van voren te publiceren.

Vanaf dat moment zal Gernreich vechten om het badpak op de markt te brengen, terwijl hij tegelijkertijd luidkeels verkondigt dat hij nooit van plan is geweest het te laten produceren, dat het om een prototype gaat dat niet verder ontwikkeld moet worden. Zo begeeft hij zich, vergezeld van Peggy Moffit in een kimono waaronder ze het beroemde topless badpak draagt, naar een afspraak met Diana Vreeland. Omdat de journaliste van Harper's Bazaar haar vragen stelt over dat badpak, trekt Peggy haar kimono uit. Aan Gernreich werd gevraagd om welke redenen hij een dergelijk kledingstuk had bedacht. In zijn verlangen tot het uiterste te gaan lijkt vrijheid een van zijn voornaamste preoccupaties. Oprechtheid en het streven naar erotiek waren twee andere motieven. Het was Gernreich opgevallen dat er in de Amerikaanse cultuur een aantrekkingskracht uitging van grote borsten. Het leek hem hypocriet die fascinatie in stand te houden zonder ze te laten zien!

Het topless badpak veroorzaakte een ongekend schandaal. Gernreich slaagde erin er drieduizend te verkopen. Dat is een bescheiden omzet, maar het model genoot inmiddels overal grote bekendheid. Warenhuizen bestelden het, maar hun CEO's, die de beslissing van de inkopers negeerden, besloten de levering te weigeren. Sommige winkels die het badpak wél verkochten, kregen te maken met demonstraties, en een van die verkooppunten, in Detroit, ontving zelfs dreigementen. In Moskou speculeerde een ander blad, Izvestia (15 juli 1964), over eventuele topless avondjurken. De Amerikaanse levenswijze, zo stond er, moedigde alles aan 'wat de moraal en de maatschappelijke belangen met voeten treedt tot meerdere eer en glorie van het ego. Het verval van de portemonneemaatschappij gaat voort.' De paus verbiedt het dragen van dit kledingstuk, maar de verontwaardigdste reactie is afkomstig van de burgemeester van Saint-Tropez, die verklaarde dat hij in geval van verstoring van de openbare orde gebruik zou maken van helikopters om boven de stranden te patrouilleren (New York Times, 2 jui 1964). Een nachtclub in San Francisco verwierf bekendheid met de verklaring dat een van de animeermeisjes er niet voor terug zou schrikken het beruchte kledingstuk aan te trekken. Een jonge vrouw uit Chicago probeerde ermee te zwemmen; ze werd aangesproken en beticht van 'het dragen van een kledingstuk dat ongeschikt is om in te zwemmen'. Na het lezen van de aanklacht vroeg ze om een volledig uit mannen samengestelde jury.

Later specialiseerde Gernreich zich in provocatie, en ging er zelfs aan te gronde. In 1965 lanceerde hij, nog steeds aangetrokken door borsten, de No Bras, de antibeha, een beha van doorzichtig materiaal. Terwijl het topless badpak een groot succès d'estime was, behaalde de No Bras een groot commercieel succes. Gernreich ontwierp een kledinglijn voor de winkelketen Montgomery Ward en werd zo de eerste stylist die kleding met zijn naam erop in een populair warenhuis verspreidde. In december 1967 haalde Gernreich de cover van Time, waarop hij werd voorgesteld als 'de meest excentrieke en avant-gardistische stylist van de Verenigde Staten'. Die publieke erkenning werd hem fataal: hij sloot zich op in provocatie, waarbij hij zichzelf parodieerde. Zijn necrofilie nam de overhand; bitter verkondigde hij het einde van de mode, van de schaamte, van obsessies, van het onderscheid mannelijk-vrouwelijk... In 1968 schreef de wwD dat hij er beter aan zou doen zich terug te trekken. Na een sabbatsjaar maakte hij zijn comeback en kwam in 1974 met – weer – een nieuw badpak: de string. Vlak voordat hij in 1985 overleed, zonder dat dat iemand iets kon schelen, ontwierp hij de pubikini, die de schaamstreek half bloot liet en waarvan het de bedoeling was dat het schaamhaar werd bedekt met een soortgelijke kleur als die van het badpak.

Afgezien van deze anekdotische kledingstukken had Gernreich aangegeven hoe provocatie op het gebied van de mode kon worden gebruikt. Andere merken maakten zich van dit gebied meester, nu met gebruikmaking van reclame, maar nog steeds met dezelfde schijnheiligheid. In 1971 poseerde Yves Saint Laurent naakt om het parfum met zijn initialen te promoten. In dezelfde tijd maakte de fotograaf Guy Bourdin een serie erotische naaktfoto's die legendarisch zijn gebleven, om het schoenenmerk Charles Jourdan te promoten. Een paar jaar later legde Calvin Klein de lat iets hoger door een zestienjarige Brooke Shields in te zetten die fluisterde: 'Er komt niets tussen mijn Calvins en mij.' Maar met Gucci neemt provocatie in 1998 een wending die het begin inluidt van het tijdperk van de porno-chic.

DE MODE VAN DE PORNO-CHIC

De mode van de porno-chic, die in 1998 begon en in 2002 ten einde liep, heeft de gemoederen in beroering gebracht omdat ze een hoogtepunt vormde in het gebruikmaken van seksueel getinte provocatie om kleding te verkopen. Nooit hadden zo veel merken tegelijk foto's met een seksuele connotatie gebruikt om de aandacht te trekken.

In 1998 insinueert een foto bij een Gucci-campagne dat er sprake is van fellatio. In de herfst van 1998 zorgt Calvin Klein ervoor dat de biedingen op 'zijn' gebied worden verhoogd. Gewend als hij is aan provocerende campagnes zet hij in op androgynie, waarbij hij stug blijft kiezen voor duidelijk te jonge modellen. Er zijn beelden van pubers die in een kelder suggestieve poses aannemen. New York reageert verontwaardigd; de campagne wordt uit de abri's verwijderd. Na deze twee series is de mode een feit; de andere merken hoeven er alleen nog maar een schepje bovenop te doen. In het voorjaar van 2000 promoot Dior de lesbo-chic, die al snel lijkt op trashy saffisme, met prachtige vrouwen die voor monteur spelen, hun lichaam onder de smeerolie. Een paar maanden later neemt de Gucci-groep Yves Saint Laurent over en besluit voor dit merk de methoden aan te wenden die de Italiaanse tassenfabrikant in staat hebben gesteld een nieuwe start te maken. Resultaat: in de nieuwe campagne voor het parfum 'Opium' roept een jonge vrouw de gedachte aan masturbatie op en in een volgende campagne wordt een ontkleed meisje omringd door naakte mannen, misschien een voetbalteam in de kleedkamers. Vanaf dat moment zien adverteerders porno-chic als een verplicht nummer. Het is alsof ze niet meer met reclame voor een modemerk kunnen aankomen die zich buiten dit register afspeelt. Dus moet alles eraan geloven: verkrachting, dood, zoöfilie enzovoort. De schoenenfabrikant Cesare Paciotti voert vrouwen ten tonele die zicht op hun slipjes bieden terwijl ze op een graf zitten. Ungaro geeft de voorkeur aan vrouwen die doen alsof ze de liefde bedrijven met standbeelden, en later vrouwen in dubbelzinnige omstandigheden met honden. De meest klassieke merken zijn bereid zich te verlagen, vanuit de overweging dat terughoudendheid hen op termijn kan schaden. Dus laat Weston begin 2001 een man zien van wie slechts de schoen te zien is die een halfnaakte vrouw onderwerpt; La City kiest voor een naakte vrouw in slipje, op handen en voeten voor een kudde schapen. Wanneer ze worden geconfronteerd met protesten moeten deze twee merken de lancering bijstellen. In 2003 is de trend voorbij, de modereclame is op iets anders overgegaan. Op een van de foto's die Gucci voor zijn campagne gebruikte staat een blote baby in de tedere armen van zijn moeder in lange broek: het kind masseert kuis de borsten van zijn moeder. Maar mocht de 'baby-chic' aanslaan, dan doet hij niets af aan het mysterie van de mode die eraan voorafgegaan is.

Het zou echter een vergissing zijn porno-chic te bagatelliseren als zijnde een poging om de gemoederen in beroering te brengen. Die redenering bestaat natuurlijk. Iedere consument is een soort *commercial veteran* die wordt blootgesteld aan vijftienhonderd berichten per dag. Om zich te onderscheiden moeten bedrijven elkaar overtroeven. Bij dit spelletje beginnen de modemerken met een serieuze handicap: hun reclamebudgetten zijn bespottelijk in vergelijking met die van andere sectoren. Volgens een Engels onderzoek[12] staat er niet één textielfabrikant of -distributeur op de lijst van honderd grootste adverteerders in 1998.[13] Het grootste textielmerk in deze sector is Levi Strauss, dat 1,3 procent van het reclamebudget van de grootste adverteerders uitgeeft.[14] Om hun zichtbaarheid te vergroten worden modemerken er dus toe aangezet voor radicale communicatiestrategieën te kiezen. In die context is seksualiteit voor hen bijna een natuurlijk verlengstuk. Deze vorm van provocatie is des te meer welkom omdat ze erbij was toen bepaalde merken weer in de gratie kwamen. Zo is bij Dior mede dankzij de voorjaarscampagne van 2000 de verkoop met 41 procent gestegen.[15] Deze choquerende, zelfs obscene vorm van communicatie is bewust gebruikt om het imago van een voorheen te braaf merk op te vijzelen.

Net als bij Gernreich laat de keuze voor provocerende strategieën met gebruikmaking van seks zich niet volledig verklaren door een commerciële logica. Porno-chic is ontstaan op het moment dat sommige merken in navolging van Gucci hun eigen reclamebeelden maakten, zonder tussenkomst van een agent. De artdirector werd de centrale figuur van de campagne, in nauwe samenwerking met de fotograaf. Maar twee van de voornaamste voorvechters van deze trend, Tom Ford (destijds artdirector van Gucci) en de fotograaf Terry Richardson, hebben zich er altijd openlijk op laten voorstaan dat seks een belangrijke plaats in hun leven inneemt. Gevraagd naar het waarom van deze mode antwoordt T. Richardson: 'Omdat ik van seks hou! En ik hou van degenen die seks bedrijven, mannen of vrouwen. Er is niets in seks wat me verveelt! Zodra je kijkt naar wat er om je heen gebeurt en seks daar deel van uitmaakt, is het volstrekt logisch dat je dat gaat fotograferen. Het is fantastisch om beelden te maken waarvan mensen opgewonden raken. [...] De mensen waren daar vreselijk gefrustreerd over en ik kreeg het etiket van pornofotograaf opgeplakt. Nogmaals, volgens mij is het slechts een aspect van mijn werk. Maar ik vind het wel erg leuk dat dat nu overal gezegd wordt. Het stelt me zelfs in zekere zin gerust. En het zal me zeker niet beletten door te gaan in deze niche zolang ik daar zin in heb.'[16] Tom Ford reageert op soortgelijke wijze, aangezien hij verklaart dat hij ervoor heeft gekozen 'te werken met grote fotografen om uitdrukking te geven aan een visie die geacht wordt de aandacht van het publiek te trekken, het ertoe aan te zetten de winkels binnen te gaan, de kleding te passen en in het ideale geval te kopen. [...] Seks is helemaal niet vulgair, zelfs niet wanneer er vormen van coïtus worden getoond die als perverse handelingen worden aangemerkt, als het maar gaat om seks tussen volwassenen die erin toestemmen. [...] We weten waarom beelden rond seks zo worden afgedaan. Alles komt neer op religie, die seks demoniseert. [...] Daarom heb ik ervoor gekozen in Europa te wonen [in plaats van de Verenigde Staten].'[17]

Deze vorm van libertair hedonisme komt zowel in de mode als

in andere artistieke kringen voor. De fascinatie voor pornografie ontwikkelde zich overigens vrijwel tegelijkertijd in de hedendaagse kunst. Er vonden zelfs gemeenschappelijke manifestaties plaats: zo organiseerde de Franse kunstenaar Edouard Levé het decor van de zomershow 2003 van Gaspard Yurkievich in Parijs, waarin mannen scènes uit pornofilms naspeelden. Deze happenings zijn doortrokken van ironie; ze onderscheiden zich van de serieuze vormen van provocatie die Benetton voorstond.

BENETTON, OF DE GRENZEN VAN EEN PROVOCERENDE STRATEGIE

Ondanks alle goede wil van de modewereld en het lef dat ermee gepaard gaat, wordt er niet altijd resultaat behaald met deze focusstrategieën. Talloze merken hebben gebruik gemaakt van pornochic zonder dat ze weer in de mode kwamen. Net zo vergaat het een andere vorm van provocatie, met een sociaal karakter, die gebruikt werd door het merk Benetton.

De fotograaf Oliviero Toscani vervult bij Benetton de rol van Terry Richardson bij het promoten van porno-chic. Zijn wens was de macht van reclame te gebruiken om de publieke opinie met betrekking tot grote onderwerpen als honger in de wereld of de doodstraf wakker te schudden. Deze campagnes hebben aanzienlijke protesten ontketend; het merk werd ervan verdacht zijn producten te promoten door middel van radicale communicatie. Bovendien bestond er een verbazingwekkende kloof tussen de brave kleding van het merk en het provocerende karakter van de reclamebeelden. Er is weinig onderzoek gedaan naar de gevolgen van deze communicatie voor de verkoopcijfers van het merk Benetton, maar één onderzoek heeft geprobeerd te meten wat de effecten waren van het beeld dat in 1991 werd gelanceerd en waarop een katholieke priester een non op de mond kust.[18]

In het algemeen wordt een reclame-uiting op vier criteria getoetst:
– herkenning (zich ervan vergewissen dat het beeld is opgemerkt);

– toekenning (nagaan of de geteste persoon het beeld wel associeert met het merk dat ervoor heeft betaald);
– amusementswaarde (de geteste persoon moet zeggen of hij of zij het beeld waardeert of niet);
– koopintentie (de geteste persoon moet zich erover uitspreken of het beeld 'wel of niet tot koopgedrag aanzet').

Bedrijven hechten veel belang aan deze testen: het zijn in het algemeen de enige cijfermatige gegevens die het mogelijk maken de effecten van een reclame-uiting op waarde te schatten. De resultaten van de Benetton-reclame uit 1991 zaten vol contrasten. Voor een provocerende campagne scoorde deze zeer goed op herkenning en toekenning, indicatoren waar speciaal op werd gelet: het beeld van de 'religieuzen' had een herkenningsscore die bijna 50 procent hoger lag dan het gemiddelde; de toekenningsscore was 3,28 keer hoger dan die van een normale advertentie. Het beeld maakte dus veel indruk en het publiek kende het inderdaad aan Benetton toe. Dan komen de scores met betrekking tot de amusementswaarde, en die zijn verrassend: ze zijn geheel en al in overeenstemming met de standaarden: 59 procent van de ondervraagde mensen vond dit beeld mooi, 38 procent (slechts 3 procent meer dan de IPSOS-standaarden) wees het af. Het zou dus kunnen dat de verontwaardiging die deze campagne heeft opgeroepen beperkt is gebleven tot een kleine kring. Weinig mensen lijken vandaag de dag bereid te zijn een foto waarop twee geestelijken elkaar kussen, een foto die bovendien opvallende beeldende kwaliteiten heeft, af te keuren. Hetzelfde geldt voor de andere thema's van de Benetton-campagnes, die misschien meer op consensus berusten dan men denkt. Tot slot het laatste criterium, de koopintenties, die hoger blijken te liggen dan de standaarden (gemiddeld 13 procent is geneigd tot aanschaf over te gaan en 4,5 procent niet): 21 procent van de geënquêteerden verklaarde inderdaad zin te hebben om iets van Benetton aan te schaffen en 36 procent bevestigde dat niet van plan te zijn. Dit soort reclame lijkt dus een kloof te veroorzaken: ze verscherpt reacties van instemming of afwijzing.

Bij deze cijfers werd de strategie van Benetton in de loop van de jaren negentig voortgezet. Deze beslissing leverde wel wat problemen op. Ten eerste is het moeilijk zich een voorstelling te maken van het klimaat binnen een bedrijf waarvan de naam buitenshuis in een kwade reuk staat. Ondanks deze problemen en de protesten van detailhandelaars die zich zorgen maken om de reacties van het publiek, werd de strategie gehandhaafd. Een dergelijke strategie kan niet-rationeel lijken. Maar Benetton is behoorlijk gediversifieerd en textiel vormt nog maar een klein deel van wat nu het op drie na grootste Italiaanse concern is, met een omzet van zeven miljard euro. Uiteindelijk werd deze vorm van reclame in 2000 stopgezet als gevolg van een campagne met foto's van ter dood veroordeelden in de Verenigde Staten. Die oogstte een storm van kritiek, waarbij het cynisme van het merk aan de kaak werd gesteld. De vierhonderdvijftig winkels van de Sears-keten stopten onmiddellijk met de verkoop van het merk Benetton, dat gedwongen werd zijn verontschuldigingen aan te bieden aan de familie van de gevangenen en enkele maanden later afscheid nam van Oliviero Toscani. Wat de andere detailhandelaars betreft: tussen 2000 en 2003 verlieten twee- van de zevenduizend winkels het concern.[19]

Tegenwoordig lijkt deze vorm van communicatie niet meer te passen bij de tijdgeest. Sommige merken, zoals Campers of Diesel, mengen zich in het maatschappelijk debat. Maar in tegenstelling tot Benetton doen ze dat met ironie; een verschil dat de perceptie van hun boodschap volledig verandert. Ironie past, zoals we nog zullen zien, goed bij de hedendaagse mode.

5 De wet van de trends

Soms stelt iemand zich echte vragen: hand- of schoudertas? Laarzen of lieslaarzen? Veel mensen in onze tijd proberen met angst in het hart de mode van morgen te voorspellen. Het valt niet mee om hun bezorgdheid weg te nemen. Zoals we hebben gezien zijn vragen die met 'waarom?' beginnen niet geschikt voor het terrein van de trends, en 'daarom' lijkt nog het beste antwoord te zijn. Maar zoals kinderen graag zeggen: daarom is geen reden. Mode is geen kwestie van toeval maar van een nog onvoorspelbaarder proces: het is de vrucht van een collectieve keuze. Om te voorspellen waar ze morgen uit zal bestaan moet men zich verplaatsen in de duizenden mensen die massaal voor de ene vorm of kleur kiezen ten koste van een andere. Deze massa kent de meeste regels niet, maar neemt er in ieder geval, zonder het te weten, één van in acht: de wet van Poiret. Ieder kledingstuk lijkt in zijn ontwikkeling onderhevig aan deze regel, die ontdekt is door de beroemde ontwerper.

DE WET VAN POIRET

Mode is een optelsom van individuele beslissingen: die van de verschillende mensen die al dan niet besluiten haar dictaten te volgen. De psychologie van deze individuen is echter onderhevig aan enkele principes. In het begin van de twintigste eeuw dacht Poiret er een te hebben ontdekt door een wet te formuleren die het verdient zijn naam te dragen.

De wet van Poiret laat zich op de volgende manier samenvatten: voorbij de grenzen zijn er weer andere grenzen. Modes ontstaan zoals bekend immers over het algemeen in kleine kringen die zich graag willen onderscheiden en verspreiden zich vervolgens snel onder de bevolking. Vanaf dat moment bestaat er een alternatief: ofwel de oorspronkelijke groep probeert zich nog meer te onderscheiden door de kleding die ze aanvankelijk droeg in radicalere vorm toe te passen, ofwel de mode verspreidt zich en wordt een karikatuur. Poiret vatte dit eenvoudige verschijnsel, dat in een groot aantal gevallen te zien is, samen met de mening dat 'ieder exces op het gebied van mode een teken is van het einde'.[1] Hij illustreert deze regel overigens concreet door hem toe te passen op hoeden. Binnenkort, voorspelde hij, zullen ze allemaal effen zijn. Waarom deze voorspelling? Omdat hij had gezien dat ze toen 'bedekt waren met bladeren, bloemen, vruchten, veren en linten'. Op geestige wijze vertelt de couturier dat hij een afvaardiging had ontvangen van fabrikanten die deze decoratieve elementen produceerden en hem kwamen smeken de vroegere mode te herstellen, die hen in staat had gesteld deze versierselen in zulke grote hoeveelheden te verkopen. Poiret bekende dat hij machteloos stond: het ging om iets wat de klanten wilden en waar hij niets tegen kon uitrichten.

Kleding- maar ook lichaamsmodes bieden nog andere gelegenheden om de juistheid van de wet van Poiret vast te stellen. In de jaren zeventig van de twintigste eeuw had een jongen aan een oorbel voldoende om op te vallen. Tien jaar later was het gebruik van oorbellen gewoon geworden; er moest dus een schepje bovenop. Sommige muzikanten, vooral in alternatieve Parijse kringen, begonnen een hele reeks oorbellen te dragen, terwijl anderen de spot dreven met die wandelende 'gordijnrails'. Dit verschijnsel kende een duidelijke fysieke grens; er moest dus iets anders worden doorboord dan het oor. Aan het einde van de jaren tachtig doken ringetjes in de neus op. Inmiddels is piercing een algemeen verschijnsel: de grenzen zijn opgeschoven, omdat vrijwel het hele lichaam kan worden gepiercet. Zo heeft Gucci enige tijd geleden een ring verkocht om tepels te versieren. Maar het feit dat piercing gemeengoed wordt, noopt degenen die er het meest op gebrand zijn op te vallen, andere kunstgrepen te kiezen. Toen tatoeages veel te gewoon waren geworden, leidde de wedijver tot twee technieken die de lat behoorlijk hoog leggen: scarificatie en het inbrengen van siliconenprothesen onder de huid.

De 'wet van Poiret' is van toepassing op ieder verschijnsel met een duidelijke fysieke grens. De breedte van stropdassen en de wijdte van broekspijpen zijn onderhevig aan beperkingen die niet overschreden kunnen worden. Deze laatste zijn niet allemaal zo spectaculair als de hoepelrok, die soms zo veel plaats innam dat het onmogelijk was sommige trappen af te dalen. Wanneer de fysieke grenzen echter zijn bereikt, leidt de 'neomanie' ertoe dat deze modes worden opgegeven en er andere worden gezocht. De ultieme illustratie van deze onoverschrijdbare grens: de broek met lage taille. Voor de zomer van 2003 reiken sommige van de populairste modellen tot het darmbeen. Lager kun je niet gaan, tenzij er iets anders dan broeken wordt beoogd... Zonder helderziende te zijn kunnen we dus stellen dat het verschijnsel lage heupbroek daar het eindpunt heeft bereikt. Dat is wat sommige ontwerpers waarschijnlijk hebben gedacht voor de wintercollectie van 2004, want ze hebben erover gedacht de salopette weer te lanceren, met andere woorden de broek met de hoogst mogelijke taille.

De meeste ontwerpers houden rekening met de 'wet van Poiret' zonder deze ooit te kunnen benoemen. Zo 'rechtvaardigt' Helmut Lang de keuze van sommige stoffen aldus: 'Op een gegeven moment waren er te veel imitaties van stoffen die op technische innovaties berustten – imitaties van slechte kwaliteit, cheap. In die tijd, omstreeks 1997, ben ik voor het eerst teruggekeerd naar natuurlijke, zeer luxueuze materialen. Vandaag de dag worden er, vooral voor mantels en jasjes, veel Britse stoffen gebruikt die soms op traditionele wijze zijn geweven. Ze zijn zwaarder en heel sterk. Nog voordat ze verwerkt zijn ademen ze al maatwerk. [...] Zelfs de synthetische tule die ik vroeger gebruikte heeft plaats gemaakt voor een tule van stretchzijde.'[2]

Een goede collectie gaat uit van bestaande trends alvorens nieuwe trends voor de toekomst voor te leggen: bij deze aanpak worden (te) grote verschillen altijd uitgebannen. Het is bijvoorbeeld onmogelijk om van een sterke trend van schoenen met ronde neuzen over te stappen naar schoenen met vierkante neuzen; er zullen geleidelijk een paar modellen van het tweede soort worden 'geïnjecteerd' om de houding van de klanten te peilen. Zo is men met de spijkerbroek te werk gegaan. Sinds 1998 hebben vele ontwerpers een hang naar spijkerbroeken uit de *seventies*, broeken die op twee manieren opvallen: een lage taille en wijde pijpen. Zoals bekend is deze beweging ieder seizoen wel sterker geworden, maar dat geldt alleen voor de taille; de wijde pijpen hebben het niet gehaald, althans niet in de extreme versie.

DE SELF-FULFILLING PROPHECY

Sociologen kennen weinig zekerheden. De self-fulfilling prophecy maakt echter deel uit van het kleine aantal regels die een bijna absolute geldigheid lijken te bezitten op sociaal gebied. Dit mechanisme beschrijft op volmaakte wijze de voorliefde die wordt opgewekt door bepaalde artikelen en sommige bijzondere trends.

Bij de self-fulfilling prophecy is het zo dat wanneer mensen iets als reëel beschouwen, het dat vervolgens ook wordt. Voor Robert Merton – een van de eerste sociologen die dit mechanisme een naam gaven – is dat een criterium waarmee het sociale van het aangeborene kan worden onderscheiden. Immers, 'de gezamenlijke beschrijvingen van een situatie (voorspelling en verwachtingen) maken integraal deel uit van de situatie en hebben zo invloed op de wijze waarop deze zich later ontwikkelt. Dit feit is karakteristiek voor de mens en is nergens anders in de natuur te vinden. De voorspellingen over de terugkeer van de komeet van Halley beïnvloeden de baan daarvan niet. Maar het gerucht over de insolvabiliteit van de bank van Millingville had direct weerslag op het lot van die bank. Het voorspellen van haar ondergang was voldoende om deze te veroorzaken.'[3]

Toegepast op het terrein van de mode suggereert de self-fulfilling prophecy dat een artikel alleen maar door een 'bevoegde' persoon als 'trend' hoeft te worden uitgevaardigd om het te worden. Natuurlijk beschikt niet iedereen over die gave, die voortspruit uit een zo mysterieus mechanisme als charisma. Erkende modevoorspellers zijn ontwerpers, evenals bepaalde sterren, acteurs, actrices, zangers of zangeressen, enzovoort. De selectie blijkt al even onrechtvaardig als degene die de trends uitkiest; beter gezegd, de selectie houdt geen enkele rekening met het talent of de geestelijke kwaliteiten die deze 'kledinggidsen' worden toegekend. Gwyneth Paltrow heeft geen onuitwisbare cinematografische herinnering nagelaten, niemand zal vechten om het talent van Kylie Minogue te verdedigen... maar als het om kledingmode gaat, zijn het 'profeten' naar wie geluisterd wordt.

Het mechanisme van de self-fulfilling prophecy is welbekend bij modeprofessionals, die er bewust gebruik van maken. Beroemdheden genieten zo bijzondere aandacht in de vrouwenbladen. Een Fendi-tas – de 'Biga Bag' – zal onmisbaar worden verklaard op grond van een nauwgezette toepassing van de regel van Merton: 'Op het gebied van de mode zijn er onfeilbare aanwijzingen: als Sarah Jessica Parker, Sharon Stone en rapster Eve met hetzelfde accessoire te koop lopen, betekent het dat het artikel op het punt staat een cultobject te worden. [...] De modeorakels voorspellen het een fantastische toekomst!'[4] Een dergelijke voorspelling rechtvaardigt het lenen, of cadeau doen, van artikelen aan beroemdheden. Het weggeven van driehonderd 'Biga Bags', zelfs in een collector's versie van met Swarovski-kristal versierd zilver-, brons- en goudkleurig tricot, blijft een goede manier om het merk bekendheid te geven.

De self-fulfilling prophecy kan tot gevolg hebben dat er op grote schaal wordt geïmiteerd. Het is niet nodig omvangrijke onderzoeken op touw te zetten om erachter te komen waar sommige jongens het idee vandaan hebben gehaald een waaier te gebruiken om het hoofd te bieden aan de drukkende atmosfeer waarin de najaars- en wintercollecties van de haute couture gewoonlijk worden getoond. Deze shows worden traditiegetrouw in juli gepland... De schaduw van Karl Lagerfeld en zijn beroemde waaier is ongetwijfeld niet ver weg. Uiteraard kan de self-fulfilling prophecy even doeltreffend modes maken als breken. Vandaar de soms geduchte gevolgen van de 'uit'-rubriek van sommige tijdschriften. WWD was het eerste blad dat banvloeken op dit gebied uitsprak. Het mechanisme kan op iedere trend worden toegepast. Sinds bijvoorbeeld Alber Elbaz, creatief directeur van Lanvin, heeft verkondigd dat niets ordinairder was dan een voetballersvrouw, kunnen we vaststellen dat deze dames, die daarvoor meer in de gaten werden gehouden dan hun echtgenoten, de laatste tijd steeds minder vaak opduiken.

Natuurlijk is de self-fulfilling prophecy op ieder voorwerp van toepassing. De ziener is belangrijker dan zijn boodschap; daarom doet hij het goed bij de sterren. Maar wat de mode betreft heet de grootste ster van dit moment Colette.

COLETTE DE ZIENERES

Concept stores zijn winkels waar de self-fulfilling prophecy aan de man wordt gebracht: zij trachten een zorgvuldig uitgekozen clientèle al even zorgvuldig uitgekozen producten voor te leggen. Deze verkooppunten ontlenen hun legitimiteit aan hun vermogen te voorspellen wat morgen in de mode is; ze spelen de rol van onfeilbare beleidsbepalers. Natuurlijk spelen de machtigste winkels vals. Ze vergissen zich zelden in de mode van de nabije toekomst omdat ze die zelf creëren. En iedere keer dat ze vals spelen versterkt dat hun macht.

Zoals we hebben gezien werd de voorloper van dit soort winkel aan het begin van de vorige eeuw in het leven geroepen door de couturier Poiret, met zijn 'boutique de la maison de Rosine', waar hij voornamelijk zijn eigen producten verkocht. De 'multimerk'-versie verschijnt in de jaren zeventig, wanneer Didier Grumbach, de huidige voorzitter van de Franse couturefederatie, er in 1973 voor zorgt dat de afdeling Ontwerp en Industrie een verkooppunt krijgt in de rue de Rennes. In deze winkel zijn meubels, design en kleding te vinden. Onder de ontwerpers van wie artikelen te koop worden aangeboden, bevinden zich met name Montana, Mugler en Jean-Paul Gaultier. Maar de afdeling valt in 1976 uiteen als gevolg van een meningsverschil tussen de aandeelhouders. Een andere aanpak, op een ander continent: de winkel Joyce, in 1971 in Hongkong opgericht door Joyce Ma. In tegenstelling tot 'Ontwerp en Industrie' komt deze winkel niet voort uit een organisatie, maar beperkt zich tot het selecteren en verkopen van kleding uit de hoogste prijsklasse en avant-gardekleding, voor mannen en vrouwen, met voor sommige van deze artikelen het alleenverkooprecht. Tot slot de ultieme illustratie van deze specifieke vorm van distributie: de keten Bon Génie-Grieder, die in zijn winkels in Genève en Zürich een selectie van prestigieuze merken te koop aanbiedt.

Maar de bekendste concept store ter wereld van dit moment bevindt zich in Parijs en heet Colette, naar de eigenaresse – Colette (Rousseaux) – die de hogepriesteres van de self-fulfilling prophecy is geworden. Deze ongeveer vijftigjarige vrouw uit het modevak, die net zo onopvallend is als haar verkooppunt beroemd is, had het lef om in 1997 te investeren in een winkel van zevenhonderd vierkante meter gelegen in een destijds enigszins verwaarloosd deel van de rue Saint-Honoré. De eerste verdieping van deze grote ruimte is gewijd aan mannen- en vrouwenmode, de begane grond aan een selectie designproducten en een sportschoenenhoek. De kelderverdieping biedt plaats aan een *water bar*, waar je watertjes uit de hele wereld kunt krijgen en waar een assortiment boeken en een kunstgalerie te vinden zijn. Wat is het punt van overeenkomst in dit allegaartje? Alles wat in dit verkooppunt aanwezig is, is in de mode of wordt geacht in de mode te raken. Zo is deze winkel direct verantwoordelijk voor het succes van nuttige artikelen als de step of voor de opleving van sportschoenmerken als Converse of New Balance. Een lijn van haarproducten – John Frieda – heeft het voor elkaar gekregen dat ze wordt aanbevolen in de warenhuizen door te wijzen op de aanbeveling in de tempel van de trends. Want het voornaamste geheim van het team van Colette is zowel zijn flair als de rol die het speelt bij de totstandkoming van overtuigingen op modegebied. Inmiddels is dit verkooppunt voor alle modeprofessionals een plek geworden waar ze niet omheen kunnen; er zijn maar weinig andere plekken die de vruchten hebben geplukt van een dergelijke aura.

De vorige functie van Colette is niet vreemd aan haar huidige succes. Vroeger stond zij aan het hoofd van Polo, een van de beroemdste groothandelaren van de Sentier. De rol van groothandelaar bestaat in het maken van een voorselectie ten behoeve van detailhandelaars. Zo kunnen zij inkopen zonder bang te hoeven zijn dat ze een vergissing begaan. De rol van de winkel aan de rue Saint-Honoré is precies dezelfde, op deze nuance na: de tussenpersoon is uitgeschakeld. Colette verkoopt haar selectie rechtstreeks aan de uiteindelijke consument. De naam Polo zei fashion victims niets, en professionals buiten de Sentier weinig. Colette daarentegen is een populaire toeristische bestemming geworden: de winkel komt in alle gidsen voor en er worden uitzendingen en reportages aan gewijd.[5] Iedereen die nauw of minder nauw betrokken is bij een beroep dat met mode te maken heeft komt er regelmatig langs: de winkel functioneert als een soort permanente prêt-à-porterbeurs.

Hoe is Colette geworden wat het is? Aan de oorsprong van deze concept store staat een vakvrouw die zich geoefend heeft in het aanvoelen van trends, met andere woorden het verbinden van datgene wat op een bepaald moment hypermodern is met wat het commercieel goed doet. Op een locatie die niet te dicht bij en niet te ver af ligt van de hot spots van de mode. Op deze plek worden shopping en fun handig met elkaar gemengd; er zijn artikelen voor allerlei prijzen te vinden, van elastiek van twee euro tot een horloge van tienduizenden euro's. Colette heeft veel aan innovatie gedaan en ging zo ver dat ze jonge, sympathieke verkopers durfde aan te nemen, terwijl een stalen gezicht de trend was. Zelfs Colettes verkopers worden dan ook goed verkocht; andere winkels proberen ze weg te kopen en een van hen werkt inmiddels bij de televisie.

De vraag hoe Colette het voor elkaar krijgt te raden welke kleren een trend worden was opportuun, maar nu niet meer. De winkel luistert niet meer naar de mode maar brengt die zelf tot stand, met een wellicht niet eerder vertoonde invloed op het verdere verloop ervan. Vandaag de dag zal een artikel dat door de winkel is geselecteerd, op grond van de self-fulfilling prophecy noodzakelijkerwijs de aandacht van de andere mode-inkopers trekken. Zo heeft het label 'Gezien bij Colette' volledig bestaansrecht verworven. Professionals komen regelmatig in de winkel om merken te ontdekken, zich door vormen te laten inspireren, producten te kopen om ze te bestuderen of te bekijken hoe de klanten eruitzien. Weliswaar raakt niet alles wat bij Colette ligt in de mode. De meest onwaarschijnlijke kleren blijven altijd nog even moeilijk te dragen, of ze nu hier of ergens anders worden verkocht; de meerlagige, gescheurde T-shirts van Imitation of Christ zijn gedoemd marginaal te blijven. Dat maakt voor de winkel niets uit... de modernste kledingstukken worden in kleine hoeveelheden ingekocht. Voor de rest gaan de merken door dik en dun om het 'imprimatur' te verkrijgen. Zo heeft Dior Homme, op het moment dat het moest bewijzen dat het merk weer trendy was, uitgebreid in de media bericht over zijn aanwezigheid bij Colette. Overigens is de winkel zo succesvol dat hij inmiddels zo niet exclusiviteit, dan toch op zijn minst een speciale serie eist die hij als enige verkoopt. Unieke exemplaren voor het heilige der heiligen, serieartikelen voor de gewone winkels... zo zijn bij Colette Converse-sportschoenen te vinden, voornamelijk *collector's* modellen naar het voorbeeld van de onvindbare zwarte ster, uit de gelimiteerde Fendi-serie, een door de Amerikaanse graffitikunstenaar Kawas beschilderd exemplaar, of het paar dat door Chrome Heart aan de eisen van de klant is aangepast. Dit laatste geeft aanleiding tot bizar gedrag: Colette vertelt dat in Japan een insider naar zijn Chrome Hearts was gaan staren en toen zij bevestigend antwoordde op zijn vraag of het om een authentiek model ging, 'bukte hij om ze te strelen'.[6]

Zolang Colette bestaansrecht heeft, zal de magische werking van de keuzen die de winkel maakt niet ophouden. De mode zal gedeeltelijk uit deze selecties bestaan. Maar het mysterie van het charisma wil dat hoezeer er ook wordt geïmiteerd, de resultaten niet gekopieerd kunnen worden: wanneer gebeden worden verplaatst zijn ze niet meer zo trefzeker. Een fletse kopie van Colette (Beauty by Et Vous) heeft geprobeerd een plek onder de zon te verwerven. Een paar maanden later sloot het zijn deuren zonder dat iemand er wakker van lag. Toch blijven de kopieën van Colette zich maar verbreiden, tot en met de lounge van Cathay Pacific in Hongkong, die zich er rechtstreeks door lijkt te hebben laten inspireren. Maar het verwarrendste bewijs van het mysterie van het charisma is Milan Vukmirovic: deze man stond aan de wieg van de winkel in de rue Saint-Honoré, omdat hij Colette het idee tijdens een maaltijd zou hebben ingefluisterd. Drie jaar lang was hij een van de machtigste figuren op de planeet mode: hij was degene die voor het verkooppunt de prêt-à-porter uitzocht. In deze functie beging hij geen vergissingen: hij was de belangrijkste figuur die ervoor zorgde dat de keuzen van Colette de juiste waren. En toen ging hij ergens anders werken. Na een bliksemoptreden bij de Gucci Group werd Milan Vukmirovic creatief directeur van Jil Sander, na het vertrek van de grondlegster van het merk. Maar buiten de 'tempel' was er niets meer over van Milan V.'s macht. Terwijl zijn keuzen daarvoor een must waren voor het hele modevolk, was zijn magische kracht bij Jil Sander daarentegen als het ware opgelost; hij werd dan ook algauw bedankt. Charisma, die 'buitengewone eigenschap [...] van een persoon [...] met bovennatuurlijke of bovenmenselijke krachten of kenmerken',[7] is geen overdraagbaar vermogen: het was niet Milan Vukmirovic die dit bezat, maar Colette zelf.

DE BEROEMDHEID ALS ZIENER

Poiret, die beslist een kenner was op het gebied van de self-fulfilling prophecy, deinsde er niet voor terug iets van het charisma van sommige actrices weg te kapen ten gunste van zijn eigen merk. Zo wist hij dat hij door Isadora Duncan uit te nodigen ervoor kon zorgen dat zijn merk een flietertje van de aura van deze beroemde dame overnam. Natuurlijk bleef deze methode jarenlang in de kinderschoenen staan. Zo had Hermès het geluk dat hij in 1956 zijn vierkante zijden sjaal ontdekte waarboven twee niet minder beroemde gekroonde hoofden pronkten: de koningin van Engeland op een postzegel van *six pence*, en Grace Kelly op de cover van *Life*. Zonder de ongetwijfeld onvrijwillige hulp van prinses Gracia zou het leven van Hermès er waarschijnlijk anders uit hebben gezien, getuige dat andere cultobject: de tas waaraan hij zijn naam heeft gegeven. Een paar jaar later brak Givenchy door met zijn naam en zijn merk door zijn stijl in verband te brengen met zijn beroemdste klant: Audrey Hepburn. Deze werkwijze kwam echter niet stelselmatig voor. Marie-France Pochna brengt in haar biografie van Dior[8] in herinnering hoe de couturier in 1955 weigerde de bruidskleding te ontwerpen voor een rijzende filmster, Brigitte Bardot.

Tegenwoordig wordt het mechanisme in werking gesteld door professionals: niemand zou de indirecte impact van het festival van Cannes of een Oscaruitreiking aan naïevelingen overlaten. Alleen al in de Verenigde Staten wordt een feest als de Oscaruitreiking gevolgd door 33 miljoen televisiekijkers; daarom kost iedere reclamespot van dertig seconden die tijdens de ceremonie wordt uitgezonden 1,28 miljoen euro.[9] In 2003 was de heersende opinie dat Versace het meeste voordeel uit het evenement had weten te behalen. Door de kleding te ontwerpen van Kate Hudson, Jennifer Garner en Catherine Zeta-Jones, zwanger en onderscheiden vanwege haar rol in Chicago, verdiende het merk volgens de ramingen 237 seconden publiciteit, die 2,8 miljoen euro waard waren: de beelden van deze drie vrouwen zijn immers over de hele wereld uitgezonden. De andere merken blijven niet achter: Dolce & Gabbana (117 seconden) en Carolina Herrera (79 seconden) hebben ook profijt getrokken van het evenement. Wat Valentino betreft, hij had waarschijnlijk gelijk door op Jennifer Lopez te gokken, die, hoewel ze in geen enkele genomineerde film speelde, indruk maakte met de over één schouder geplooide groene jurk die oorspronkelijk voor Jackie Kennedy was ontworpen. Valentino deed uitstekend zaken met deze jurk: bijna 800.000 euro publiciteit in de schoot geworpen door een toeschouwster te kleden...

Er zijn twee goede redenen om beroemdheden als mannequin te gebruiken. Ten eerste hun zichtbaarheid. Het blijkt een doeltreffende techniek om een plekje in de bladen te verwerven en op televisie te komen op tijdstippen met een grote kijkdichtheid. Zo heeft Torrente, door Jennifer van Star Academy als model voor zijn haute-coutureshow van januari 2003 in te zetten, ervoor gezorgd dat hij in alle media is genoemd. Als deze tot mannequin gebombardeerde popster er niet was geweest, zou de collectie zeker niet dezelfde mate van aandacht hebben genoten. Een ander voordeel: een beroemdheid die een artikel tot het hare maakt, geeft massa's onbekenden toestemming haar te imiteren. Iedereen heeft dat spelletje door; iedereen heeft een vermoeden van de overeenkomsten volgens welke de een van een tas en de ander van een jurk wordt voorzien. Maar iedereen denkt dat deze tijdelijke mannequins zouden weigeren een artikel te dragen dat in strijd is met hun smaak.

Natuurlijk moet men, om van beide effecten – zichtbaarheid en gezag – te profiteren goed weten te gokken. De ideale sterren zijn zij die nauwlettend in de gaten worden gehouden en voortdurend worden geroemd om hun goede smaak. Gwyneth Paltrow heeft een voorsprong in dit opzicht. In de rubriek 'Info Hebdo' van Elle, waarin wordt gestrooid met adviezen en informatie, wordt de kleding van de actrice in bijna één op de vier nummers besproken.[10]

Iedere keer dat ze optreedt geeft aanleiding tot een commentaar waarin de lezeressen expliciet een kledingadvies krijgen. In mei 2002 werd Gwyneth in twee sportoutfits opgevoerd, het ene volgens het artikel 'niet erg flatteus', het andere 'hipper': de gelegenheid om het merk Juicy Couture te introduceren, dat in de Verenigde Staten bekend is vanwege zijn trendy sportkleding waarmee 'Madonna in het roze en Puff Daddy in het grijs'[11] zijn gesignaleerd. In juli 2002 *rien ne va plus*: met Gwynie – laten we haar zo maar noemen, want we weten alles over haar – ging het 'bergafwaarts'.[12] Ten eerste verklaarde ze in interviews dat ze bang was aan het eind van haar leven alleen te zullen zijn. Maar het is nog erger: ze is drie keer achter elkaar in dezelfde spijkerrok gesignaleerd. Volgt een beschrijving van de manier waarop ze dat kledingstuk droeg: vrijdag met een topje, zondag met een romantisch bloesje en de donderdag daarop nog steeds met hetzelfde bloesje maar met laarzen. En dat is nog niet alles... op 26 augustus verschijnt Gwynie met – alle hoop is vervlogen – alweer dezelfde spijkerrok! Voor de gelegenheid deelt ze de aandacht met Julia Roberts,[13] die ook een spijkerrok draagt... Beiden worden als voorbeeld opgevoerd vanwege hun Birkenstocks. Gelukkig verruilt Gwyneth deze barbaarse spijkerrok in het nieuwe seizoen, september 2002, voor een avondjurk van Valentino.[14] Haar silhouet illustreert een nieuwe trend die er al is of nog moet komen: tule. Om deze demonstratie kracht bij te zetten zijn er nog twee andere vrouwen in soortgelijke uitdossingen aanwezig: Gong Li en Salma Hayek.

Natuurlijk heeft ieder merk de ster die erbij past of... die het verdient. Gwyneth Paltrow doet het geweldig in *Elle*, omdat ze een uitstekend compromis is: een braaf meisje – toen ze voor het eerst verscheen sprak men van de nieuwe Grace Kelly – met oog voor trends. Zoveel oog trouwens dat ze volgens de journaliste Marie-Pierre Lannelongue 'te veel *victim* en te weinig *fashion*'[15] zou zijn, en haar look zou te weinig samenhang vertonen. Ieder heeft zijn stijl en de ontwerper die bij hem past: Chloë Sevigny valt in de smaak bij de allerhipsten, net als Tilda Swinton; Élodie Bouchez en Charlotte Gainsbourg hebben hun fans, Madonna past bij degenen die zich haar kunnen veroorloven. Hoe het ook zij, voor amateurisme is er wat dit betreft geen plaats meer. Vroeger trokken sterren aan wat in hen opkwam, tegenwoordig kleden ze zich volgens een deal die gesloten is. Aan de ene kant staan specialisten die tot taak hebben beroemdheden te werven voor de merken; aan de andere kant sterren die zich zorgen maken over hun imago, en zich vaak laten adviseren door *personal shoppers*, specialisten belast met het uitzoeken van hun kleren. Er wordt alles aan gedaan om sterren zover te krijgen dat ze zich in merken kleden; in Cannes hebben veel merken een garderobe waarin verstrooide sterren op het laatste nippertje iets kunnen vinden om aan te trekken.

De eerste couturier die ernaar streefde bedrijfsmatig munt te slaan uit de goudmijn van beroemdheden is waarschijnlijk Giorgio Armani. Het verbond tussen de Milanese ontwerper en Hollywood is toevalligerwijze begonnen met – eenmaal is geen maal – een man: Richard Gere. Diens optreden in Armani-kleding in *American Gigolo* (1980) heeft er waarschijnlijk toe bijgedragen dat de zowel eenvoudige als verfijnde stijl die het merk en zijn soepel vallende pakken en nonchalante elegantie kenmerkt, doorbrak. De scène waarin Richard Gere een regenboog van hemden uitspreidt, waarbij een etiket van het merk te zien is, heeft ongetwijfeld veel gedaan voor de populariteit van dit merk. Wat bijna toeval was werd een bewuste, opzettelijke commerciële strategie. Deze strategie vond haar apotheose in de uitreiking van de Oscars, in 1991, die van de WWD de bijnaam 'Armani Awards' kregen: 'Iedereen die iemand was droeg Armani,' bericht de journaliste Teri Agins.[16] De Italiaanse merken, natuurlijk Armani maar ook Cerruti, Versace, Dolce & Gabbana en niet te vergeten Gucci en Prada, hebben handig geïnvesteerd in de garderobe van beroemdheden. Ze vechten om het aantal keren dat ze voorkomen in *In Style*, een typisch Amerikaanse mengeling van mode en beroemdheden, met een oplage van een miljoen exemplaren. Zo zal een foto van Liv Tyler in Gucci of van Penelope Cruz in Dior zeker worden overgenomen in de kranten en een veel grotere impact hebben dan wanneer het om een voor het grote publiek onbekende mannequin zou gaan.

Voor het betrekken van beroemdheden bij de strategie om een mode te verbreiden ligt een mooie toekomst in het verschiet. Beroemdheden zijn immers betere voorspellers dan mannequins. Paradoxaal genoeg staan sterren dichter bij ons dan onbekende gezichten. We hebben het gevoel dat we hen kennen, ze bevolken onze fantasieën en spelen een rol op bepaalde momenten van ons leven. Daarom vormen zij machtige beleidsbepalers op het gebied van kleding.

SCHOONHEIDSWEDSTRIJDEN

Het kan gemakkelijk zijn de verbreiding van een afgebakende mode te verklaren. Maar niet alle trends zijn zo eenvoudig te begrijpen. Zo was tussen 1995 en 1999 de spijkerbroek van het toneel verdwenen. Diep weggestopt in de kasten, werd hij in 2000 plotseling weer trendy. Natuurlijk kent deze ommekeer niet één oorzaak. Niemand zou durven volhouden dat een ster of een ontwerper, hoe machtig ook, in zijn eentje verantwoordelijk kan zijn voor zo'n opleving. De self-fulfilling prophecy lijkt dan ook geen aannemelijke verklaring meer. Een beweging van een dergelijke omvang vereist een gelijktijdige handeling van verschillende spelers, van de producenten van denim via de dealers tot en met de consumenten. Welk sociaal mechanisme zou een gezamenlijke maar duidelijk niet afgesproken actie van zoveel mensen kunnen verklaren? Zo'n mechanisme bestaat: het is door Keynes beschreven onder de noemer 'schoonheidswedstrijd'.

Laten we ons, zegt Keynes, een schoonheidswedstrijd voorstellen. Zoals gewoonlijk bij een soortgelijke competitie strijden verscheidene kandidaten om de eerste plaats voor een publiek dat hen kiest door te stemmen. Toch onderscheidt deze wedstrijd zich van zijn traditionele verschijningsvormen door het feit dat de stemmers niet de kandidaat moeten kiezen die ze het mooist vinden, maar degene van wie ze denken dat hij het best in staat is de meerderheid van de stemmen te behalen.[17] Via deze metafoor wil Keynes de situatie beschrijven waarin speculanten zich bevinden die positie moeten kiezen in een markt. Het gezonde verstand denkt dat het voor deze mensen voldoende is de 'beste' aandelen te kopen, met andere woorden de aandelen van de best presterende bedrijven. Geen sprake van, riposteert de econoom: als het om beurskoersen gaat staan de kenner en de leek op voet van gelijkheid; ze weten niets of bijna niets. De goede oplossing is niet in henzelf te vinden maar in het beeld dat ze zich vormen van andermans meningen: 'In de wetenschap dat ons eigen individuele oordeel geen waarde heeft, proberen wij ons op het oordeel van de rest van de wereld te verlaten. [...] We trachten ons dus aan te passen aan het gedrag van de meerderheid of van het gemiddelde.'[18] Bij dit spelletje is de winnaar degene die het beste raadt 'wat de massa gaat doen'.[19] Volgens Keynes leert de schoonheidswedstrijd ons dat het 'beter voor je reputatie is om te mislukken in navolging van de gangbare opvattingen dan succes te hebben tegen de stroom in'.[20]

Het is duidelijk dat de metafoor van de 'schoonheidswedstrijd' zich perfect leent voor het opstellen van een model voor het gedrag van de verschillende mensen die proberen te raden wat de trend van het volgende seizoen zal zijn. Deze mensen kunnen modeprofessionals zijn of gewone consumenten, met andere woorden kenners of leken. Maar niemand heeft echte zekerheid over de aankomende mode. De bekendste ontwerper, de invloedrijkste moderedacteur, de inkoper van de grootste modeketen... al deze professionals kunnen zich vergissen in hun pogingen trends te begrijpen. Hetzelfde geldt voor de doorsneeklant die zich bij zijn keuze slechts kan laten bijstaan door de informatie die hij heeft weten op te pikken uit de media, de – berekenende – adviezen van de verkoper en zijn persoonlijke smaak. Om te ontdekken wat in de nabije toekomst in de mode zal zijn zullen deze twee categorieën hoofdrolspelers dus moeten speculeren door vooruit te lopen op de trends, op het gebied van vormen, kleuren en merken.

Toch bevindt de professional zich ten aanzien van trends niet in precies dezelfde situatie als de leek. Ten eerste beschikken deze twee categorieën mensen niet over dezelfde ervaring, noch over dezelfde informantennetwerken. Maar bovenal hebben zij niet hetzelfde tijdsperspectief: de consument wil een kledingstuk kopen om het in het jaar n te dragen, maar de professional heeft veel meer tijd nodig om zo'n kledingstuk te verkopen; als we de langste termijn berekenen, moet hij stof bestellen in het jaar n-1 en de collectie een halfjaar later presenteren om te zorgen dat die in het jaar n in de winkel hangt. Zijn professionele deskundigheid moet hier dus worden aangevuld met extra anticiperend gedrag. Maar uiteindelijk heeft zowel consument als professional te maken met een onzekere omgeving. De metafoor van de schoonheidswedstrijd benadrukt twee paradoxale kenmerken van de manier waarop trends werken. Ten eerste laat hij zien dat in deze context, zoals André Orléan heeft opgemerkt,[21] imitatie geen vreemd kenmerk is, typerend voor meelopers. Integendeel, in een toestand van onzekerheid is deze houding zelfs volkomen rationeel; ze leent zich perfect voor anticipatie op toekomstige trends. Ten tweede: op het gebied van mode is speculeren imiteren. Daarom kan een winnende trend totaal onverwachts alle andere trends overvleugelen.

Zo is het, om terug te keren naar het voorbeeld aan het begin van dit hoofdstuk, dankzij het mechanisme van de schoonheidswedstrijd mogelijk de mysterieuze terugkeer van de spijkerbroek – een van de ingewikkeldste modeverschijnselen – te ontraadselen. Deze comeback van de spijkerstof eind 1999 ging onvermijdelijk gepaard met anticiperend gedrag van de meerderheid van de marktspelers. Hier volgen enkele redenen waarom deze spelers bijval hebben geschonken aan de spijkerbroek. Al zeker twee seizoenen lang was de *vintage* mode[22] op haar hoogtepunt, vooral voor sportschoenen; ze begon zich uit te breiden naar bepaalde spijkerbroeken – de 501 – en bepaalde zeldzame spijkerjackmodellen met de logo's van Levi's, Wrangler, Fiorucci, enzovoort. Tegelijkertijd werd de markt in stand gehouden door vele vernieuwingen, waardoor de trend niet uitgeput raakte. Er werden tal van was-, verkleurings- en bleekmethoden ontwikkeld. De heupbroek deed zijn intrede, terwijl in een ander marktsegment de *baggy trousers* werden gelanceerd. Kortom, er werd alles aan gedaan om het idee dat er iets nieuws aan het gebeuren was op het gebied van de spijkerbroek, ingang te doen vinden. Er ontstonden merken die zich succesvol richtten op bepaalde groepen, van homoseksuelen via rappers en skaters tot 'rijpere' vrouwen, enzovoort. Terzelfder tijd nam het aantal prijsklassen sterker toe dan men ooit voor mogelijk had gehouden. De grote couturemerken gingen in deze beweging mee en gingen er zelfs in sommige gevallen aan vooraf, aangevoerd door Helmut Lang. De spijkerbroek is zo'n vaste waarde bij de schoonheidswedstrijd dat Karl Lagerfeld er niet voor terugschrok zijn naam te verbinden aan het merk Diesel om zijn eigen jeanslijn te lanceren. De kleine merken hebben de trend uiteraard gevolgd. Deze terugkeer is ook mogelijk gemaakt door een hernieuwing van de vormen. Waar de spijkerbroek eerder werd gedragen als sportkleding, mocht hij nu, zowel voor mannen als voor vrouwen, ook worden gecombineerd met een gekleed jasje. In de trendwedstrijd heeft de uitrusting van Anna Mouglalis, het nieuwe gezicht van Chanel, zeker invloed gehad, waarbij een spijkerbroek werd gecombineerd met een van de beroemde mantelpakjasjes van tweed.[23]

Twee andere categorieën 'stemmers' hebben de terugkeer van de spijkerbroek eveneens beïnvloed. In de eerste plaats de dealers. Er zijn maar weinig artikelen – met uitzondering misschien van sportschoenen – die nog van zo'n groot multimerknetwerk profiteren. De 'terugkeer' van de spijkerbroek heeft dan ook niet te lijden van het knelpunt dat samenhangt met een ontoereikende distributie. Dankzij het feit dat de spijkerbroek is uitgewaaierd naar alle prijsklassen is bovendien het aantal winkels dat baat zou kunnen hebben bij een terugkeer van dit artikel vergroot. Daarentegen zijn er maar weinig textielfabrikanten die de markt denim kunnen leveren. Naar eigen zeggen kregen deze fabrikanten te maken met een oververhitting vanwege een onverwachte stijging van het aantal bestellingen. Of deze situatie nu reëel is of kunstmatig, ze heeft ertoe geleid dat de fabrikanten zich eerder moesten vastleggen op de bestellingen: zo anticipeerden ze in sommige gevallen al aan het begin van het seizoen in 2001[24] op de bestellingen voor de zomer van 2003. Maar al in 2001 leken de bestellingen bij de fabrikanten af te nemen. Dat brengt de professionals ertoe om nu het einde van de jeansmode te voorspellen;[25] de stemmers van de wedstrijd zoeken inmiddels naar een ander soort schoonheid en beweren dat de jeansmode nu wel lang genoeg heeft geduurd.

EEN MEEDOGENLOZE WERELD

De schoonheidswedstrijd is vreselijk onrechtvaardig. Het belangrijkste principe is geïnspireerd op het 'Mattheüs-effect', door de socioloog Robert Merton zo genoemd naar het evangelie van Mattheüs, waarin staat: 'Wie heeft zal nog meer krijgen, en het zal overvloedig zijn; maar wie niets heeft zal zelfs het laatste worden ontnomen.'[26] De wereld van de trends is een meedogenloze wereld waarin de 'winner take all'-logica[27] zonder voorbehoud tot uiting komt. Niemand zou op het absurde idee komen zich te onderscheiden door keuzen te maken die verschillen van die welke de mode voorstaat. Zo hoeven de professionals alleen maar een heupbroekmode te voorzien, of broeken met een hoge taille zijn niet meer te vinden. Drie mechanismen dragen ertoe bij dat de beslissers zich tot de trends beperken en dus dat de trends die het hebben gehaald sterker worden: de winnaar krijgt in zekere zin een bonus.

Het eerste mechanisme is bekend: het is het gevolg van de massamedia, gisteren de film, vandaag de televisie. Zoals sommige onderzoeken hebben benadrukt, heeft de verbreiding van de televisie ten koste van andere media zoals kranten en radio ertoe bijgedragen dat er onder de mensen eenzelfde symbolische verbeelding is ontstaan.[28] Dat is met name de reden waarom stylisten die de kleding ontwerpen voor de heldinnen van de populairste soapseries – zoals Friends en Sex and the City – een trouw gevolg genieten. De verbinding, al is die vluchtig, tussen een spijkerbroek van het merk Earl Jean en Jennifer Aniston had een niet te verwaarlozen effect op de verkoopcijfers van dit artikel.

Het tweede mechanisme is subtieler: de logica van de hitparade, die inmiddels bij de meeste modebedrijven de boventoon voert. In deze tijd van kostenbeheersing beperken producenten en dealers hun assortiment tot de artikelen die het beste lopen; een lopende voorraad geniet de voorkeur boven een uitputtende voorraad. Voor zover de informaticasystemen het toelaten wordt het nieuwe assortiment in het algemeen bepaald door de snelheid waarmee men door de voorraden heen raakt. Als een kledingstuk goed verkoopt wordt het nabesteld; zo niet, dan wordt het gelaten voor wat het is. Mede dankzij dit darwinistische selectieproces van de beste verkoopcijfers wordt de keuze beperkt en draait de mode dus om een paar trends. Dit verschijnsel is onder meer te zien in de lingeriesector, waar het assortiment in de loop van een seizoen vele malen wordt vernieuwd. Er wordt bijvoorbeeld gezegd dat de string in de mode is; door deze overtuiging komt er aan het begin van het seizoen een overvloedige stroom bestellingen van dit artikel op gang. En inderdaad wordt dit product goed verkocht;[29] maar het wordt beter verkocht – en dus vaker gedragen – naarmate er minder vaak wordt verwezen naar de andere modellen. Door het mechanisme van de hitparade is het lastig om te proberen zich aan de trends van het moment te onttrekken. Bovendien worden deze management-richtlijnen vooral nageleefd door de textielketens, die in het jaar 2000 gezamenlijk goed waren voor 70 procent van de aankopen in Frankrijk. Dit mechanisme is mogelijk gemaakt, en tot het uiterste gedreven, door het geautomatiseerde beheer van bestellingen en productie. Maar al eerder bestond het in een vorm die vereenvoudigd is door de wet van de econoom en socioloog Vifredo Pareto. De meeste handelaren kennen de naam van deze man niet maar kennen wel dit principe: tal van sociale verschijnselen zijn onderhevig aan een 80-20-verdeling. Op het gebied van de mode betekent dit dat 20 procent van de artikelen voor 80 procent van de omzet zorgt. Het doet er niet toe dat deze regel zelden empirisch wordt getoetst; hij wordt a priori als waar beschouwd en heeft dan ook tastbare gevolgen.

Het laatste gebied waar het Mattheüs-effect van kracht is, is het snobisme, dat zich in de modewereld helemaal thuis voelt. Zo worden trends gevoed en versterkt door tal van officiële en officieuze lijstjes van wat 'in' en wat 'uit' is. Deze subtiele hiërarchieën bestaan voor alle goederen en diensten die voor de modewereld van enig nut kunnen zijn, van topmodellen tot fotografen en visagisten. Voor ingewijden zijn deze vormen van onderscheid net zoiets als het kastenstelsel in de traditionele Indiase maatschappij; iedereen is zich ervan bewust en zorgt ervoor ze in acht te nemen. Op grond van het principe van selectieve verwantschappen lijkt het bijvoorbeeld onverstandig, om niet te zeggen onmogelijk, om een mannequin te laten samenwerken met een fotograaf die niet dezelfde rang heeft als zij; niemand zal van deze regel afwijken, uit vrees voor een lagere waardering. Zo vertelt Inès de la Fressange hoe Paolo Roversi, een vooraanstaande modefotograaf, exclusief met haar begon samen te werken. Roversi was destijds veel meer in trek bij professionals dan Inès de la Fressange. De waardering voor de fotograaf was zodanig dat hij ervoor zorgde dat deze mannequin die hij hoogachtte, ingang vond bij zijn belangrijkste klanten – in die tijd Cerruti – en bij de bladen waarvoor hij werkte, voornamelijk *Marie Claire*. Het lukte hem van Inès de la Fressange de enige naaktserie te maken die zij ooit toestond, voor *Vogue Homme*. Op een dag was hij zo ontevreden over een serie foto's voor de Amerikaanse *Vogue* dat hij in plaats van de negatieven een muziekcassette opstuurde. Een directere manier om duidelijk te maken waar de macht ligt is er bijna niet.[30] Toen daarentegen Karl Lagerfeld Inès de la Fressange verstootte omdat hij vond dat ze het niet waard was het gezicht van Chanel te blijven, namen weinig modehuizen het risico om de vrouw in dienst te nemen die kort daarvoor nog het meest gevraagde topmodel was.

HANDELEN ONDANKS DE ONZEKERHEID

Voor Jan met de pet vormt de 'schoonheidswedstrijd' van de mode misschien een leuke, maar niet-doorslaggevende bezigheid. Dat geldt niet voor alle professionals die hun brood verdienen met hun talent om de smaak van de meerderheid nauwkeurig te voorzien. In dat opzicht vormen modejournalisten een bijzonder kwetsbare categorie. In hun commentaren komt scherpe kritiek op een collectie maar zeer zelden voor. Die afwezigheid van negatieve uitlatingen wordt vaak geïnterpreteerd als een teken dat de modepers afhankelijk is van de adverteerders. Ter ondersteuning van deze interpretaties worden vreemde 'polarisaties' aangevoerd. Zo is het in de shoppingrubrieken in de damesbladen, waar de trendy producten van het moment, de *must-haves*, worden gepresenteerd, niet ongewoon in verschillende tijdschriften dezelfde kledingstukken aan te treffen. Wanneer een collectie ten slotte de pech heeft te worden bekritiseerd, gaan dergelijke aanvallen in het algemeen met een merkwaardige unanimiteit gepaard. Dat was bijvoorbeeld het geval met de collectie van Balmain die was ontworpen door Laurent Mercier en toch kenmerkend was voor het talent van deze stylist die kort daarvoor nog terecht was geprezen.

Maar de druk van de adverteerders verklaart niet alles. Modeprogramma's op televisie leggen geen bijzonder kritische geest aan de dag; toch is dit medium slechts in geringe mate afhankelijk van de textielmerken. Maar in het algemeen geldt dat wie een collectie wil bekritiseren, zowel op televisie als in de pers, er het zwijgen toe doet. Een dergelijk 'verzuim' kan onopgemerkt blijven. Waaraan modejournalisten echter meedoen is een 'schoonheidswedstrijd': ze moeten de aankomende trends voorzien, geslaagde collecties bewieroken en de andere a priori verguizen. Riskant werk, waarbij onzekerheid overheerst: criteria aan de hand waarvan een goede collectie van een slechte kan worden onderscheiden zijn schaars, ook hier weer omdat het niet gaat om het kiezen van de beste collectie, maar van de collectie die het succesvolst zal zijn.

Net als op de financiële markten geeft deze onzekere situatie aanleiding tot geruchten. Een 'aannemelijk' gerucht kan polarisatie tot gevolg hebben: eromheen kan consensus ontstaan. Dat komt niet doordat de slechte informatie de goede verdrijft, maar doordat iedere informatie waar kan zijn. Drie jaar geleden, op het hoogtepunt van de *Gucci-mania*, had een redactrice voor de lol het idee gelanceerd dat het Tom Ford-tijdperk voorbij was. Paniek onder de belanghebbenden: waarom zou de schoonheidswedstrijd geen onvoorziene afloop hebben, aangezien er geen enkel objectief teken was waaraan men zich kon vasthouden? Onder modeprofessionals wordt er veel gepraat, over van alles en nog wat. Stilletjes hoopt men dat daartussen een doorslaggevende aanwijzing zit over de aanstaande trends. Daarom veroorlooft niemand zich de luxe een gerucht te veronachtzamen.

De gevoeligheid voor de meest uiteenlopende geruchten gaat gepaard met aandacht voor reputaties. Eenzelfde stilistische keuze kan dan ook worden opgehemeld of op onverschilligheid stuiten, afhankelijk van de beslissende partij, net zoals sommige ondernemers de markten geruststellen. In 2001 hadden Clements en Ribeiro, een in modekringen gewaardeerd ontwerperspaar, ervoor gezorgd dat Cacharel een comeback kon maken, door de leiding te nemen over de stijl van het merk. Hun werk kende een belangrijke plaats toe aan de beroemde Cacharel-druk, waaraan een seizoen eerder niemand aandacht schonk. Het in dienst nemen van het duo was voor het merk voldoende om als winnaar te worden aangemerkt.

Natuurlijk werkt onzekerheid op den duur uitputting in de hand en kan zelfs gevaarlijk blijken. Vandaar dat er een aantal strategieen is uitgewerkt om de uitkomst van de schoonheidswedstrijd te sturen. Op de trendmarkt zijn de spelers, net als op de beurs, risicomijdend: ze proberen hun kwetsbaarheid te minimaliseren. Deze regel kent slechts één uitzondering: nieuwkomers die snel naam proberen te maken door extreme posities te kiezen. Als ze winnen, incasseren ze de meerwaarde van hun originaliteit. Als ze daarentegen verliezen, krijgen ze hun investering niet terug. Dat is de reden waarom tal van 'jonge ontwerpers' worden aangespoord om met extravagante modellen te komen, om zich te onderscheiden van de posities waarvoor de meerderheid kiest.

Degenen die daarentegen een gevestigde positie hebben in het strijdperk, proberen juist de risico's zo klein mogelijk te houden. Daartoe gebruiken ze trucs waardoor ze eventuele verliezen tijdens de schoonheidswedstrijd kunnen beperken. Het begrip 'basics' is op het gebied van de mode wat de 'waardevaste beleggingen' voor de beurshandelaar zijn. In de aardige formulering van Christian Lacroix is de basic 'een manier om in de mode te zijn zonder de moeite die mode kost'.[31] Dankzij basics is de dealer zeker van verkoop en wordt de consument gerustgesteld met de gedachte dat hij er niet belachelijk bij loopt en deze kleren een paar seizoenen achter elkaar zal kunnen gebruiken. Dit is het terrein van de marketing: de indruk wekken dat je 'gedurfde' posities in de markt inneemt terwijl je leeft van producten die veel acceptabeler zijn. De mannenmode is de belichaming van deze dubbelhartigheid; de meest gewaagde collecties dienen over het algemeen om blauwe of witte overhemden te verkopen.

DERDE DEEL

Waarom is mode belangrijk?

6 Is het modedier irrationeel?

Er was eens een welvarende bank. Plotseling gaat het gerucht dat ze bijna failliet zou zijn; de mensen stromen massaal toe om hun geld op te nemen. En het onwaarschijnlijke gebeurt: deze plotselinge vraag veroorzaakt het bankroet van een toch degelijke instelling. De mode wordt geregeerd door hetzelfde mechanisme. Mensen met gemeenschappelijke overtuigingen oefenen invloed uit op het ontstaan van trends. Ogenschijnlijk is deze massa irrationeel; de ene dag loopt ze weg met iets wat haar daarna koud laat, en ze is in staat een artikel te negeren dat ze daarna de hemel in prijst. Maar als het gedrag van deze 'spelers' afzonderlijk wordt onderzocht, is het wel degelijk rationeel. In een situatie waarin ze onzeker zijn over de toekomstige trends volgen ze een risicoloze strategie uit vrees ouderwets te zijn. Per slot van rekening streven ze ernaar de wens erbij te horen te verenigen met het verlangen zich te onderscheiden.

Toch worden de 'goede redenen' van deze spelers zelden opgemerkt; ze worden dan ook afgeschilderd als onlogische wezens of als kuddedieren. Het lijkt erop dat de *fashion victim* behept is met die prelogische mentaliteit die de antropologen aan het begin van de twintigste eeuw aan hun onbedorven wilden toedichtten. Onze wilden zouden alles kopen als er maar een merk op staat, of ze zouden dolgraag een hoop geld neertellen voor een luxevoorwerp. Aangezien het om het terrein van de mode gaat, is het logisch dat de schijn het wint van de werkelijkheid. De eerste reflex is dan ook om aan mensen irrationeel gedrag toe te schrijven in de manier waarop ze de mode volgen. Deze houding hebben marketingprofessionals en sommige theoretici gemeen; toch laat ze snel zien waar haar grenzen liggen.

Voordat de ontwerpers Viktor & Rolf hun naam aan L'Oréal verkochten, hadden ze erop gestaan 'hun' eigen parfum te lanceren.
Alles was voorbereid om het een succes te laten worden: de verpakking zag er verzorgd uit, de flacon was zeer geslaagd en de com-
municatie-uitingen rond het product waren klaar om in de verkooppunten te worden uitgestald. Er ontbrak slechts één detail op
het appèl: dit parfum bestond niet. Er was voor deze gelegenheid
geen enkel parfum gecreëerd. Deze wrange happening benadrukte
uit het ongerijmde hoe belangrijk de vorm was geworden ten koste van de inhoud: op het gebied van de mode maakte het merk het
mogelijk om zomaar van alles en nog wat te verkopen. Die overtuiging leeft met name sterk in de parfum- en cosmeticasector.
Binnen de textielafdelingen van de modemerken hebben marketingspecialisten immers over het algemeen geen macht. De artistiek directeuren delen wat creatie betreft de lakens uit en maken
over het geheel genomen weinig gebruik van onderzoeken. Aan
parfums en schoonheidsproducten daarentegen wordt gewoonlijk verdiend door grote concerns – Procter, L'Oréal, Unilever, enzovoort –, die door de wol geverfd zijn in de massamarkten. Deze
professionals worden beheerst door de merkideologie; voor hen
maakt die het verschil tussen twee lippenstiften – en niets anders.
Deze tot nihilisme geneigde utopisten denken te heersen over een
wereld waarin de onstoffelijke droom een realiteit is geworden,
waarin het product nog slechts een bijkomstig probleem is. In die
context vormt parfum de ideale belichaming van de droom van het
onstoffelijke, een marketingvertaling van de poëtica van Baude-
laire. Om een parfum te lanceren worden aanzienlijke bedragen
geïnvesteerd in allesbehalve het product, met andere woorden in
de marketing, in de brede zin van het woord. 'Angel' van Thierry
Mugler werd in 1993 gelanceerd zonder dat er grote sommen geld
aan te pas kwamen, maar voor de meeste parfums worden enorme
bedragen aan reclame uitgegeven. Het concern Kanebo denkt erover het parfum 'Scent' van Costume National te lanceren met een
investering in de orde van grootte van 150 à 180 procent van de ver-

wachte omzet. Ieder jaar investeert LMVH Parfums 25 procent van zijn omzet in reclame en aanwezigheid op de plaats van verkoop. Het gaat om aanzienlijke bedragen, die worden gerechtvaardigd door de omvang van wat er op het spel staat: 'J'adore' van Dior, een succes, leverde in 2001 een omzet van 150 miljoen euro op.[1] Er is veel aandacht voor de verpakking; over het flesje wordt uitvoerig nagedacht. Omdat er maar weinig fabrieken zijn die het kunnen maken, vormt het een aanzienlijk deel van de uiteindelijke kosten. De inhoud van het flesje vormt slechts een gering deel – minder dan 10 procent – van de productiekosten, en komt op een speciale manier tot stand. Meestal wordt dit uitbesteed. Het uitgangspunt is in het algemeen een briefing over wat het parfum moet zijn aan bedrijven waar 'neuzen' werken, die een reukwater creëren. Het komt ook voor dat sommige merken deze fase overslaan en het eindparfum rechtstreeks kopen,[2] waarmee ze benadrukken dat ze onverschillig staan tegenover de inhoud van het flesje.

Geuren worden voordat ze worden gelanceerd zelden bij het grote publiek getest. Volgens een gangbare opvatting zouden consumenten niet in staat zijn over parfum te praten omdat ze het juiste vocabulaire niet beheersen. Toch komt het in de wijnsector, waar het net zo moeilijk is de goede woorden te vinden, veel vaker voor dat er wordt geproefd. Dat deze werkwijze zelden wordt gevolgd bij parfums, komt doordat men denkt dat de koopbeslissing voornamelijk op andere factoren is gebaseerd. De marketing van parfum geeft daarentegen aanleiding tot onderzoek: de naam, de verpakking, de communicatie enzovoort worden allemaal getest. Daartoe worden meestal *focus groups* gevormd, waarin consumenten uit de doelgroep of mensen die trouw zijn aan het merk zitten. De opdrachtgever van het onderzoek wordt niet bekendgemaakt. Dergelijke onderzoeken berusten op een irrationele hypothese omdat ze menen dat de koopbeslissing in laatste instantie gebaseerd is op onbewuste argumenten. De methode maakt gebruik van testen die geacht worden de rationaliteit van het individu te omzeilen. Zoals twee specialisten in dit soort onderzoek in een zwaarwichtig artikel hebben uitgelegd, 'liggen de meeste relevante fantasieën en vele essentiële symbolische betekenissen net voorbij de drempel van het bewuste [...] en kunnen ze aan het licht komen en kan er verslag van worden gedaan als er methoden worden gebruikt die indirect genoeg zijn om lastige barrières te overwinnen'.[3] Daarom pleiten deze auteurs voor het gebruik van 'gestructureerde projectieve technieken'.

Meestal komt het erop neer dat de testgroepen wordt gevraagd gedachteassociaties onder woorden te brengen en bijvoorbeeld te beschrijven wat het merk zou zijn als het een stad was, of een vrouw. Dergelijke gedachteassociaties krijgen vaak vaste vorm in collages; de 'proefkonijnen' plaatsen uit tijdschriften gekozen beelden naast elkaar.

Het kenmerk van onze verbeelding is dat ze met ieder onderwerp raad weet; proefpersonen van 'goede wil' zullen er altijd in slagen om beelden met een parfum of een ander product te associëren. De collagetechniek in combinatie met het gebruik van een groot aantal damesbladen draagt ertoe bij dat deze wereld zichzelf in stand houdt. Beelden uit de reclame of uit modeseries worden als illustratie toegevoegd aan gedachteassociaties die voor die sfeer bestemd zijn. In deze context zijn nieuwe ideeën dun gezaaid en de testen moeilijk te interpreteren; vaak worden ze ingezet om intern twijfels op te lossen. Een onderzoek zal zo kunnen dienen om reeds vaststaande keuzes te bekrachtigen. Daarom zijn dergelijke testen verre van onfeilbaar. Van de driehonderd parfums die jaarlijks worden gelanceerd breken er maar heel weinig door. Bovendien zien we onder de successen heel wat verrassingen, waarvoor het merk geen doorslaggevende rol heeft kunnen spelen; waarmee het beeld van de consument die het voor het zeggen heeft weer aan de orde komt.

Onderzoek naar de parfumverkoop leidt tot een opmerking van het gezond verstand: de eerste plaats wordt niet altijd ingenomen door producten met logo's van prestigieuze merken. De consument blijkt dus minder merkbewust en irrationeel dan hij wordt genoemd. Net als bij wijn is het etiket niet altijd van doorslaggevende invloed; sommige smaken, of geuren in dit geval, zijn populair bij het publiek. De parfummarkt is ook onderhevig aan trends, ook al zijn de consumenten niet in staat ze onder woorden te brengen.

Zo worden van zowel mannen- als vrouwenparfums de beste

verkoopcijfers soms behaald door tamelijk onbekende, zelfs in crisis verkerende modemerken. Wat de vrouwenparfums betreft kan het feit dat Lolita Lempicka de vierde plaats bezet[4] verbazing wekken; 'Eau de Rochas' op de dertiende plaats is ook een verrassing. Tot slot is er natuurlijk 'het' verschijnsel 'Angel' van Mugler, dat de hitparade aanvoert terwijl dit merk op het ogenblik niet meer als textielmerk bestaat.[5] Dezelfde constateringen kunnen worden gedaan met betrekking tot mannenparfums. Prêt-à-portermerken die enigszins in de vergetelheid zijn geraakt kunnen met dynamische parfums komen: 'Azarro' (derde), 'Cerruti' (dertiende), 'Drakkar Noir' van Guy Laroche (eenentwintigste).

De consument is zeker gevoelig voor de naam, voor het flesje en voor alles wat zijn fantasie kan bevredigen; maar hij weet dat hij in de eerste plaats een geur aanschaft, getuige de voorliefde voor bepaalde soorten parfum – trends in deze sector kennen tamelijk lange cycli. Sommige parfums bestaan heel lang, omdat hun geur blijft bekoren. Dat geldt bijvoorbeeld voor 'N° 5' van Chanel, 'Joy' van Patou of 'Arpège' van Lanvin. Net als bij wijn bestaan er grote families, waarvan elk haar aanhangers heeft. Het grote succes van 2002, 'Coco Mademoiselle' is een iets afgezwakt en gemoderniseerd oosters parfum; deze parfumfamilie is altijd populair geweest bij het publiek, aangezien er enkele grote klassiekers deel van uitmaken, waarvan sommige een toon van amber hebben ('Shalimar' en 'Samsara') terwijl andere worden opgeluisterd met een toets van muskaatnoot of kruidnagel ('Opium' of 'Nu' van Yves Saint Laurent). Het zijn echter de bloemenparfums die de *gemiddelde* smaak belichamen.[6]

Het idee dat de geur van het parfum ertoe doet zal niet erg gewaagd lijken. Toch worden daardoor de successen en de floppen op dit gebied verklaard. De zwakke verkoopcijfers van 'C'est la vie' van Lacroix, opgetuigd met een vreemd flesje en een weinig aantrekkelijke geur, toont aan dat het merk alleen nog niet verkoopt. De consument heeft dus een neus en... een zekere rationaliteit!

Volgens een andere irrationele opvatting met betrekking tot het individu komt de voorliefde voor luxe voort uit het geheime verlangen om op ostentatieve wijze te consumeren. Volgens deze voorstelling van zaken, die aan het begin van de twintigste eeuw door de socioloog Thorstein Veblen onder woorden is gebracht, vinden mensen het heerlijk om hun naasten te provoceren door te laten zien dat ze in staat zijn geld te verkwisten. Het lijkt erop dat mensen inmiddels met elkaar wedijveren via voorwerpen, waarbij ieder zijn geld op nog nuttelozer wijze poogt uit te geven dan zijn buren.

De mode is een ideale manier om ostentatief te consumeren en is dus volgens Veblen de perfecte illustratie van de 'geldcultuur', waarin een voorwerp zijn schoonheid aan zijn prijs ontleent. Deze redenering zou moeiteloos onze voorkeur voor merken verklaren. Een kledingstuk met een logo zou dan een kostbaar alternatief zijn voor een goedkoop kledingstuk: waarom weinig uitgeven wanneer de mode ons zoveel gelegenheden biedt om ons geld te verkwisten en daar geen geheim van te maken? In dat geval zou de mens een absurd schepsel zijn. Volgens Veblen zou een rok dan drie 'eigenschappen' hebben: 'Hij is duur, vormt een voortdurende beperking van de bewegingsvrijheid en maakt iedere nuttige manoeuvre onmogelijk.'[7] De rijken hebben niet het alleenrecht op dwaasheid. Iedere sociale klasse, meent Veblen, 'zelfs al verkeert ze in de erbarmelijkste materiële omstandigheden',[8] koopt weleens iets om ermee te showen. Daarom biedt het commerciële systeem voor alle inkomens goede gelegenheden om op nutteloze wijze geld uit te geven.

Haaks op de beweringen van Veblen staat de opvatting van Georg Simmel dat de mens een rationeel wezen is. Hij wil weliswaar graag met de mode meegaan, maar wenst daarom nog niet zijn bestaansmiddelen te verkwisten. Simmel waagt zich dan ook aan een voorspelling: 'Hoe sneller de mode verandert, hoe lager de prijzen zullen zijn; hoe lager de prijzen, hoe uitnodigender ze zijn voor de consumenten en hoe meer de producenten gedwongen worden om snel van mode te veranderen.'[9] Deze regel beschrijft de realiteit die wij kennen: de snellere opeenvolging van modecycli is gepaard gegaan met een democratisering van trends. Grote namen als Zara of H&M zijn symbool van dit verschijnsel van dalende modeprijzen. Dezelfde tendens treffen we aan op het terrein van luxeartikelen: dat deze sector tegenwoordig zo succesvol is komt niet doordat mensen dol zijn op geld verkwisten, maar eenvoudigweg omdat luxeproducten gemeengoed zijn geworden. Een door Caroline Müller[10] uitgevoerd onderzoek lijkt erop te wijzen dat Simmel gelijk heeft en niet Veblen. Deze studie weerlegt het idee dat er iets als 'geldelijke schoonheid' bestaat: luxevoorwerpen zijn aan dezelfde algemene economische principes onderhevig. Willen ze wijder verbreid worden, dan moeten ze in prijs omlaag. Dit is niet gemakkelijk voor merken die hun naam hebben opgebouwd op grond van het feit dat ze peperduur zijn. Daarom kent de prijs van dergelijke artikelen een dubbele beperking: ze moeten algemeen toegankelijk worden zonder de indruk te geven te worden verkwanseld.

Zo is in meer dan een halve eeuw tijd, van 1930 tot 1997, de prijs van een bepaald aantal luxeproducten onophoudelijk gedaald. De prijs van een fles 'Joy' (Patou) is bijvoorbeeld in waarde gedaald van 100 franc in 1935 tot 42 franc in 1994, uitgedrukt in constante koopkracht.[11] Daarentegen is de prijs van een fles 'N°5' (Chanel) over deze periode stabiel gebleven. De vierkante Hermès-sjaal heeft zijn prijs, nog steeds uitgedrukt in constante koopkracht, zien schommelen, van 100 franc in 1958 tot 130 franc in 1993, met een laagste waarde van 75 franc in 1974 en een hoogste waarde van 150 franc in 1963. Nog verbazingwekkender is het feit dat de verkoopcijfers van de beroemde sjaal lijken te stijgen naarmate de verkoopprijs hoger is,[12] wat op het eerste gezicht de regel van Veblen lijkt te staven dat mensen zich bij hun luxe-uitgaven overleveren aan ostentatieve consumptie.

Jawel, maar het is ook zo dat de Hermès-sjaal niet alleen een luxevoorwerp is, maar ook een product dat onderhevig is aan de wisselvalligheden van de mode. De periodes waarin de prijs ervan steeg, zijn die waarin de vraag naar dit model bijzonder groot bleek; het kon zich dus hoge verkoopprijzen veroorloven. In de jaren zestig werd de Hermès-sjaal als burgerlijk beschouwd en werd hij dan ook aan zijn lot overgelaten door de gefortuneerde cliëntèle die voor zijn goede naam had gezorgd, van Grace Kelly tot de koningin van Engeland. De onverschrokken vrouwen die hem nog durfden dragen, rolden hem om hun hals.[13] De sjaal raakt 'uit' en de modellen hebben namen die in de periode na mei 1968 enigszins uit de toon vallen: 'Brides de Gala' (galahalster), die de schade sindsdien heeft ingehaald (van deze bestseller zijn er tot nu toe meer dan 700.000 exemplaren verkocht), 'Les clés' (de sleutels), 'Voitures à transformation' (cabrioletten) of 'Éperon' (ruiterspoor). De zwakke verkoopcijfers van destijds lijken niet te kunnen worden toegeschreven aan een te democratische prijs.

Een luxeproduct moet zijn positie wel verdedigen; daar past niet zomaar een prijs bij. Daarom wordt het parfum 'N°5' nog steeds voor een hoge prijs verkocht, terwijl de eau de toilette op hetzelfde niveau is geprijsd als die van de concurrentie. Een Engels onderzoek heeft deze tendens tot 'democratisering' bevestigd: al een eeuw stijgt de prijs van een Vuitton-koffer of een Cartier-horloge minder snel dan die van kaviaar![14]

De algemene tendens die Simmel voorzag lijkt bevestigd; naarmate de zogenoemde luxeartikelen in de mode kwamen, is hun prijs gezakt. Aanvankelijk ontwierp Vuitton elk jaar een klein aantal nieuwe modellen; inmiddels zal de Vuitton-tas Murakami – een traditioneel model dat van een persoonlijke noot is voorzien door een kunstenaar die zich door manga's heeft laten inspireren – het niet langer dan een handjevol seizoenen volhouden. Tegelijkertijd laten talrijke merken zich voorstaan op luxe. Zo heeft Victoria Secret onder haar naam een stel sieraden in de verkoop gebracht voor 15 miljoen dollar. Het is niet erg waarschijnlijk dat dit merk, dat normaal gesproken gewone lingerie verkoopt, erin slaagt als luxemerk te worden beschouwd. Maar deze anekdote laat zien dat het Veblen-effect nog steeds zijn aanhangers kent, voor wie het vooruitzicht van verkwisting voldoende is om vaste klanten te trekken. Talrijk zijn degenen die het vertikken te accepteren dat de mode geregeerd zou worden door rationeel gedrag.

MODEMARKETING EN HAAR FAVORIETE INTELLECTUELEN

'In reclamekringen', schrijft Georges Perec in De dingen, 'die zich over het algemeen op een bijkans mythologische wijze ter linkerzijde bevonden, maar die eerder gekenmerkt werden door [...] de cultus van efficiency en de verovering van het nieuwe, [...] een nogal demagogische neiging tot sociologie, [overheerst één opvatting: die volgens welke] negen tiende van de mensen uit klootjesvolk bestond dat nog net in staat was in koor de lof van wie of wat dan ook te zingen [...]'[15] Deze beschrijving vol wrange spot, waar de socioloog – het andere vak van Perec – door de romanschrijver heen schemert, blijft actueel. Een groot aantal professionals op het gebied van marketing, onderzoek en reclame kijkt neer op die 'mensen die in merken [...] geloven',[16] die goedgelovige mensheid die bereid is een heerlijke 'notengeur' te bespeuren in rundvet. Tegelijkertijd hebben die mensen uit 'het vak' het vreemde, bijna verontrustende gevoel zeer gevoelig te zijn voor affiches, slogans en... merken.

Marketingspecialisten ontkomen kennelijk niet aan deze tegenstrijdige gevoelens. Enerzijds zien ze de consument als een irrationeel wezen dat geobsedeerd is door de vorm en de inhoud verwaarloost. Zo vat een van de Amerikaanse marketinggoeroes het samen wanneer hij bedrijven aanspoort om hun irrational selling proposal te omschrijven.[17] In hun ogen hangt het succes van een product af van wat marketingspecialisten maken: de verpakking, het logo, de reclame en, uiteraard, het merk; de intrinsieke eigenschappen van het product in kwestie verdwijnen naar de achtergrond. Ze worden in deze overtuiging gesterkt door het feit dat zij er, net als iedere niet-textielspecialist, moeite mee hebben te begrijpen waarom er zo'n groot prijsverschil bestaat tussen een merkkledingstuk en het daarop geïnspireerde model dat door een gespecialiseerde keten wordt verkocht. In tegenstelling tot de productontwerpers zien zij de nuances in materiaal, naaiwerk en snit niet. Volgens hen worden de prijsverschillen gerechtvaardigd door de marketing, met andere woorden hun werk. Deze overtuiging leeft bij hen des te sterker omdat zij, aangezien ze voortdurend met merken bezig zijn, bijna allemaal zeer merkbewust worden. Hun vak bestaat er-in het type koper te bepalen waarop een merk of een product mikt; dientengevolge is het voor hen moeilijk in te gaan tegen de princi-pes die ze zelf hebben vastgelegd.

Deze voorstelling van de houding van mensen tegenover mo-de en merken leidt vaak tot het aanhangen van een determinis-tische opvatting van de mens. Zij lijkt een mens te schetsen die zonder het te weten wordt gemanipuleerd door mechanismen die hem te boven gaan en waarop hij geen vat heeft. De consumptie-maatschappij zou mensen dus veranderen in volgzame figuren die gedwongen zijn een klassenlogica te kopiëren of het systeem te voeden. Daarom zijn op het gebied van de mode de beroemdste denkers twee theoretici van het irrationalisme: Jean Baudrillard en Pierre Bourdieu. Deze auteurs worden zowel buiten als binnen modekringen dikwijls aangehaald. Tegen alle verwachting in wor-den hun beweringen vaak geciteerd door journalisten, consultants of marketingmensen op het gebied van de mode. Citizen K, een hip blad dat door fashionista's wordt gelezen, heeft bijvoorbeeld een lang, lovend artikel gewijd aan Jean Baudrillard, tussen een re-portage over Laetitia Casta en een artikel over de terugkeer van de New Age. De theorieën van Pierre Bourdieu worden vaak aange-haald in Inrockuptibles en Technikart, twee belangrijke vaktijdschrif-ten. Meer in het algemeen presenteren alle managementboeken die zich richten op modeprofessionals de theorieën van deze twee auteurs. Deze werken, meestal geschreven door mensen uit de praktijk die hun tijd verdelen tussen bedrijfsadvisering en onder-wijs, vatten het 'stelsel van voorwerpen' van Jean Baudrillard of de 'onderscheidingsstrategie' van Bourdieu op als twee construc-ties die onontbeerlijk zijn om mode en luxe te begrijpen. Een van de handboeken stelt beide auteurs als volgt voor: 'Een zeer rijke denkrichting is gevormd op basis van deze analyses, die voorna-melijk worden gedragen door het werk van Jean Baudrillard en Pierre Bourdieu. Deze denkrichting wordt in de vorm van defini-ties van "sociostijlen" nog steeds op zeer wetenschappelijk ver-antwoorde wijze toegepast.'[18]

Pierre Bourdieu en Jean Baudrillard werden vooral gelezen toen de generatie die nu aan het roer staat in de modewereld haar opleiding volgde. Het zijn bekende namen voor bijvoorbeeld Miuccia Prada, ontwerpster van het gelijknamige merk, die twintig was in het begin van de jaren zeventig. Ze is nog steeds trouw aan het engagement uit haar jonge jaren en financiert conferenties waar intellectuelen betogen houden over thema's als opsluiting en globalisering. Bij een van deze gelegenheden was Toni Negri te horen, de spil van uiterst links en inmiddels theoreticus van de antiglobaliseringsbeweging, door Miuccia Prada ter lezing aanbevolen.[19] Om dezelfde reden had Prada in oktober 2000 in Parijs een zeer omstreden show georganiseerd op het hoofdkantoor van de Franse communistische partij op de place du Colonel-Fabien. 'Totdat de PCF weer in de mode raakt, leve de mode bij de PCF,' spotte *Libération* destijds.[20] Miuccia Prada's dubbelhartigheid, tussen chic links en postkapitalisme, komt overigens terug in de persoon van haar architect Rem Koolhaas. Koolhaas, docent aan Harvard, heeft in 2000 de Pritzker Price ontvangen, die wordt beschouwd als de Nobelprijs van de architectuur. Hij speelt bij Miuccia Prada een soortgelijke rol als Oliviero Toscani aan de zijde van Luciano Benetton, half huiskunstenaar, half hofnar, die hardop kan zeggen wat zijn mecenas in stilte denkt. Deze getalenteerde ontwerper heeft de meest recente Prada-winkel in New York bedacht. Maar hij staat ook aan de wieg van vele provocaties die zijn ingegeven door Baudrillard, Marcuse of Houellebecq. Onder de samenbundelende slogan 'Fuck context!' is Koolhaas, vanuit een kennelijk ironische houding, van plan lokale specifieke kenmerken af te vlakken om de planeet in één grote commerciële galerie te veranderen. Daarom is hij geïnteresseerd in het exploiteren van de openbare ruimte, door octrooi aan te vragen op het concept 'shopping^{TM}',[21] dat hij samenvat onder de slogan 'Yen-Euro-Dollar'.

Maar het voorbeeld van Miuccia Prada staat niet op zichzelf. In de modewereld bestaat een generatie beslissers die zich expliciet laat inspireren door kritische denkers op het gebied van consumptie: Campers en Diesel illustreren dit het duidelijkst. Deze twee bedrijven hebben zich, met een uitgesproken succes voor Diesel, onderscheiden door de ader van 'consensueel uiterst links' aan te boren. Zo hebben de Camper-schoenen het tegenovergestelde gedaan van Nike, door mensen het advies 'Walk, don't run!' te geven. Diesel heeft gebruik gemaakt van campagnes vol ironie waarin een overontwikkeld Afrikaans continent een verpauperd Westen te hulp schoot. De socioloog Daniel Bell merkte op – en betreurde – dat reclame en haute couture experimentele vormen van rebellie waren geworden.[22] Zijn voorspelling is ten dele uitgekomen: de opstand heeft ook vorm gekregen in een houding die erop gericht is dingen te verkopen.

Het feit dat Bourdieu en Baudrillard worden ingezet voor praktijken die lijnrecht tegenover hun politieke betrokkenheid staan, leidt tot ongewild komische situaties. Een handboek over managers in de luxe-industrie is waarschijnlijk wel de laatste plaats waar Bourdieu zijn naam geciteerd had willen zien. Oorspronkelijk waren er voor deze denker, voor wie de sociologie als roeping had de ellende in de wereld te verlichten, slechts weinig werelden zo vreemd als die van de mode. De onderscheidingsstrategie is er bij Bourdieu op gericht het kunstmatige karakter van smaakoordelen aan de kaak te stellen. In tegenstelling tot wat ze denken, zouden mensen niet hun voorkeuren tot uiting brengen; in werkelijkheid zouden ze zich erop laten voorstaan tot een bepaalde klasse te horen. De sociologie van Bourdieu tracht mensen dus de waarheid over hun bevliegingen te onthullen; als ze op die manier eenmaal hun naïviteit hebben verloren, zouden ze met nieuwe scherpzinnigheid de redeneringen die de klassen in stand houden kunnen verwerpen. Vandaar dat het iets ironisch heeft om te zien hoe deze auteur wordt ingezet in managementliteratuur die tot taak heeft de onderscheidingsindustrie te verbeteren… Voor Baudrillard geldt eenzelfde paradox. In zijn boeken stelt hij de invloed van consumptie en voorwerpen op ons bestaan aan de kaak; het volgen van trends symboliseert de vervreemding waartegen hij zich verzet. Is de mode dan een masochistische wereld die dolgraag eer bewijst aan de auteurs die haar verafschuwen? Natuurlijk niet. Maar in hun theorieën vindt de modewereld de bevestiging van een aantal van haar overtuigingen. Het lijkt of sociologische werken, in dit geval vertegenwoordigd door de boeken van Bourdieu en Baudrillard, voor vele leidende figuren uit de marketing, de mode en de reclame als handboek voor de etiquette dienen. Dit gebruik heeft niets aan het toeval te danken: de mechanismen waarvan deze twee auteurs de gevolgen in de hele maatschappij opmerken, zijn in werkelijkheid slechts werkzaam op gebieden waar snobisme de plaats inneemt van een professionele ideologie, zoals het geval is bij deze clubjes. Om te geloven dat het gedrag van mensen geregeerd wordt door de onderscheidingsstrategie, en dat de mens overgeleverd is aan merken en voorwerpen, hoeven modeprofessionals alleen maar de maatschappij te beschouwen als een vergrote weergave van de wereld die ze kennen. Ten slotte zijn zij samen met sommige critici van het kapitalisme degenen die het meest geobsedeerd zijn door de greep die merken op onze wereld hebben.

De modewereld onderscheidt zich door de aandacht die ze heeft voor onderscheiding. Van de plaats die men bezet bij een show tot het belang dat sommige modehuizen aan grote namen hechten, is deze wereld een kunstmatige voortzetting van de wereld der kasten. In deze context is de geringste aanleiding genoeg om de strijd om de posities gestalte te geven. Het kan gaan om een accessoire dat een merk cadeau doet aan een paar vips. Het voorwerp doet er natuurlijk weinig toe, als het maar spaarzaam wordt uitgedeeld. Sommige merken die op dit principe steunen zijn ertoe gekomen bepaalde voorwerpen uitsluitend voor hun shows uit te delen. Alleen *apparatsjiks* zijn in staat dit reliquarium te decoderen als ze er een soortgenoot mee zien sjouwen; de gewone stervelingen weten meestal niet dat in dit specifieke geval bezit betekent dat je erbij hoort.

Voor deze wereld waarin de onderscheidingsstrategie de plaats inneemt van een gemeenschappelijke identiteit, lijkt het aannemelijk dat een sociologie van het snobisme de plaats kan innemen van de sociologie zonder meer. De modeprofessionals zijn het snobisme zo dankbaar als iemand een voedster kan zijn. Hun fout is dat ze geloven dat de macht van het snobisme op de gehele maatschappij van toepassing is. Deze overtuiging delen ze met Baudrillard, die mechanismen die in werkelijkheid alleen fashion victims beheersen, op onze wereld als geheel toepast. Fashion victims, en niet de hele mensheid, leven onder de 'totale dictatuur van de mode'.[23] Zo geldt ook dat, wanneer hij meent dat 'de fundamentele, onbewuste, automatische keuze van de consument erin bestaat de levensstijl van een speciale maatschappij over te nemen (dat is dus niet meer een keuze! – en dat is precies waardoor de theorie over de autonomie en soevereiniteit van de consument wordt gelogenstraft)',[24] hij blijk geeft van een buitensporig vertrouwen in het vermogen van marketing en trends om mensen te manipuleren. Het grote nadeel voor merken is dat ze niet beschikken over de macht om consumenten een of andere levensstijl op te leggen; ze leven juist onder de voortdurende dreiging van de beslissingen die deze autonome spelers nemen.

BOURDIEU, MACHT EN MODE

De verklaring die Pierre Bourdieu voor de mode geeft is zowel bij specialisten als bij leken beroemd. Toch slaagt zij er niet in opheldering te verschaffen over de verbreiding van trends in de maatschappij. Volgens deze analyse is smaak, in een maatschappij, onderhevig aan een 'verticale verbreiding'. Zo zou een marginale groep van de bevolking – die bevoorrecht is op het gebied van cultureel of sociaal kapitaal – haar keuzen opleggen aan de rest van de bevolking, via het principe van imitatie. De totstandkoming van trends zou dus onderworpen zijn aan de willekeur van een klassehabitus. De habitus vormt een van de sleutelbegrippen van Bourdieus sociologie en verwijst naar de kenmerken die een klasse, zelfs zonder het te weten, zichzelf dwingt te kopiëren. Zo zou de totstandkoming van trends de verdeling van de maatschappij in verschillende sociale lagen weerspiegelen, waarbij iedere laag zijn eigen manieren van zijn en levensstijlen heeft.

Volgens Bourdieu[25] behoren modeontwerpers dus onvermijdelijk tot de overheersende klassen: zij kunnen eruit voortkomen of er één geheel mee vormen. Deze theorie over trends berust op een 'irrationalistische' opvatting van de ontwerper. De modeontwerper is voor Bourdieu geen rationele rekenaar: hij ontwerpt niet door een vraag en een verondersteld aanbod bij elkaar te brengen. In zekere zin *ontwerpt hij wat hij is*; zijn potlood volgt zijn smaak, verraadt als het ware de positie die hij inneemt in de productieruimte. Zo'n theorie houdt in dat alle kopstukken uit het veld exact worden gelokaliseerd. Dat is de reden waarom Bourdieu vaak in tegenstellingen denkt. Zo zet hij Balmain, een 'rechtse' ontwerper die een behoudende modeopvatting verdedigt en door de pers als luxueus, exclusief, prestigieus of traditioneel gekwalificeerde kleding brengt, tegenover Scherrer, een 'linkse' ontwerper, 'superchic, kitscherig, humoristisch'.[26] Of hij onderscheidt Dior, in 1976, van Ungaro en Paco Rabanne (die door Chanel 'de metaalbewerker' werd genoemd). Om modern te zijn, zo legt hij uit, hoeft Rabanne zich geen geweld aan te doen: hij moet genoegen nemen met te zijn wat hij is, en te ontwerpen naar zijn aard. Zo ziet Bourdieu in de interieurstijl van de huizen van ontwerpers hun positie in het veld terug. Bij Balmain overheerst de voorliefde voor de oudheid, Givenchy biedt in zijn klassieke stijl plaats aan het moderne, terwijl Cardin een moderne barokopvatting verdedigt. Aan het andere uiterste bevinden zich de uitgesproken moderne woning van Courrèges en de woning van Hechter, waar bestudeerde nonchalance en opzettelijke gebrekkigheid de boventoon voeren.[27]

Volgens Bourdieu slaagt een ontwerper erin een bepaald sociaal en cultureel kapitaal te vertalen in kleding. In zijn kledingontwerpen brengt hij de smaak van de sociale klasse waartoe hij behoort en de sociale-onderscheidingsdrang van die klasse over. Daarom legt Bourdieu zoveel nadruk op het relationele kapitaal dat de meeste ontwerpers bezitten; zij worden altijd voorgesteld in samenhang met de prestigieuze modehuizen waar ze eerder werkzaam zijn geweest: het gaat minder om de technische kwaliteiten van de ontwerper dan om zijn symbolische vermogen om zijn naasten binnen en buiten het veld te mobiliseren. Erbinnen omdat hij moet worden herkend door zijn gelijken en door degenen die meetellen (journalisten, moderecensenten); erbuiten omdat het publiek dat in de sociale ruimte dezelfde plaats inneemt als hij, hem dankzij deze kunstgreep als een van hen herkent.

Het door Bourdieu uitgedachte systeem wordt geacht trends te verklaren. Volgens de socioloog doet hun inhoud er weinig toe; wat daarentegen telt is de sociale positie van degene die ze lanceert. En aangezien degene die ze creëert – de ontwerper – slechts de smaak weerspiegelt van de sociale klasse waartoe hij behoort... De verdienste van deze opvatting is dat ze het volstrekt willekeurige karakter van trends benadrukt. Er is niets wat het hemd met korte mouwen voorbestemt tot een representatief kledingstuk; twee zomers lang, van 2000 tot 2001, kregen jonge modegekken zelfs het advies zich erin te hullen. Toch valt niet goed in te zien hoe de mode sociale klassen kan onderscheiden en zich tegelijkertijd kan verbreiden onder die klassen. Stel dat kleding een van de volmaaktste bestanddelen is van de 'levensstijlen die de stelselmatige voortbrengselen zijn van de habitus'.[28] Een voorbeeld: het Chanel-mantelpak kan worden gebracht als een van de bestanddelen van de habitus van de bourgeoisie. Volgens deze weergave van de sociale werkelijkheid is de wereld de zetel van veelomvattende mimetische verschijnselen: dominanten die ernaar streven zich te onderscheiden en gedomineerden die proberen op hen te lijken. In deze verticale opvatting van de verspreiding van mode 'gaat een klassensymbool (in alle betekenissen van het woord) verloren wanneer het zijn onderscheidende vermogen kwijtraakt. [...] Wanneer de minirok de mijnwerkershuisjes van Béthune bereikt, moet er weer van voren af aan worden begonnen.'[29] Toch verbreiden trends zich niet meer precies op die manier. Bewust of niet, mensen volgen niet langer de door de leidende klassen voorgestane modes na.

KLEREN MAKEN DE KLASSE NIET

Volgens Pierre Bourdieu zijn trends dus instrumenten die onbewust door de leidende klassen worden gebruikt bij hun overheersingsstrategie. De gedomineerde klassen proberen eveneens onbewust die trends over te nemen. Deze kijk op de dingen heeft in de modewereld een zekere populariteit gekend omdat bekend is dat het 'verschil' centraal staat bij het selecteren van trends.

Voor Christian Lacroix is dat zelfs waar zijn werk om draait. 'Ik wil blijven geloven dat het verschil de sleutel tot alles is', schrijft hij. 'Universaliteit, tijdloosheid en eeuwigheid zijn woorden die ik uit het modelandschap verban. Het vluchtige, het bijzondere en het unieke zijn de beste tekens van de identiteit.'[30] Tom Ford zegt precies hetzelfde wanneer hij verklaart: 'Vernieuwing is mijn werk. Ieder seizoen maak ik, alvorens met de nieuwe collectie te beginnen, een lijst van wat ik niet meer wil zien. En vervolgens vraag ik me af waar ik zin in ga krijgen.'³¹ Galliano concludeert: 'Mode is vóór alles een kunst van de verandering.'³²

Dit verlangen naar vernieuwing is onlosmakelijk verbonden met het verschijnsel mode. Het komt vandaag niet sterker tot uiting bij Tom Ford of Christian Lacroix dan gisteren bij Paul Poiret. De laatste gaf toe dat de mode van morgen hem altijd mooier had geleken dan die van vandaag. Hij voegde eraan toe: 'Zodra er een regering tot stand is gekomen, droom ik ervan die omver te werpen en een nieuwe in het leven te roepen.'³³ Wanneer Poiret naar de Verenigde Staten gaat om zijn merk te lanceren, doet hij een poging om de vrouwen van de Nieuwe Wereld in te wijden in de trends waar ze naar zijn smaak veel te weinig van af weten. Met zijn gebruikelijke vrouwenhaat legt hij hun uit dat trouw voor het schone geslacht weliswaar een 'tamelijk zeldzame' eigenschap is, maar op het gebied van de mode juist een routine is... Welnu, 'routine is verfoeilijk, mode wil verandering'.³⁴

Wie een dergelijke onderscheidingsstrategie hanteert denkt natuurlijk dat deze geen enkele sociale betekenis heeft: geen enkele ontwerper beschouwt zijn tekenbord als het instrument waarmee de ene klasse de andere domineert. Volgens Bourdieu is deze ontkenning van het sociale karakter van mode afkomstig van 'hen die misleiden omdat ze zelf zijn misleid, en des te beter misleiden naarmate ze meer zijn misleid; ze zijn grotere bedriegers naarmate ze zelf meer zijn bedrogen. Om dit spel te spelen moet je geloven in de ideologie van het ontwerpen, en als je modejournalist bent, is het niet goed om een sociologische kijk op de mode te hebben.'³⁵

Toch gaat achter de willekeur waarmee kleding wordt ontworpen geen klassenmechanisme schuil. Ook al vereist de mode sociale goedkeuring om volledig bestaansrecht te hebben, ze komt niet voort uit een klassenmechanisme. De door Bourdieu in 1976 uitgedachte tegenstellingen zouden nu buitengewoon lastig terug te vinden zijn. Het idee als zouden 'gedomineerden' 'leiders' naapen in hun kledingstijl lijkt bijzonder gedateerd. De mode lijkt eerder te worden gecreëerd door verschillende invloeden, waarvan sommige niet afkomstig zijn uit de meest bevoordeelde delen van de maatschappij. Zou men kunnen zeggen dat Dior tegenwoordig conservatiever is dan Gucci of Prada? Of is het misschien omgekeerd? Waar moeten rechts en links worden gelokaliseerd in de modewereld? Bij Lacoste, dat gedragen wordt door jongeren uit de voorsteden, of bij A P C, dat aantrekkingskracht uitoefent op Parijse reclamemakers? De verticale smaakverbreiding, het kopiëren van de bovenste sociale lagen door de onderste lagen, is geen adequate beschrijving van de moderealiteit.

Philippe Besnard en Cyril Grange[36] hebben dit onderstreept op het gebied van voornamen in Frankrijk: de voornamen die worden gegeven door 'mannen en vrouwen van de wereld' – bijvoorbeeld Sixtine of Quitterie, ten tijde van het onderzoek – worden later niet op landelijke schaal overgenomen. Op kledinggebied heeft Nicolas Herpin aangetoond dat tussen 1956 en 1984 de discrepanties tussen sociale groepen zijn toegenomen.[37] Het idee dat modes zich trapsgewijs zouden verbreiden van de welgestelden tot de armsten, blijkt op die manier in tegenspraak te zijn met de feiten. Om redenen die het kledingdomein te buiten gaan lijkt het hiërarchische denkschema niet meer bruikbaar om onze maatschappij te beschrijven. Wat de jongerenmode betreft is de situatie zelfs vrijwel omgekeerd: daar heerst een duidelijke voorkeur voor ieder teken van marginaliteit. 'Bon chic bon genre' is de stijl van een uiterst kleine minderheid van de tieners, en dat zijn uiteraard niet degenen die alle anderen graag willen imiteren. De meeste jongeren worden gefascineerd door degenen die de stadscultuur belichamen, of het nu skaters, ravers of rappers zijn. Deze houding vervlakt in de meeste gevallen wanneer ze gaan werken. Toch spreekt de levensstijl van de gegoede burgerij niet meer tot de verbeelding: haar rijkdom kan begerenswaardig zijn, haar kleding is dat zeker niet. Inmiddels moet een merk dat weer aantrekkelijk wil worden zich afgeven met het plebs.

Op het gebied van kleding speelt het onbewuste een geringe rol. Jongeren en zij die minder jong zijn volgen in hun wijze van kleden een volkomen weldoordachte strategie van zelftransformatie. 's Morgens voor de kledingkast weet iedereen wat hij is of wil zijn. De verhouding van onze tijdgenoten tot de mode kan worden verklaard zonder fashion victims te vergelijken met zombies die niet in staat zijn de betekenis van hun handelingen te begrijpen.

7 Mode om jezelf te worden

Om de 'goede redenen' te vermelden waarom mensen in onze tijd de mode volgen, moeten we onze waardeoordelen aan de kant zetten. Fashionista's als irrationele figuren betitelen komt neer op het veroordelen van trends en degenen die ze volgen. Moeten we voor of tegen mode zijn? Dat is lastig uit te maken. Overigens kiezen sommigen niet: ze zijn tegen de mode, volslagen tegen. Een karikaturaal voorbeeld hiervan is Madonna. In haar album *American Life* stelt de zangeres de heerschappij van de mode en de dictatuur van de schoonheid en trends aan de kaak. Helaas is de wereld waarin wij leven niet de wereld waarin gezongen wordt: Madonna kan dan ook een systeem bekritiseren waarvan zij een essentieel onderdeel is.

Om te begrijpen waarom wij de mode volgen is het van belang dat we proberen inzicht te krijgen voordat we ons een oordeel vormen. Natuurlijk kan onze verhouding tot kleding vanuit bepaalde gezichtspunten absurd overkomen. Door het gedrang tijdens de uitverkoop en de obsessie met trends is het beeld dat van de hedendaagse mens ontstaat dat van een narcistisch kuddedier. Soms is dergelijk gedrag niet meer alleen vreemd maar wordt het ronduit ziekelijk, zoals bij dwangmatig kopen. Toch weerspiegelen deze modeziekten ons eigen normaal-zijn. Ze laten ons overduidelijk zien dat de passie voor kleren niet zomaar een passie voor voorwerpen is.

MODEPATIËNTEN

Koba S. heeft een zware verantwoordelijkheid: hij moet de consumptiewaanzin van zijn tijdgenoten belichamen. Deze dertigjarige Japanner heeft slechts één idool, en dat is een merk. Zijn leven komt neer op het methodisch verzamelen van alle kleren van de Belgische ontwerper Dries Van Noten. Om er zeker van te zijn dat hij er niet één mist, bestelt hij van tevoren en reist naar Osaka, waar zijn favoriete winkel zich bevindt. Op een foto ligt hij in zijn piepkleine studio in Tokio op bed met in een waaier om zich heen uitgespreid de spullen met het logo van zijn lievelingsontwerper. Koba is een van de tientallen Japanners die gefotografeerd zijn door Kyoichi Tzusuki,[1] in de serie gewijd aan de 'Happy Victims', mensen die verslaafd zijn geraakt aan een label.

Ieder cliché van Tzusuki veroorzaakt een gevoel van onbehagen, zoals de begeleidende zin 'U bent wat u koopt'. Natuurlijk vond de modewereld het prachtig. Het ging er niet om weer eens kritisch te denken: in werkelijkheid berust de moraal die als inspiratie dient voor het werk van Tzusuki inmiddels voor een groot deel op consensus. Deze moraal vormt een protest tegen een Westen dat ziek is van dingen. Van alle marxistische voorspellingen is de enige die nu nog betekenis heeft de voorspelling over de blinde verering van koopwaren. Dat is ook het fascinerende aan koopdwang. Deze pathologie valt onder de tijdelijke geestesziekten die beschreven zijn door Ian Hacking en die zich 'op een gegeven moment op een bepaalde plaats'[2] voordoen alvorens te verdwijnen of 'zo nu en dan weer op te duiken'. In zekere zin vervult koopdwang voor ons de rol die in de negentiende eeuw was weggelegd voor hysterie. Ook al is het aantal koopverslaafden zeer beperkt – in tegenstelling tot het aantal gediagnosticeerde hysteriepatiënten in de negentiende eeuw –, deze ziekte hoort bij deze tijd.

De fascinatie voor slachtoffers van koopdwang is zo sterk dat wanneer de media een pikant voorbeeld te pakken hebben, ze ervoor zorgen dat er zo veel mogelijk aandacht aan wordt besteed. Zo weten de Amerikanen inmiddels alles van de 'zaak-Elizabeth Roach', die ervan werd beschuldigd 250.000 dollar van haar werkgever te hebben gestolen om haar garderobe te vullen. Als deze vrouw een winkelmeisje was geweest dat niet de juiste kleding kon vinden voor een romantisch afspraakje, zou het nieuws misschien niet zoveel ophef hebben veroorzaakt. Maar in het burgerleven had deze fashion victim een leidinggevende functie bij Andersen, met een jaarsalaris van 150.000 dollar. Het leven van Elizabeth Roach was verrassend eenvoudig: wanneer ze niet werkte, kocht ze. Vaak kleding, nog vaker schoenen. Zeventig paar op een middag. 'Kopen' is een nogal banaal woord voor het gedrag van deze vrouw: in werkelijkheid gehoorzaamde ze aan een bevel, alsof een hogere godheid haar gelastte de kast te vullen. Het werd zo opgevat: ze zocht niet 'iets om aan te trekken'; ze mestte haar garderobe vet. De meeste slachtoffers van koopdwang maken in hun hele leven slechts nu en dan een crisis door. Voor Elizabeth Roach volgden deze episodes elkaar met zo'n grote regelmaat op dat haar dagelijks leven rondom deze winkelsessies was gepland. Anderen leefden; zij schuimde in haar eentje de winkels af. Op een zakenreis naar Londen ging ze liever door met winkelen dan dat ze naar haar werkafspraak ging. Het was een succesvolle middag: ze gaf 30.000 dollar uit, waarvan 7000 aan een gesp voor een ceintuur. Misschien ging achter het genot dat deze aankopen haar opleverden in werkelijkheid een hulpkreet schuil, een poging om deze onverdraaglijke logica te doorbreken: de consument had de vrouw in haar gedood. Justitie hoorde de klacht en rekende haar in toen ze uit het vliegtuig stapte.

Koopverslaafden symboliseren het leed van de rijken in zijn zuiverste schaamteloosheid. De mening over hen weifelt tussen mededogen en veroordeling. Overigens is het debat hierover in 2002 begonnen in de Verenigde Staten, op initiatief van een mysterieuze Karyn. Deze dertiger à la Bridget Jones stuurde via internet een 'hulpkreet' de wereld in: haar bankier dreigde haar creditcard in te trekken als ze het tekort dat was ontstaan door haar achtereenvolgende bezoekjes aan Prada en Gucci niet zou aanvullen. Ze vroeg dan ook, als een patiënte, en niet als een schuldige, om giften! Ook bood ze de honderd nutteloze kledingstukken die verantwoordelijk waren voor haar problemen met haar bank op het web te koop aan. Een grap? De site 'savekaryn.com' zaaide verdeeldheid en lokte een reactie uit die logischerwijs de naam 'dontsavekaryn.com' kreeg.

Het voorbeeld van Karyn getuigt net als dat van andere koopverslaafden van de unieke aard van onze verhouding tot de mode. Alleen artikelen waaraan mensen veel betekenis toekennen, kunnen zulk extreem gedrag veroorzaken. De ervaring van een tekort of een teveel hecht zich het vaakst aan entiteiten die een grote symbolische waarde hebben, zoals voedsel of seks. Of onze verhouding tot kleding nu normaal of pathologisch is, ze omvat altijd meer dan een gewone passie voor onze garderobe.

JE WEZEN KLEDEN

Voor de hedendaagse mens raakt de mode aan een wezenlijke kwestie, misschien wel de wezenlijkste van allemaal: die van zijn identiteit. Daarom wordt dit verschijnsel onbegrijpelijk als het wordt geïnterpreteerd als de zoveelste uitingsvorm van westers materialisme.

Zoals we eerder al zagen zijn trends niet alleen van toepassing op handelswaar: het voorbeeld van de voornamen is overtuigend genoeg. Overigens is er in onze tijd, net als in vroeger tijden, sprake van modevormen die tegen mode gekant zijn. De kracht van deze alternatieve modes houdt verband met de omvang die de economie van de mode heeft gekregen. De strategieën die erop gericht zijn zich te kleden buiten de traditionele circuits zijn de laatste jaren in aantal toegenomen: ze zijn niet langer het exclusieve bezit van marginalen. De vintage ontleent een deel van zijn aantrekkingskracht aan deze weerzin: het teveel aan merken, vernieuwing en reclame heeft logischerwijs geleid tot strategieën om de tegenaanval in te zetten. Zo heeft een deel van de klanten zich van de traditionele merkwinkels afgewend ten gunste van tweedehandszaken en vlooienmarkten. De spelregels zijn dus veranderd: die bestaan niet meer in het najagen van de nieuwste snufjes maar juist in het dragen van oude modellen spijkerbroeken of gympen. Ook hier zijn snel verschillen ontstaan: het gaat er niet meer eenvoudigweg om een oude Levi's te vinden, maar een speciale 501 die maar korte tijd in productie is geweest. Vintage heeft zich in de jaren negentig flink uitgebreid, en is in zijn ontwikkeling gepaard gegaan met stromingen die zich eveneens onderscheiden door gerecyclede kleding. Het trio spijkerbroek (of combatbroek), T-shirt en gymschoenen heeft ook een duw in de rug gekregen door technoaanhangers, rollers en skaters. Natuurlijk was deze pogingen om de commercie te omzeilen maar een kort leven beschoren: de merken wisten deze bevliegingen handig te exploiteren.

Toch benadrukken deze trends die bijzonder populair zijn onder jongeren eens temeer dat de mode vóór alles een manier is om een identiteit te vormen. Door het uiterlijk dat iemand zich aanmeet, kiest hij positie zowel in verhouding tot anderen als in verhouding tot zichzelf. In dat geval is mode een van de middelen die hij gebruikt om zichzelf te worden. Dit middel heeft misschien niet hetzelfde aanzien als religie of activisme, maar vervult voor een deel dezelfde functie. Voor alle duidelijkheid: het is uiteraard onzinnig mode met religie te vergelijken. Daarentegen hebben deze twee sferen grote invloed op de manier waarop mensen tegenwoordig aan hun identiteit 'bouwen'. Voorheen erfde een kind bij zijn geboorte een plaats in de maatschappij; met die plek correspondeerden een geloof, een beroep en een manier van kleden. Op enkele uitzonderingen na was het niet mogelijk die oorspronkelijke gegevens te wijzigen. Bij de overgang van traditie naar moderniteit heeft de maatschappij autonomie als overheersend beginsel aangenomen: iedereen is uitdrukkelijk vrij om zijn leven te leiden zoals hij dat wil. We hebben dan ook het recht, maar eveneens de plicht, om onszelf te kiezen. Op het gebied van religie is dit recht soms onderhevig aan determinisme, ook al hebben de meeste westerlingen de vrijheid om het geloof van hun voorouders al dan niet te volgen, het op te geven, zich te bekeren of de voorwaarden van dit geloof te veranderen. Op het gebied van kleding is het vanzelfsprekend dat men zelf beslist over de kleding die men draagt: de Franse Revolutie luidde het einde van het verplichte kostuum in. En met zijn kledingkeuze zet de mens het werken aan zijn identiteit voort. Dat is de reden waarom de preoccupatie met mode haar hoogtepunt bereikt in periodes waarin ieder ernaar streeft zich te definiëren. Dat geldt uiteraard voor de adolescentie, een moment in het bestaan waarop buitengewoon scherp op merken wordt gelet. In die levensfase is het bijzonder belangrijk om in een groep te worden opgenomen. Toch nemen die jongeren in een overdreven vorm een houding aan die anderen ook hebben. Zeer waarschijnlijk gaan vele momenten waarop men op zoek is naar een identiteit gepaard met de zorg om hoe men eruitziet.

In de moderne samenlevingen dwingt de preoccupatie met het uiterlijk ons ertoe het op een akkoordje te gooien met de mode, met andere woorden met de collectieve keuzen die gemaakt worden voor bepaalde trends. Binnen die verschillende voorstellen maakt het individu zijn eigen keuze: deze is het gevolg van een volkomen rationele strategie. De mens streeft er bewust naar onderscheid en imitatie te combineren om degene te worden die hij wil zijn. Deze gemeenschappelijke en soms tegengestelde zorgen verklaren hoe het komt dat we zulke paradoxale houdingen tegenover mode constateren.

(JE) KLEDEN OM (JE) TE ONDERSCHEIDEN

Zich onderscheiden is in het Westen geen onschuldige onderneming. De christelijke beschaving heeft sinds haar oorsprong immers een ambivalente verhouding met het afwijkende. De wijdverbreidheid van de mode getuigt tegenwoordig van het algemene verlangen zich te onderscheiden door te ontsnappen aan conformisme en homogeniteit. Liever nog: ze is verantwoordelijk voor de overwinning van modellen die deel uitmaken van minderheden en al hebben aangezet tot vele culturele modes, van rap tot bepaalde gedragingen die hun oorsprong vinden in de homogemeenschap. Toch gaat het om een late erkenning: eeuwenlang was onze samenleving gekant tegen het verschil en streefde er juist naar een homogene gemeenschap te stichten. Onze verhouding tot mode symboliseert de verdwijning van de traditionele omgeving ten gunste van de moderniteit. Zoals Gilles Lipovetsky[3] benadrukte is de geschiedenis van de mode niet los te zien van die van de moderniteit. De twee verschijnselen gaan overigens samen: de westerse mode in haar huidige vorm doet haar intrede in de veertiende eeuw, dus bij aanvang van de nieuwe tijd. De komst van de mode markeerde het begin van een stille revolutie die werd beheerst door het verdwijnen van het christendom en de ingrijpende verandering in de verhouding tot de ander. Eeuwenlang – vanaf het edict van Constantijn (313) tot de Franse Revolutie – heeft de westerse wereld immers onder de heerschappij van het katholicisme geleefd. In die periode heeft deze religie geprobeerd een homogene samenleving op te bouwen, een christendom van lichaam en ziel. De ontwikkeling van de westerse mode is een van de tekenen dat die poging is mislukt.

Om de antropologische revolutie waartoe de moderniteit heeft geleid te begrijpen, moeten we terugkeren naar de basis van onze beschaving, dus naar het oorspronkelijke christelijke model. Toen de Kerk werd gesticht, werd zij geacht een gemeenschap te vormen in overeenstemming met de universele boodschap van de heilige Paulus, voor wie het christendom drager is van een opmerkelijk project: ervoor zorgen dat er 'geen joden en geen Grieken' meer zijn. De katholieke godsdienst ziet de samenleving dus alsof het om een organisch geheel gaat, een harmonieus bouwwerk dat gelijksoortige mensen, die ieder een bijzondere plaats innemen, bij elkaar brengt, zij aan zij. In die wereld is anders-zijn een tijdelijke afwijking; op korte termijn zal iedereen christen zijn en zijn plaats innemen in het maatschappelijke lichaam dat door het lichaam van Christus wordt gesymboliseerd, met de Kerk als het hoofd. Degenen die anders zijn zullen niet standhouden: de heidenen zullen worden gekerstend, de ketters overtuigd. Alleen de joden genieten een aparte positie; hun bijzondere status wordt gerechtvaardigd door het feit dat ze, zowel door hun voortbestaan als door hun lijden, van de waarheid van de boodschap van Christus getuigen.

De hoop dat de mensheid zou worden getransformeerd tot een homogene soort verdween in de loop van de late middeleeuwen, tussen de dertiende en de veertiende eeuw. Aan het eind van een proces waarvan men kan twisten over de fases maar niet over de algemene betekenis, verviel het Westen in wat de historicus Robert Moore een 'vervolgingsmaatschappij' noemde.[4] Terwijl de Kerk op het hoogtepunt van haar macht was droeg ze er direct of indirect toe bij dat er een reeks besluiten werd genomen die gericht waren tegen minderheden. De droom van een universeel christendom duurde maar kort; het Westen werd juist een plek waar in grote hoeveelheden 'anderen' werden geproduceerd. De categorieën van anderen namen in aantal toe: bij de joden voegden zich homoseksuelen, leprapatiënten, prostituees, ketters, enzovoort. Op zijn best werden deze minderheden getolereerd, in het ergste geval werden ze vervolgd of uitgestoten.

Lange tijd had de Kerk de droom gekoesterd haar gelovigen zich te laten kleden met één kledingstuk, de chlamys, een soort lang opperkleed uit de oudheid dat later in Byzantium werd gedragen. Uiteindelijk zouden alleen de seculiere geestelijken zich in dit kledingstuk hullen. Aan de andere kant tracht het kerkelijk instituut het anders-zijn te benadrukken via verschillen in kleding. Het vierde Lateraanse Concilie (1215) neemt speciale maatregelen om ervoor te zorgen dat joden en moslims, in die tijd Sarracenen genoemd, zich in hun kleding van christenen onderscheiden. Deze minderheden sluiten zich niet bij een mode aan, ze ondergaan er een; met hen, en ten koste van hen, worden sociale verschillen voor het eerst in kleding uitgedrukt. Een voorbeeld van deze verplichting: de kleding die joden opgelegd krijgen, een regel die afhankelijk van de plaats verschillend wordt geïnterpreteerd. In Frankrijk werd de jodenhoed naar het schijnt verplicht in 1269. Dit onderscheidingsteken, dat schande aanduidde, is een voorproefje van de onheilspellende jodenster.

De kentering van de middeleeuwen is van cruciaal belang voor de modegeschiedenis. Een mode zonder autonome figuren die uiting geven aan persoonlijke wensen en verlangens is namelijk onmogelijk voor te stellen. En het ontstaan van het moderne individu begint in die tijd. De traditionele maatschappij voorziet hem bij geboorte van een identiteit, een beroep en zelfs een bepaald soort kleding. Met de moderniteit drukt de godsdienst steeds minder op de mensen; ze worden vrij in hun keuzen en meester over hun bestaan. Daarom ontstaan trends – in de hedendaagse betekenis van de term – in de loop van de veertiende eeuw. Een hoogtepunt voor kostuumhistorici vond plaats omstreeks 1340: toen werd de mannelijke kleding korter. Sommigen beginnen afstand te doen van het lange, wapperende gewaad dat beide seksen al eeuwenlang dragen. Voortaan is het kostuum, kort bij mannen, lang bij vrouwen, passend gemaakt, over het algemeen open aan de zijkant. De tuniek wordt vervangen door een soort buis of jak – de voorloper van het 'jacket', Engels voor jasje – dat tot boven de knie reikt. De kousen, die over vrijwel de hele lengte onbedekt werden gelaten, werden aan de bovenkant van de dijen aan de broek vastgemaakt. Het ontstaan van een verschillend kostuum voor mannen en vrouwen belichaamt de ondergang van het voornemen een homogene samenleving te creëren.

De vervolgde groepen (joden, moslims of homoseksuelen) hebben slechts één punt van overeenkomst: ze wijken af van de levenswijze zoals het christendom die voorstaat. Eeuwenlang, van de middeleeuwen tot nu, zullen die gemeenschappen grotendeels worden opgesloten in hun identiteit van 'ander'. Onze huidige moderniteit onderscheidt zich door een nieuwe houding ten aanzien van het anders-zijn. Intolerantie bestaat nog steeds, maar mag niet opvallen. Een voorbeeld: homofobie wordt minder, zelfs in de reactionairste betogen. Minderheden zijn juist inspiratiebronnen geworden; de kledingstijl van homo's is wijdverbreid geraakt onder heteroseksuelen. De mode van de *boys bands* heeft een bijdrage geleverd aan de ontwikkeling van een homostijl onder grotendeels heteroseksuele jongeren. 'Gemeenschappelijke' kleren hebben zelfs op het Franse platteland groot succes; veel teenagers hebben hun mouwloze T-shirt; boxershorts, bedacht door Calvin Klein, zijn vreselijk afgezaagd geworden (ooit werden ze spottenderwijs 'Jean Genet Boxer Short' genoemd). Het meest recente voorbeeld: veel heteroseksuele mannen zijn overgegaan tot het dragen van spijkerbroeken met een damescoupe, die als nooit tevoren de mannelijke vormen benadrukken. Als modes die door minderheden – en niet alleen homoseksuelen – worden gepromoot in de smaak vallen, komt dat doordat het verschil voor iedereen een droombeeld van zelfverwerkelijking is geworden: iedereen streeft ernaar *anders* te worden.

VAN ONDERSCHEID NAAR IMITATIE

De wens zich te onderscheiden volstaat niet om modes te creëren. Om te kunnen bestaan moeten er bij trends processen plaatsvinden waarbij sprake is van nabootsing en die helpen bij het totstandkomen van polarisatie. Een verschijnsel dat imitatie en onderscheid combineert mondt noodzakelijkerwijs uit in een paradox. Immers, terwijl zelfverwerkelijking een van de idealen van deze tijd is, bieden de westerse massa's een eenvormige aanblik.

Deze situatie wekt des te meer verbazing omdat men zich niet meer slaafs kleedt; elk van onze outfits is opzettelijk en bewust opgebouwd. Mensen zijn zeer helder over hun kledingkeuzen omdat ze inmiddels maar al te goed geïnformeerd zijn over de betekenis van de verschillende stijlen. Bovendien komt de uniformering van het uiterlijk niet voort uit imitatie van een model dat door de dominante klassen is voorgelegd. Onze maatschappij kenmerkt zich door haar reflexiviteit, haar vermogen om de door kleren of merken gevormde sociale symbolen te ontraadselen. Deze symbolen kunnen ons informatie geven over iemands sociale positie, soms ook over de hoogte van iemands inkomen. Maar ze zeggen ons vooral iets over het beeld dat iemand van zichzelf wil geven. Dit vermogen om de samenleving te analyseren is niet nieuw, het bestond al onder het ancien régime. Maar, zo voegde Tocqueville toe, 'in aristocratische samenlevingen zijn de uiterlijke betrekkingen tussen mensen onderhevig aan nagenoeg vaststaande conventies'.[5] Vandaag de dag zijn de vormen juist in ontwikkeling. Je moet dus over een zekere handigheid beschikken om je kennis over voortdurend veranderende conventies bij te houden.

Sociologische naïviteit is niet meer van deze wereld. Deze tijd is verzot op maatschappelijke onderwerpen; we hebben het over yuppies en andere bobo's (bourgeois-bohémiens), alsof die net zulke categorieën vormen als postbeambten of bewoners van de Aveyron. Er worden voortdurend nieuwe sociale groepen ontdekt door marketinglaboratoria, en de media nemen de taak op zich om bekendheid te geven aan deze vorderingen in kennis. De nieuwste vondst zijn de 'metroseksuelen' (metro van metropool en seksueel in de zin van 'paradoxale seksualiteit, halverwege tussen de macho en de schone jongeling die verslaafd is aan zijn spiegel'[6]). Zo wordt ons uitgelegd dat een nieuwe trend onder mannen ertoe zou leiden dat sommigen van hen hun portie vrouwelijkheid durven opeisen en deze zelfs tot levensstijl verheffen. De werkelijkheid van de 'metroseksuelen' is niet zo van belang; als het begrip gemeengoed wordt, zullen we rekening met hen moeten houden. Hun herkenningstekens zullen zich dan voegen bij de andere uitrustingen waaruit we in deze tijd kunnen kiezen om ons uiterlijk samen te stellen. Toch staat het grote aantal beschikbare uitrustingen in contrast met de homogene aanblik die de westerse massa's bieden. Die eenvormigheid komt in de allereerste plaats voort uit de aard van onze imitatiestrategieën zelf. Mensen worden niet om de tuin geleid; ze weten best dat vele beslissingen op het gebied van kleding worden genomen op grond van nabootsing. Maar bij deze imitatieprocessen willen ze het gevoel hebben dat ze vrij zijn. Dit streven doet zich uiteraard niet alleen voor in het domein van de kleding. 'Het aantal keuzen dat we in de loop van het leven moeten maken neemt alsmaar toe; inmiddels heeft iedereen de verantwoordelijkheid voor zijn eigen biografie', meent de socioloog Ulrich Beck.[7] De wens een eigen uiterlijk te kiezen wordt bijvoorbeeld weerspiegeld in de bewondering voor de dandy, terwijl de snob belachelijk wordt gemaakt. Ten onrechte laat de snob zich voorstaan op een gevoel van superioriteit en denkt hij tot een avant-garde te behoren. Want in plaats van een aanvoerder te zijn wordt hij in werkelijkheid zelf aangevoerd: zijn gedrag wordt altijd bepaald door andermans blik. De dandy daarentegen is authentiek origineel en valt op natuurlijke wijze op. Niets ergert hem meer dan conformisme.

Er treedt dan ook een paradox aan het licht. Mensen hebben unaniem een hekel aan uniformen; die zijn bijna verdwenen. Toch staat een toenemend deel van de wereld onder invloed van één mode. In het Westen behoren regionale of nationale kostuums tot de folklore. Op het gebied van kleding verdwijnen de sociale onderscheidingstekenen achter elkaar. Voorheen kon een vrouw uit de gegoede burgerij zich wel vijf keer per dag omkleden; allerlei gebeurtenissen schreven de bevoorrechte klassen voor dat ze 'zich kleedden'. Dat alles behoort inmiddels tot het verleden. Vandaag de dag maken de conventies juist een snelle ontwikkeling door naar minder formeel. Een voorbeeld van deze verandering is dat het niet goed gaat met de stropdas. Een open overhemd, als ze dat tenminste nog dragen, tref je zowel aan bij studenten als 'randfiguren' en topmannen die er op die manier blijk van geven zich niets aan te trekken van welke kledingdiscipline dan ook. Ten tijde van de zogenoemde 'nieuwe' economie, toen de start-ups als paddestoelen uit de grond schoten, vond de pas afgestudeerde de stropdas even ouderwets als de monocle. Nu er moeilijker tijden zijn aangebroken, maken sommige bedrijven daar gebruik van door weer aan te dringen op het dragen ervan. Maar over het algemeen vervlakken de kledingverschillen, waarmee uitdrukking wordt gegeven aan het feit dat er een nivellering gaande is met betrekking tot de positie van mensen. Niet de rijken of de armen verdwijnen, maar de aanwijzingen waardoor we hen van elkaar kunnen onderscheiden. Vroeger kende ieder moment van de dag zijn eigen type kleding; voor een cocktailparty was een bepaald soort jurk vereist, die niet geschikt was voor een diner. Wie maakt zich tegenwoordig nog druk om dergelijke uitrustingen? Kleren zijn informeel geworden, casual. En het toppunt van slechte smaak, als we Armani mogen geloven, is 'try it too hard'.[8] De moderne versie van de hoepelrok, de vorm of het soort kledingstuk waar iedereen zijn eigen variaties op bedenkt, wordt gekenmerkt door haar algemeenheid. Drie van de belangrijkste vondsten van de twintigste eeuw op het gebied van de kledingmode – spijkerbroek, sportschoenen, T-shirt – worden gedragen zonder onderscheid in klasse, nationaliteit, geslacht of leeftijd.

In ieder geval is het, zoals het voorbeeld van Lacoste laat zien, niet zo dat het budget dat mensen aan hun kleding uitgeven per se weerspiegelt tot welke sociale klasse ze behoren. Om erachter te komen waar een kledingstuk vandaan komt is inmiddels een gestaalde blik nodig. Om zich van elkaar te onderscheiden zijn merken onderhevig aan het 'narcisme van de kleine verschillen', iedereen zoekt het 'kneepje' dat het grote verschil maakt. Dat kan de Notify-spijkerbroek zijn, 'met zijn luxedetails, zijn speciale patina, zijn vier verschillende pasvormen'.[9] Dat zijn ook de kledingstukken van Prada Sport, een op ruime schaal gekopieerde lijn die het lange tijd heeft gered dankzij een rood bandje waardoor het origineel van kopieën kon worden onderscheiden. Het detail heeft gewerkt tot het moment waarop grote merken die veel goedkopere kleding verkochten ook een rood bandje gingen gebruiken. Het moet gezegd dat dergelijke manoeuvres soms heel wat hoofdbrekens kosten. In de mannenmode zijn de nuances bijzonder moeilijk te onderscheiden. Veel niet-specialisten missen het vermogen om de pasvorm van een pak te beoordelen. De meest doorslaggevende vernieuwingen die op dit gebied zijn doorgevoerd zijn doorgaans onzichtbaar en hebben betrekking op de stoffen. Zo zijn sommige stoffen kreukvrij en andere elastisch terwijl ze er even traditioneel blijven uitzien als wollen stoffen: evenzovele subtiele vervolmakingen waardoor wij niet kunnen raden welke uitgaven er achter een stof schuilgaan. In een dergelijke context is de 'logomania' uiteraard een zegen.

Een heleboel artikelen onderscheiden zich slechts van hun concurrenten door de vermelding van het merk, dat goed zichtbaar op de achterzak van een spijkerbroek of op het doodgewoonste T-shirt wordt aangebracht. Als gevolg van de slechte verkoopcijfers van een van zijn collecties was Versace zo verstandig om het logo op zijn spijkerbroeken groter te maken; dat is schijnbaar waar zijn klanten op zaten te wachten om die producten weer te kopen. Die 'markeringen' stellen degenen die ze dragen in staat de wens zich te onderscheiden te verenigen met het verlangen ergens bij te horen. Logo's verfraaien vooral niet al te originele kledingstukken, bijna allemaal basics. Zo kunnen wij leven met de grote normativiteit van deze tijd.

Mensen van nu zijn geen grotere kuddedieren dan hun voorouders. Aan de andere kant legt deze tijd zijn normen op waar het om uiterlijk gaat. Zo spoort de sociale blik ons aan om de smalle weg te volgen die wordt afgebakend door trends en criteria van de goede smaak. Schoonheid is nagenoeg een culturele plicht geworden, zoals Bruno Remaury uiteen heeft gezet.[10] Dat verklaart waarom de consumptie van mode zo is uitgebreid, van crèmes en andere smeersels tot plastische chirurgie. De scalpel is een aanvulling geworden op de naald. Soms krijg je bij het doorbladeren van tijdschriften het vreemde gevoel dat een slimme verkoper aan verscheidene klanten dezelfde neus of lippen heeft verkocht. Iedere tijd heeft zijn eigen stijl van lichamelijke schoonheid, maar die van ons is de eerste waarin technieken worden ontwikkeld om het vlees grondig te kunnen modelleren. Op het gebied van uiterlijk is onze vrijheid in werkelijkheid grotendeels beperkt. Onze tijd beweert tolerant te zijn, maar die tolerantie is een vrome wens. Jean-Claude Kaufmann had in zijn studie over blote borsten[11] de gelegenheid om aan te tonen hoe normatief het strand kon blijken te zijn. Aanvankelijk werd topless in praktijk gebracht in naam van ieders strikt persoonlijke vrijheid. Toch bestaan er een hele hoop verboden die degenen die 'het zich kunnen veroorloven' onderscheiden van de anderen, die 'het beter zouden kunnen laten'. Mensen kunnen zich vandaag de dag niet onttrekken aan die sociale druk, evenmin als een acteur lak kan hebben aan de mening van het publiek.

HET IK ALS ULTIEME UTOPIE

Achter onze voorliefde voor mode bevindt zich die hartstocht die wordt opgewekt door het dierbaarste wat we hebben: onszelf. Het is inmiddels een afgezaagde constatering; geen enkele utopie is in staat ons gezamenlijk te mobiliseren. Zoals Tocqueville al vreesde, heeft de moderniteit een mens voortgebracht die zich voor de buitenwereld afsluit; na de mens te hebben afgezonderd van zijn tijdgenoten, 'brengt ze hem onophoudelijk alleen bij hemzelf en dreigt hem uiteindelijk geheel op te sluiten in de eenzaamheid van zijn eigen hart'.[12] In wat er tegenwoordig tot stand komt aan films en romans is een grote toename van het aantal navelstarende 'monsters' te zien: het archetype van deze personages is in het leven geroepen door Bret Easton Ellis in zijn roman *American Psycho*. Ellis voert een jongeman van zesentwintig jaar ten tonele, Patrick Bateman, dol op merken en kleding, half yuppie, half *serial killer*. Bateman is geobsedeerd door zijn 'ik', brengt uren door in de sportschool en bij de schoonheidsspecialiste, denkt na over wat hij zou kunnen of moeten consumeren, en snijdt soms, met zijn gemanicuurde nagels, zijn vriendinnetjes aan stukken. De laatste tijd zijn veel schrijvers geïnspireerd door seriemoordenaars: dat komt doordat ze met overdrijving het symbool zijn van een ziekte die psychiaters, vooral in de Verenigde Staten, fascineert, veel meer nog dan koopverslaving. Deze ziekte is de dissociatieve stoornis die in de wandeling wordt aangeduid als meervoudige persoonlijkheid.

De dissociatieve stoornis verklaart de obsessie om van identiteit te willen wisselen, om zichzelf te zijn en tegelijkertijd te proberen iemand anders te worden. Degenen die met een aantal in één lichaam leven zijn de nieuwe verworpenen der aarde. Wanneer ze aan het einde van de logica van deze tijd zijn gekomen hebben ze het 'gevoel dat ze niets meer zijn en nergens vandaan komen, duizelt het hun, oog in oog met hun eigen leegte, die de prijs wordt die ze moeten betalen voor een bepaalde manier om zichzelf te kunnen bezitten', zoals Marcel Gauchet het heeft geformuleerd.[13] Het tijdperk van de autonomie van het subject stelt het individu voor het probleem zichzelf te definiëren maar ook om naar de ander te gaan. Ook hier doet Bateman, het personage van Ellis, dienst als onthuller: zijn waanzin is een metafoor voor de moeilijkheden die onze medemensen ondervinden sinds wij modern zijn. Onze hechtingsstoornissen zijn de consequenties van onze narcistische obsessies.

De behoefte aan mode doet zich uiteraard voor tussen de volgende twee polen: het verlangen zichzelf te worden en de wens met de ander in contact te komen. Sommige ontwerpers hadden heel goed door wat de mode en de hechtingsstoornissen gemeen hadden. Calvin Klein heeft daar in zijn reclame-uitingen lang gebruik van gemaakt door naar het schijnt uiting te geven aan zijn eigen angsten. Zo ging een van zijn reclamefilmpjes over een stel dat elkaar in een lange gang zocht zonder elkaar te vinden. Andere spots lieten personages zien die lange existentiële monologen afstaken in een sfeer zo warm als een groot glas ijskoud water. Deze reclame-uitingen waren zo opmerkelijk dat ze in de Verenigde Staten aanleiding gaven tot hoogst vermakelijke parodieën. Porno-chic is onderhevig aan dezelfde interpretatie: mensen die niet in staat zijn om echte relaties met anderen aan te gaan. Glimmende lichamen verstrengelen zich met elkaar in relaties gebaseerd op overheersing of fetisjisme en er is nooit sprake van liefde; ze bootsen hoogstens liefdeshandelingen na.

Hechtingsstoornis is een gevolg van het onvermogen van de hedendaagse mens te weten wie hij is. Hij moet inmiddels zijn plaats vinden zonder hulp van wat voor traditie ook. De mode kan trachten die integrerende rol te spelen; ze stelt de mens in staat zich te bevestigen door zich te verzetten, ergens bij te horen door zich te onderscheiden. Maar de eenvoudige handeling die erin bestaat zichzelf te vormen door middel van identificatie wordt problematischer dan voorheen. Wie zijn onze voorbeelden? Onbereikbare sterren, de hoofdrolspelers uit reality-tv-programma's, politici? Ook vedetten zijn kwetsbaar: de uitzendingen waarin gevallen sterren over hun val komen vertellen nemen in aantal toe omdat vlagen van roem zich vandaag nog plotselinger voordoen dan gisteren. Ten slotte kost het ons net zo veel moeite om langdurig met dezelfde idolen te leven, als in het dagelijks leven met gewone mensen. Zelfs als deze zoektocht naar een identiteit geen ziekelijke wending neemt, bemoeilijkt hij onze relaties met anderen, zoals de ontwikkelingen in partnerrelaties tegenwoordig laten zien.

Geconfronteerd worden met de ander en geconfronteerd worden met jezelf zijn twee kanten van eenzelfde medaille, zoals Marcel Gauchet heeft benadrukt.[14] We kunnen niet zonder anderen; toch is het steeds moeilijker geworden om met hen samen te leven. Iedereen wordt heen en weer geslingerd tussen de aanvechting om de ander af te schaffen en de verleiding om in voortdurende verbondenheid met de ander te leven.[15] Maar het is moeilijk de ander echt te voelen, te ruiken: de ander kan een geur hebben, als het maar niet de geur is die zijn lichaam van nature verspreidt. Daar komt waarschijnlijk de verbazingwekkende voorliefde voor parfum vandaan, die kledij die op de huid zelf wordt gedragen. Trends leveren op dit gebied vaak verrassende resultaten op: wie midden in een mensenmassa zijn ogen sluit ruikt de hardnekkige geur van het parfum dat in de mode is.

Met het benoemen van deze moeilijkheden, die slechts enkele voorbeelden vormen, wordt de antropologische kentering gepeild die zich aan het voltrekken is, een gevolg van de overgang van de traditionele maatschappij naar de hedendaagse wereld. Deze crisis, die zich toespitst op het individu en zijn relatie tot de ander, werpt licht op onze verhouding tot de mode: ze verklaart waarom dit verschijnsel inmiddels de plaats inneemt die het heeft. We zouden deze veronderstelling zelfs nog wat zwaarder kunnen aanzetten en de volgende hypothese kunnen formuleren: er bestaat een correlatie tussen deze antropologische crisis en de betrekkingen die iedere samenleving met de mode onderhoudt.

Met het begrip antropologische crisis zijn we niet zo bekend als met dat van economische crisis. Deze laatste wordt dagelijks beschreven en laat zich gemakkelijk kwantificeren via verschillende indicatoren, van de werkloosheid tot de belangrijkste tekorten. De antropologische crisis is daarentegen moeilijker af te bakenen. Ze verwijst naar alle uitingen van het door de moderniteit veroorzaakte onbehagen. Deze kunnen de meest uiteenlopende vormen aannemen, van echtscheidingen en andere breuken tot het gebruik van drugs en psychofarmaca. Zo kan bijvoorbeeld depressie worden geïnterpreteerd als een symptoom van de moeilijkheden waarmee mensen in deze tijd te maken krijgen; zoals Alain Ehrenberg heeft beweerd, 'is de gedeprimeerde niet tegen zijn situatie opgewassen, hij heeft er genoeg van om zichzelf te moeten worden'.[16] De traditionele samenleving kon frustraties of dilemma's opleveren, maar vrijwaarde het individu in ieder geval van de plicht op zoek te gaan naar een identiteit.

In deze context zouden we ons kunnen voorstellen dat iemands verhouding tot de mode zijn angst 'om zichzelf te worden' verraadt. De verhouding tot trends en merken die in een samenleving wordt geconstateerd zou dus kunnen samenhangen met de omvang van de antropologische crisis in die samenleving. Het voorbeeld van Japan lijkt deze hypothese te staven. Zoals bekend heeft de archipel een zeer bijzondere verhouding tot de mode ontwikkeld: de populatie van fashion victims in dat land is buitengewoon groot. Bepaalde merken, zoals Vuitton, worden echt vereerd; de feestelijke opening van een winkel kan hysterische mensenmassa's op de been brengen. Iedereen kent ook de handeltjes bedoeld om 'grijze producten', oftewel authentieke handelswaar die in alternatieve circuits tegen lagere prijzen wordt verkocht, Japan binnen te krijgen. Zo zijn vele Parijzenaars al eens door een Japanner aangehouden die hun vroeg voor hem of haar een tas bij Vuitton of Dior te kopen; deze merken zijn wantrouwig jegens valse toeristen die geen inkopen doen voor persoonlijk gebruik maar om de grijze markt te voeden. Daarentegen nemen echte Japanse toeristen deel aan ware 'shoppingsafari's', waar de buit wordt vervangen door aankopen in luxewinkels waar touroperators hen stelselmatig heen brengen. De honger van de Japanners naar merken lijkt soms geen grenzen te kennen; het verschijnsel beperkt zich niet tot de *bodikons*, een samentrekking van *body conscious*. Het raakt beide seksen en alle sociale lagen, getuige de serene managers die ineens zijn uitgemonsterd met een attachékoffertje met het monogram 'Louis Vuitton' of een Gucci-hoedje. Sommige licenties zijn speciaal ontwikkeld met het oog op Japan, zoals zakdoeken met de afbeelding van een merk of de koordjes voor mobiele telefoons, waarop bedrijven aanzienlijke winsten maken.

Decennialang werd Japan door modebedrijven beschouwd als een eldorado. Sommige merken beleefden er een tweede jeugd, zoals Courrèges of Léonard. Toen brak er een crisis uit in de archipel: een economische crisis, die te maken had met het uiteenspatten van de financiële zeepbel, maar ook een andere crisis, die even diepgaand was en te maken had met het verdwijnen van de traditionele samenleving. Het is dan ook verleidelijk om deze situatie in verband te brengen met de bezeten modeaankopen waaraan sommige Japanners zich overleveren. Er zijn veel symptomen van de Japanse malaise. Wat het aantal echtscheidingen betreft haalt het land het Westen in, maar bovenal ligt het initiatief daartoe vaker bij de vrouw, soms na een langdurig gezamenlijk leven. Deze situatie laat aan één kant de autonomie zien die Japanse vrouwen hebben veroverd, vooral via hun massale toetreding tot de arbeidsmarkt, en aan de andere kant hun diepgaande ontevredenheid: de toename van het aantal echtscheidingen is het onherroepelijke gevolg van een levensstijl die steeds meer als vervreemdend wordt ervaren. Tegelijkertijd zijn er onder de Japanners nog nooit zoveel alleenstaanden geweest: in Tokio leefde in 2002 60 procent van de vrouwen jonger dan dertig jaar nog alleen of bij hun ouders; in 1980 gold dat voor 37 procent.[17] Daarnaast neemt het aantal sociale fobieën zo ernstig toe dat het een echt probleem voor de volksgezondheid vormt.[18] Contact met anderen is moeilijk geworden, getuige de levensstijl van de jongeren met de bijnaam *Otaku* (letterlijk 'huis'): deze jongeren, die weinig de deur uit komen, en dan voornamelijk om te winkelen, leven afgesloten van de buitenwereld, tussen hun gamepanelen, hun televisie en hun computer. In zekere zin leven ze in merkenland, omringd door commerciële producten. Deze nieuwe soort autisten heeft een nieuwe taal bedacht, op basis van merken en trends.

Mensen van deze tijd kunnen mode lezen en schrijven. Het systeem van merken en trends is een belangrijke component van het sociale spel geworden, en via dit systeem wisselen mensen tekens en codes uit. Het kan gaan om schoenen van Manolo Blahnik uit de serie *Sex and the City*, of om het Nike-petje bij bepaalde bendes uit de voorsteden. Dankzij deze verschillende voorwerpen kunnen individuen hun uiterlijk in een verhaal omzetten.

Door zich aan dit sociale spel over te leveren – een stijl uitkiezen, zich met merken tooien – voldoet het individu aan een van de wezenlijke behoeften van de mens: verhalen vertellen, aan zichzelf evengoed als aan anderen, nu eens de verteller zijn, dan weer de lezer. Zoals de filosoof Paul Ricoeur[19] heeft benadrukt, is identiteit onlosmakelijk verbonden met een vertelling. Het idee dat ons leven er niet toe zou doen, of dat er niet meer over zou worden verteld, wekt in ons een intens gevoel van verlatenheid.[20] Volgens sommige gewaagde veronderstellingen op het gebied van de cognitieve wetenschappen geniet het verhaal zelfs een bijzondere status in onze geest. Enkele voorbeelden lijken voor deze stelling te pleiten. Zo slaan onze hersenen moeiteloos verhalen op, terwijl een lijst met cijfers veel problematischer is, iets wat bij kinderen bijzonder frappant is. Ook hebben psychologen opgemerkt dat wij bij het nemen van belangrijke beslissingen de neiging hebben om de werkelijkheid opnieuw gestalte te geven in de vorm van verhalen.[21]

Eeuwenlang was religie de belangrijkste bron van geschiedenis, het metaverhaal, zoals zij soms wordt genoemd. In het Westen waren er de bijbel en uiteenzettingen over legendarische verrichtingen van heiligen en vooraanstaande figuren. Tegenwoordig behelst vernieuwing niet het bestaan van een virtuele wereld, en zelfs niet een fascinatie met voorwerpen. Ook de mensen uit de middeleeuwen leefden in een wereld waar het bovennatuurlijke en het onwerkelijke soms belangrijker waren dan de werkelijkheid.

Vele voorwerpen, relieken van heiligen of apostelen, werden zodanig vereerd dat vervalsers op het idee kwamen ze na te maken en de vervalsingen te verkopen. Maar in die samenleving werd de fantasie bepaald door de religie. Het verdwijnen daarvan heeft dus nog een extra lege plek achtergelaten en bijgedragen tot de ontgoocheling van onze wereld. Weliswaar hebben ideologieën een tijdlang de plaats van religie ingenomen, maar deze zijn er nu slecht aan toe. Deze leegte wordt dan ook gedeeltelijk opgevuld door 'wereldlijke verhalen' die door verschillende media worden verspreid: literatuur, televisie, film, stripverhalen of videospelletjes.

In die zin is Emma Bovary het personage dat de hedendaagse mens volmaakt symboliseert in haar verlangen naar een verhaal, in haar dorst naar dromen. Flauberts heldin lijkt op ons: voortdurend onbevredigd vlucht ze in clichés en romantische verwachtingen. Na een paar wegen te hebben genomen die dood bleken te lopen stort Emma zich in dwangmatige kleding- en interieuraankopen. Haar onvermogen om haar schulden het hoofd te bieden, het vooruitzicht in diskrediet te worden gebracht, zal haar ertoe brengen de fatale daad te begaan. Wereldlijke verhalen en voorwerpen kunnen niet zo goed troost bieden als hun religieuze voorgangers; toch zijn het de enige waar we makkelijk toegang toe hebben. Zodoende proberen merken en mode zo goed mogelijk te voldoen aan onze behoefte aan fictie. Het is moeilijk te zeggen of de slachtoffers van koopdwang blijk geven van een radicale behoefte aan fictie, die ze op buitensporige wijze uitdrukken in hun verhouding tot voorwerpen, of dat ze uiteindelijk juist zijn vergeten dat de voorwerpen er vooral waren om verhalen te vertellen.

Om zo veel mogelijk producten te verkopen vertellen sommige merken eenvoudige verhalen: Ralph Lauren roept een nep-Amerika op, andere merken bouwen een complexere wereld, zoals Agnès B., die een greep doet in het pantheon van Parijse intellectuelen en er niet voor terugschrikt Jean-Luc Godard te hulp te roepen. Iedere ontwerper zet zijn eigen verhaal in: de schoenontwerper Bruno Frisoni komt bijvoorbeeld met 'thema's als matador, Masaï, preppy (klassieke chic), zachte kleuren, Indiase vrouwen uit de achttiende eeuw, de kleur van Engelse thee, eenvoudige en natuurlijke materialen'.[22] Trends vertellen verhalen, zoals die slipjes in zuurstokkleuren en met tulen randjes, ontworpen door Frilly en Racy, die iets weg hebben van de stroming 'ik kom tot bloei in mijn boudoir'.[23] De thema's van de foto's in de bladen roepen werelden met suggestieve namen op: Madama Butterfly, Geest van de *fifties*, Muze, enzovoort. In die verhalen laten de beelden de woorden achter zich en geven zo des te meer ruimte aan de verbeelding. Men kan deze inderdaad naïef vinden als fabeltjes voor volwassenen. Maar toch kunnen ze dankzij deze naïviteit een scherm worden waarop onze dromen en fantasieën kunnen worden geprojecteerd; ze dienen ons als alfabet om onze eigen verhalen mee te schrijven. In alle beschavingen heeft de mens een bijzonder belang toegekend aan de tekens waarvan hij zijn lichaam heeft voorzien. Onze tijd is geen uitzondering op die regel, maar onze samenleving onderscheidt zich doordat ze de eerste is die wordt beheerst door individuele en gemeenschappelijke verhalen. Religie is niet langer de ordenende factor van de sociale ruimte, die niet meer in rep en roer wordt gebracht door strijd en grote verwachtingen. Vandaag de dag vertelt het individu in zijn verhalen over zichzelf. Deze houding plaatst hem in een ironische positie tegenover de wereld.

MODE ALS IRONIE

Merkwaardigerwijs houdt de laatste mode de dode talen in ere. Dankzij de mode zijn we nog nooit met zoveel personen – van het Latijnse *persona*, dat zowel 'persoon' als 'masker' betekent – geweest. 'Sua cuique persona': 'ieder zijn masker' of 'ieder zijn persoonlijkheid', zoals een schilderij van de Florentijn Ghirlandaio verkondigde! Inmiddels kan iedereen een eigen identiteit kiezen en van hoofd of lichaam veranderen om eindelijk het hoofd of lichaam te krijgen dat hij verdient. De mode is een aangenaam antwoord op die ernstige zorg: ze bevredigt het speelse kind in ons. Voor het eerst mengt frivoliteit zich in het proces van identiteitsvorming.

In het centrum van dit spel bevindt zich de dandy, herkenbaar aan zijn ironische kijk op het bestaan. De dandy leeft gevaarlijk; volgens een van de beroemdsten onder hen, de schrijver Barbey d'Aurevilly,[24] draait zijn bestaan om drie werkwoorden: 'zich aankleden, kletsen en zich uitkleden, ziedaar een deel van de belangrijke beslommeringen hier'. Maar dit personage mag niet worden verward met kledij die op zichzelf functioneert. Totaal ontgoocheld gelooft hij uiteindelijk alleen nog in zichzelf. Hij streeft er dan ook naar zijn leven tot een kunstwerk om te vormen, overal te zijn waar hij niet wordt verwacht. Zijn kleding is zijn masker; dankzij zijn kleding kan hij in gezelschap verkeren zonder er helemaal te zijn. In die zin is hij ironisch, daar ironie, zoals Vladimir Jankélévitch[25] beweerde, gelijk is aan afwezigheid. Tegenwoordig probeert ieder van ons afwezig te zijn, en de mode geldt als een goede manier om dat te bereiken. Voorheen waren er beschavingen gebaseerd op schaamte en schuld; de hedendaagse wereld is een cultuur van de ironie aan het ontdekken. In ons contact zowel met anderen als met de werkelijkheid spreken wij in ironie. De mode symboliseert de invloed van de ironie op onze wijzen van bestaan.

Ironie is een onontkoombaar esthetisch uitgangspunt geworden. Ze herkent de designer van het moment of het restaurant waar je gezien moet worden. Een duidelijk referentiepunt is Philippe Starck, de beroemdste van alle ontwerpers, die van ironie zijn handel heeft gemaakt. De gerenommeerde hotels die hij overal ter wereld heeft vormgegeven brengen door het contrast de ernst van luxehotels aan het licht. In de door Starck ontworpen hotels staan tuinkabouters naast matstalen reuzenkiezen en zijn Louis-XVI-stoelen bedekt met luipaardstof. Dezelfde tegenstellingen zijn te vinden op culinair gebied. Zo ontdekte Parijs twee jaar geleden tot zijn verbijstering de 'cocakip', een uitvinding die al tot de eregalerij van de ironie behoort. De gastronomie zal waarschijnlijk een bescheidener plekje voor deze vondst reserveren. Het recept bevatte overigens net voldoende coca om de ironie van het gerecht te rechtvaardigen. Als er meer van werd gebruikt, zou het oneetbaar zijn geworden.

De ironische houding voorziet deze tijd op volmaakte wijze van kleding; de mode doet een beroep op alle functies van deze methode. Ironie kent twee functies[26]: ten eerste verwijst ze naar een esthetisch criterium dat opkwam met de moderniteit en de romantiek en volgens welk alles kunst kan worden door een persoonlijke beslissing van de maker of de koper. Inmiddels voelt de mode zich dus minder alleen; ze wordt niet meer onderscheiden door haar onverschilligheid ten aanzien van wat mooi en lelijk is. Maar ironie is ook een houding die één en dezelfde persoon in staat stelt kritiek en instemming te combineren. Dankzij de ironie is het inmiddels mogelijk dat iemand op basaal niveau een kitsch- of retrovoorwerp mooi vindt en tegelijkertijd op een hoger niveau doet alsof hij zijn neus ervoor ophaalt. Door dit soort bewuste onoprechtheid kunnen mensen zich hullen in logo's ondanks de onverschilligheid die ze ervoor tentoonspreiden. Dit gedrag laat zich niet verklaren door het onbewuste van mensen; het staat hun toe te *hebben* zonder te *zijn*. Zoals de filosoof Dan Sperber heeft benadrukt is ironie een kwestie van benoeming en niet van gebruik. Zo citeren volwassenen 'Hello Kitty', de heldin van een Japans stripverhaal voor kinderen, lezen ze gretig hun horoscoop terwijl ze beweren er niet in te geloven... Door te ironiseren verwerft iemand extra vrijheid.

Degenen die de mode op de voet volgen kleden zich niet meer, ze ironiseren. Dankzij kleren kunnen we een pak aantrekken en iemand anders zijn, ons als een hippie kleden en op de beurs spelen, een combatbroek dragen en tegen de oorlog gaan demonstreren, ervoor kiezen een bimbo te zijn en toch kuis blijven, een allervriendelijkste bodybuilder zijn, merkkleding kopen zonder ons door die poppenkast in de luren te laten leggen... De hedendaagse mode heeft garen gesponnen bij de ironie. In de jaren vijftig van de twintigste eeuw ontwierp Dior grandioze modellen, maar alles in zijn creaties ademde ernst. En hij was uiteraard niet de enige: alle grote couturiers uit die tijd gingen op dezelfde wijze te werk. We hoeven hun stijl maar te vergelijken met die van een Jean-Paul Gaultier of van Dolce & Gabbana. Enerzijds bloedstollend mooie kleren; anderzijds outfits met een opeenstapeling van citaten, afstand en soms zelfs spot. Van de weeromstuit heeft de modepers een volkomen nieuw literair genre gefabriceerd. Bij wijze van experiment zou iemand eens kunnen proberen een modetijdschrift te herschrijven zonder ironie. Het is geen mission impossible maar er zal een ander blad ontstaan. Voorbeelden: wat moet er gebeuren met de 'dadamestas', hoe zal er gesproken worden over de 'dode-lijk mooie' look, hoe moet een artikel getiteld 'Nooit too much: de vetste sieraden' worden herdoopt? De modewereld is gek op iro-nie; men verdringt elkaar op feestjes van David en Cathy Guetta, die ze slim 'Fuck me I am famous' hebben genoemd. Ook al zijn er misschien mensen die door deze benaming van hun stuk worden gebracht, ze heeft de verdienste citaat, afstand en spot in zich te verenigen.

De grote romanschrijvers van de negentiende eeuw, Flaubert en Stendhal, waren de eersten die echt ironiseerden. Tegenwoor-dig nemen we die ironische stijl over om ons eigen leven te schrij-ven. Die fictie helpt ons de wereld leefbaar te maken; ze stelt ons in staat zowel acteur als toeschouwer te zijn van het schouwspel dat we willen beleven. Het verdwijnen van de grote religieuze of politieke verhalen dwingt ons de ontstane leegte te vullen met een groot aantal kleine verhalen. Deze worden geschreven binnen de ruimte die is gecreëerd door ironische distantie, op gevaar af dat er geen plaats meer is voor het collectieve verhaal dat tot dan toe als stramien diende voor alle samenlevingen.

CONCLUSIE

Ironie past goed bij het individu, maar slecht bij de sociale samenhang. Zoals Paul Zawadzki heeft benadrukt, maakt ze het nog moeilijker 'het individu symbolisch te laten aansluiten bij een gemeenschappelijke ontwikkeling en een gemeenschappelijk gezond verstand die het in staat zouden stellen zichzelf te zien als een tijdgenoot van zijn tijdgenoten, met andere woorden een samenleving te vormen'.[1] Door steeds maar op zoek te gaan naar zijn uniciteit loopt het individu het risico alleen begrijpelijk te worden voor zichzelf – de samenleving wordt dan een verzameling van isolementen.

Het uiteenvallen van de gemeenschap vormt een van de grote angsten van deze tijd, en lijkt bijzonder moeilijk te bestrijden. Een groot aantal mensen is het erover eens dat dit te wijten is aan het kapitalisme, dat ervan beschuldigd wordt de samenleving in een markt en de burgers in consumenten te veranderen. Ogenschijnlijk is onze relatie tot mode een bewijs temeer van onze verslaving aan voorwerpen. Toch is onze preoccupatie met trends niet de oorzaak van ons onbehagen; ze belichaamt er hoogstens een van de symptomen van. De andersglobalisten stellen de merken en multinationals verantwoordelijk; ze verwarren oorzaak en gevolg. De kwaal waaraan wij lijden verbergt een beschavingscrisis en niet een eenvoudige keuze voor een samenleving. Overigens getuigt de moeite die critici van het kapitalisme hebben met het opstellen van een alternatief plan ervan hoe ernstig wij eraan toe zijn.

In deze context consumeren onze tijdgenoten zoals anderen opium gebruiken. Net als bij echte drugs gaat deze verslaving gepaard met tweeslachtige, soms zelfs tegenstrijdige reacties. Maar paradoxaal genoeg kan de mode, in dit klimaat waarin alles losser wordt, ons helpen in de ander een ander zelf te ontdekken. Uiteindelijk zou dit schouwspel van duizenden mensen die zich eender gedragen, ons een universele moraal kunnen verschaffen. De banden tussen mensen worden steeds losser, hun gedrag lijkt te worden beheerst door individualisme en dan duikt met de mode, net zoals bij verdringing, ineens het gemeenschappelijke op. Dit lijkt zo verrassend dat men zich de onwaarschijnlijkste complotten voorstelt alvorens zich te schikken in deze waarheid van het gezond verstand: de mensen ontwikkelen een gemeenschappelijke smaak omdat ze steeds meer op elkaar zijn gaan lijken. Bij gebrek aan woorden zouden de dingen ons kunnen helpen om weer het gevoel van eenheid te ervaren.

Een aandachtige beschouwing van deze nieuwe relatie van de mens tot de dingen kan ons twee conclusies opleveren. De eerste is onheilspellend: als alleen consumptie ons tot elkaar brengt, zal onze toekomst op een nachtmerrie lijken. De mensen zullen zich in grote winkelcentra verspreiden, waar schitterende merken hen voorzien van armzalige dromen. Op hoogtijdagen wordt er een nieuw merk gevestigd aan de winkelpromenade, of er verdwijnt er een: dat heet dan een belangrijke gebeurtenis. Maar er bestaat ook een alternatief voor die nihilistische zienswijze. Vóór ons hebben de dingen mensen er niet van weerhouden te denken, te leven en lief te hebben. Laten we dus wensen dat we er, door de voorwerpen heen, in slagen een nieuwe taal uit te vinden die onze relatie tot de wereld en tot de anderen symboliseert. Zoals Paul Ricoeur heeft benadrukt, geeft de mensheid 'tekens van zijn eigen bestaan. Die tekens begrijpen is de mens begrijpen.'² De werkelijkheid is een verwonding; wij hebben verhalen nodig om de pijn ontstaan uit het contact met de werkelijkheid te verzachten. Kleren zouden dus onze favoriete overgangsobjecten kunnen worden.

NOTEN

Woord vooraf

1. Raymond Boudon, *L'Art de se persuader des idées douteuses, fragiles ou fausses*, Fayard, Parijs, 1990, p. 7.

Woord vooraf bij de Nederlandse vertaling

1. Geciteerd door *Le Figaro*, 28 oktober 2005.

Inleiding

1. Christian Lacroix, in *Repères modes et textiles*, IFM, Parijs, 1996, p. 55.
    2. Naomi Klein, *No Logo*, Lemniscaat, Rotterdam, 2001.

1 De opkomst van de couturier

1. Geciteerd door Didier Grumbach, *Histoires de mode*, Seuil, Parijs, 1993, p. 19.
    2. Charlotte Seeling, *Mode. Das Jahrhundert der Designer 1900-1999*, Könemann in der Tandem Verlag, 1999, Königswinter.
    3. Paul Poiret, *En habillant l'époque*, Grasset, 1986, Parijs, p. 47.
    4. *Op. cit.*, p. 52.
    5. Geciteerd door Laurence Benaïm, *Yves Saint Laurent*, Grasset, Parijs, 1993, p. 37.
    6. Norbert Elias, *Mozart. Zur Soziologie eines Genies*, red. M.

Schröter, Surhkamp, Frankfurt am Main, 1991.

7. Isabelle Fiemeyer, *Coco Chanel, un parfum de mystère*, Payot, Parijs, 1999, p. 37.

8. Marie-France Pochna, *Christian Dior*, Flammarion, Parijs, 1993, p. 191.

9. *Op. cit.*, p. 70.

10. Hij verklaart: 'Ze was een heel mooie vrouw. Nu is ze achtenzestig, ze behoort tot de generatie van de jaren zestig. Op haar twintigste showde ze badpakken, er zijn foto's van haar in bikini's met luipaardprint. [...] Ze was, en is nog steeds, een heel glamoureuze vrouw, met een hele hoop sieraden, een fonkelende garderobe, ze was dol op alles wat glom. [...] Bovenal was ze gefascineerd door Hollywood, door zwart-witte Hollywoodfilms, vooral die van Fred Astaire en Ginger Rogers. Ze zag die films op tv en wist alles van ze. Ik hield ook van die films, van de glamourkant, de romance, het mysterie, de schittering, de verhalen die altijd goed aflopen. Ik ben raar opgevoed, vooral voor een jongen.' *Mixt(e)*, voorjaar-zomer 2002.

11. 'Verbatim', *Le Monde*, 9 januari 2002.

12. Georg Simmel, *Philosophie des Geldes* (1900), Suhrkamp Verlag, Frankfurt am Main, 1989.

13. *Citizen K*, nr. 21, winter 2001-2002.

14. Edgar Morin, *Les Stars*, Seuil, Parijs, 1972.

15. *Op. cit.*, p. 102.

16. *Le Monde*, 19 mei 2001.

17. Pierre-Michel Menger, *Portrait de l'artiste en travailleur*, Seuil, Parijs, 2002.

18. *L'Express*, 1 maart 2001, p. 20.

19. *Elle*, 5 juli 1999.

20. *L'Express*, 2 januari 2003.

21. *Ibid.*

22. Gesprek met Jean-Louis Dumas, *Analyse financière*, maart 1997, nr. 110, p. 10.

23. Walter Benjamin, 'Het kunstwerk in het tijdperk van zijn technische reproduceerbaarheid' (1935), in: *Het kunstwerk in het tijdperk van zijn technische reproduceerbaarheid en andere essays*, SUN, Nijmegen, 1985. Zie over dit onderwerp ook Yves Michaud, *La crise*

de l'art contemporain, P U F, Parijs, 1997.
24. Walter Benjamin, 'Het kunstwerk in het tijdperk van zijn technische reproduceerbaarheid', in: *op.cit.*
25. In het eerste halfjaar van 2002 was 'N° 5' het tweede parfum voor vrouwen in Frankrijk (na 'Angel' van Thierry Mugler).
26. Geciteerd door Marie-France Pochna, *Christian Dior, op. cit.*, p. 264.

2 Het mirakel van het merk

1. Max Weber, *Die protestantische Ethik und der Geist des Kapitalismus*, red. Dirk Kaesler, Verlag C. H. Beck, München, 2004.
2. *Op. cit.*
3. Geciteerd door Airy Routier, *L'ange exterminateur. La vraie vie de Bernard Arnault*, Albin Michel, Parijs, 2003, p. 29.
4. Sara Gay Forden, *House of Gucci. A Sensational Story of Murder, Madness, Glamour, and Greed*, HarperCollins, New York, 2000.
5. Stéphane Marchand, *Les guerres du luxe*, Fayard, Parijs, 2001, p. 21.
6. *Vogue Homme*, mei 2001, p. 105.
7. *Le Figaro*, 17 april 2001.
8. *Ibid.*
9. Een onderzoek laat zien dat de omzet van modehuizen buiten hun oorspronkelijke branche het niet mogelijk maakt de sterke merken van de andere te onderscheiden. In 1994 was de omzet van merken als Givenchy buiten de haute couture 4,25 maal hoger dan erbinnen. Voor Dior stond deze coëfficiënt – een absoluut record – op 6,25 (tegen 5,7 voor Yves Saint Laurent). Minder prestigieuze merken behaalden vergelijkbare resultaten: Montana 5,6 en Lapidus 4,1. Weliswaar is de omzet van de eerstgenoemde merken aanmerkelijk hoger dan die van de andere, maar afgezien van die discrepantie betekenen deze gelijksoortige opbrengsten dat het mogelijk is uit een merk, ongeacht de aard ervan, verhoudingsgewijs identieke inkomsten te halen. (Berekeningen van Alain Petitjean, in *Le luxe ou l'écho du désir*, Eurostaf, Parijs, 1998, p. 53.)
10. Voor de rest vertegenwoordigen cosmetica en parfum 25

procent van de omzet van het merk, brillen 14 procent en horloges en sieraden 5 procent (*Journal du textile*, 21 april 2003).

11. De statistiek geldt voor het jaar 2002. LSA, 3 april 2003, p. 23.

12. Zo blijft de omzet van Nike sinds 1996 maar schommelen, van 8,78 miljard dollar (het laagste niveau) in 1998-1999 tot 10,7 miljard nu (*Les Échos*, 1 juli 2002, p. 14).

13. De investeringen die nodig zijn om deze strategie succesvol te laten verlopen liggen op hetzelfde niveau als het vastgestelde doel: in 2001 werd er 80 miljoen euro geïnvesteerd in het netwerk van verkooppunten; in 2002 werd er 20 miljoen euro geïnvesteerd in alleen al het verkooppunt in Omotesando (waar ook een schoonheidsinstituut in zit), en 5 miljoen euro in elk van de hautecouturecollecties, oftewel een miljoen per show (*Capital*, oktober 2002).

14. De omzet van Dior mode is van 1998 tot 2001 met 75 procent toegenomen. Nu bedraagt deze een derde van de parfumomzet, een miljard euro voor 2001, een stijging van 30 procent in drie jaar. Sommige artikelen worden tegen luxeprijzen verkocht alsof het om massaproducten gaat. Het luxemerk, dat in 2001 verliesgevend was, behaalde in 2002 een positief resultaat. Maar het indrukwekkendst is de omzet, die tussen 2001 en 2002 met 41 procent toenam, oftewel 492 miljoen euro (*Journal du textile*, 26 mei 2003).

15. Schatting voor 2002 van het instituut Interbrand, dat op het moment toonaangevend is op dit gebied.

16. Zoals men zich zal herinneren, was er in die tijd niet meer nodig dan computerapparatuur, een paar pubers en een 'merk' waar '.com' achter was geplakt, om een grotere waarde te vertegenwoordigen dan British Airways. Een typerend voorbeeld: in 1999 had een bedrijf met de naam Boo.com besloten een Colette op wereldschaal te worden. Helaas, het team vrolijke gasten dat deze wereldwijde winkel in het leven riep slaagde er slechts in het geld van de aandeelhouders te verkwisten. En dit merk was uiteindelijk geen stuiver meer waard. (Zie over de 'nieuwe economie' Frédéric Lordon, *Fonds de pension, piège à cons?*, Raisons d'agir, Parijs, 2000.)

17. Hoewel in Frankrijk de binnenlandse consumptie tussen 1980 en 1996 met 40 procent is gestegen, zijn de uitgaven voor kle-

ding slechts met 10 à 15 procent omhooggegaan, afhankelijk van het artikel. In 2001 bedroegen de kledingaankopen op jaarbasis 541 euro voor een vrouw, 363 euro voor een man, 337 euro voor een kind en 548 euro voor een zuigeling; alleen in de laatste twee categorieën was er sprake van een toename. Maar het meest verontrustende feit voor de sector is waarschijnlijk dat de kledingprijzen over deze periode in het algemeen afnamen. De gemiddelde prijs van een mantelpakje is van het equivalent van 219 euro in 1999 gedaald naar 179 euro in 2001. Een kledingstuk voor mannen met een verkoopprijs van 100 franc in 1990 ligt nu in de winkel voor het equivalent van 85 franc. Cf. Nicolas Herpin en Daniel Verger, *La consommation des Français*, deel 1, La Découverte, Parijs, 2000, p. 71.

18. Geciteerd door *The Economist*, 23 maart 2002.

19. *Ibid.*

20. Jack Goody, *Representations and Contradiction. Ambivalence Towards Images, Theater, Fiction, Relics, Sexuality*, Blackwell, Oxford, 1997.

21. Alexis de Tocqueville, *De la démocratie en Amérique*, deel 11, Flammarion, Parijs, 1981, p. 64.

22. Respectievelijk 1500, 1200 en 300 artikelen. Onderzoek van Edelman, *Journal du textile*, 14 oktober 2002.

23. Onderzoek van R I S C 2000, geciteerd door Elyette Roux, in *Le luxe éternel, de l'âge du sacré au temps des marques*, Gallimard, Parijs, 2003, p. 154.

24. De bevoorrechten behorend tot de klasse die zo wordt genoemd, hebben de vrije beschikking over een nettovermogen van minimaal een miljoen euro, en geschat wordt dat hun aantal tot 2005 met 50 procent zal stijgen.

25. *Management*, september 2001, p. 29.

26. Met dank aan Serge Liminana, die mij op de hoogte heeft gesteld van het Sorgem-onderzoek naar jongeren in de voorsteden, dat hijzelf heeft uitgevoerd in opdracht van het Parijse openbaarvervoerbedrijf R A T P.

27. Michèle Lamont en Virag Molnar, 'How blacks use consumption to shape collective identity', in: *Journal of Consumer Culture*, dl. 1, nr. 1, 2001, p. 31-45.

28. 'Hussein didn't want to do anything conceptual for men',

Fashion Wire Daily, 9 juli 2002.

29. JTN *Monthly*, februari 2001, p. 14.
30. Interview met Tadashi Yanai, *DrapersRecord*, 20 oktober 2001, p. 32.
31. Voornamelijk Michel Klein, Comme ça du Mode en ISM (*Le Figaro*, 28 januari 2002).

3 Mode is overgeleverd aan willekeur

1. Zie verderop in 'Mode is wat uit de mode raakt'.
2. *Citizen K*, nr. 21, winter 2001-2002.
3. Michelle Lee, *Fashion Victim*, Broadway Books, New York, 2003, p. 36.
4. Zie over Alfred Kroeber bijvoorbeeld Roland Barthes, *Le bleu est à la mode cette année*, Éditions de l'IFM, Parijs, 2001, p. 106-107.
5. Zie over voornamen Philippe Besnard en Guy Desplanques, *La cote des prénoms 2004: connaître la mode pour bien choisir un prénom*, Parijs, Balland, 2003, en Stanley Lieberson, *A Matter of Taste*, Yale University Press, New Haven, 2000.
6. Li Edelkoort, Nelly Rodi en Peclers zijn drie van de bekendste.
7. *Le Figaro*, 6-7 oktober 2001.
8. *Strategieseurope*, januari 2001.
9. *L'Officiel*, mei 2003, p. 27; Li Edelkoort onderscheidt zich vaak met gewaagde voorspellingen. Zo deinsde ze er in 1990 niet voor terug het volgende te zeggen: 'We moeten misschien weer terug naar gedrag van vroeger (het parket boenen, boeken lezen...) om weer modern te leren zijn' (Li Edelkoort, *Glamour*, september 1990). Boeken lezen: een gewaagd voorstel! Dan liever het parket boenen.
10. Interview met Helmut Lang in: Charlotte Seeling, *Mode. Das Jahrhundert der Designer 1900-1999*, Könemann in der Tandem Verlag, 1999, Königswinter.
11. Wassily Kandinsky, *Über das Geistige in der Kunst insbesondere in der Malerei*, München, Piper, 1912.
12. WWD, 23 mei 2003, over Edward B. Keller en Jon Berry, *The*

Influentials, Simon and Schuster, New York, 2003.
13. Vance Packard, *The Hidden Persuaders*, Longmans, Londen, 1957.
14. N. K. Jack en B. Schiffer, 'The limits of fashion control', in: *American Sociological Review*, deel XIII, nr. 6, december 1948, p. 730-739.
15. Georg Simmel, 'Die Mode', in: *Philosophische Kultur*, Alfred Kröner Verlag, Leipzig, 1919.
16. *Ibid.*
17. James Laver, geciteerd door Quentin Bell, *On Human Finery*, Hogarth Press, Londen, 1947.
18. Interview met Helmut Lang in Charlotte Seeling, *op. cit.*
19. Een glanzende draad, vaak in combinatie met tricot.
20. Georg Simmel, 'Die Mode', in *op. cit.*
21. *Ibid.*
22. *Le Figaro*, 1 juli 2002.
23. Zie het derde deel, 'De schoonheid van de prijs'.
24. *Le Figaro*, 1 juli 2002.
25. Zie rond dit thema Stanley Lieberson, *A Matter of Taste*, *op. cit.*, p. 81-83, en Edward Tenner, 'Talking through our hats', *Harvard Magazine*, nr. 91, 1989, p. 21-26.
26. Het heupstuk is het bovenste gedeelte van de broek, dat de taille op zijn plaats houdt. Al naar gelang de afstelling van het gekozen heupstuk gunt een broek wel of niet een blik op het ondergoed.
27. *Le Monde*, 7 mei 2003.
28. *Elle*, beauty-special, 5 mei 2003.

4 Staan trends op zichzelf?

1. Anne Boulay, *Vogue*, augustus 2003.
2. *Libération*, 8 oktober 2001.
3. Vgl. *WWD*, 23 mei 2003.
4. Marie-Pierre Lannelonge, *Elle*, 24 februari 2003, p. 236.
5. *Numéro*, februari 2002.
6. *Elle*, 14 juli 2003.
7. Christian Dior, *Dior et moi*, Bibliothèque Amiot Dumont, Parijs, 1956, p. 81.

8. Interview met John Galliano, L'Express, 2 januari 2003.

9. Geciteerd door Laurence Benaïm, Yves Saint Laurent, Grasset, Parijs, 1993, p. 360.

10. Peggy Moffit en William Claxton, The Rudi Gernreich Book, Taschen, Keulen, 1991, p. 241.

11. Ibid., p. 243.

12. Volgens de Franse wetgeving is het distributeurs in het algemeen en dus ook textielmerken verboden om reclame te maken op televisie.

13. Marketing, 'Top 50 brands of the decade', 12 augustus 1999.

14. Een Engels onderzoek uit 1999 laat zien dat British Telecom in 1997 meer in reclame heeft geïnvesteerd dan de hele textielsector bij elkaar, en dat bij de meeste textielconcerns de reclame-uitgaven 1 tot 2 procent van de omzet bedragen. Dit is een zwakke score; ter vergelijking: sectoren die zich sterk op reclame richten, zoals speelgoedfabrikanten of de farmaceutische industrie, halen percentages van 8 en zelfs 11 (M.J. Waterson, Advertising Statistics Yearbook, Advertising Association, Londen, 1999).

15. Stéphane Marchand, Les guerres du luxe, Fayard, Parijs, 2001, p. 159.

16. Max, nr. 139, augustus 2001.

17. Vogue Paris, april 2003.

18. Onderzoek van Christian Pinson en Vikas Tibrewala, United Colors of Benetton, Insead, 1996, becommentarieerd door Michel Chevallier en Gérard Mazzalovo, Pro Logo, Editions d'Organisation, Parijs, 2003.

19. Management, januari 2003, p. 16.

5 De wet van de trends

1. Paul Poiret, En habillant l'époque, op. cit., p. 212.

2. Mixte, nr. 15, herfst-winter 2001-2002.

3. Robert K. Merton, Social Theory and Social Structure, The Free Press, New York, 1968.

4. Elle, 24 maart 2003, p. 26.

5. Vgl. de hoogst vermakelijke documentaire van Loïc Prigent,

en voor degenen die geen televisie hebben, het artikel van dezelfde auteur dat in *Mixte* is verschenen (1 februari 2003).

6. Geciteerd door Marie-Pierre Lannelongue, *Elle*, 25 maart 2002, p. 98.

7. Max Weber, *Wirtschaft und Gesellschaft. Grundriss der verstehende Soziologie*, Mohr, Tübingen, 1922.

8. Marie-France Pochna, *op. cit.*

9. Schattingen door de televisiezender Multivision; vgl. *Journal du textile*, nr. 1745, 14 april 2003.

10. Bijvoorbeeld in de nummers van 27 mei 2002, 29 juli 2002, 26 augustus 2002, 9 september 2002, enz.

11. *Elle*, 27 mei 2002.

12. *Elle*, 29 juli 2002.

13. *Elle*, 26 augustus 2002.

14. *Elle*, 9 september 2002.

15. Marie-Pierre Lannelongue, 'Quand la mode griffe les stars', *Elle*, 12 mei 2003, p. 78.

16. Teri Agins, *The End of Fashion*, William Morrow and Company, New York, 1999, p. 137.

17. Deze metafoor wordt beschreven door John Maynard Keynes in hoofdstuk 12 van *The General Theory of Employment, Interest and Money*, Macmillan, Londen, 1936.

18. John Maynard Keynes, 'The General Theory of Employment', *Quarterly Journal of Economics*, deel 51, 1937, p. 209-223.

19. *Op. cit.*, p. 157.

20. *Op. cit.* p. 158.

21. André Orléan, 'Mimétisme et anticipations rationnelles: une perspective keynésienne', *Recherches économiques de Louvain*, deel 52, nr. 1, maart 1986, p. 45-66.

22. Vintage duidt op oude, reeds gedragen kleding die interessant is vanwege haar zeldzaamheid.

23. *Elle*, november 2002.

24. *Fashion Daily News*, 12 oktober 2001, p. 22.

25. *WWD*, 8 mei 2003, p. 3.

26. Robert Merton, *The Sociology of Science*, University of Chicago Press, Chicago, 1988, p. 445.

27. Een boeiend en omstreden boek beschrijft de gevolgen van

het Mattheüs-effect in de economie in het algemeen: het gaat om Robert Frank en Philip J. Cook, *The Winner-Take-All-Society*, The Free Press, Chicago, 2000.

28. James Beniger, 'Does Television Enhance The Shared Symbolic Environment?', *American Sociological Review*, februari 1983, deel 48, p. 103-111.

29. In 2003 was het goed voor 20 procent van de verkoop van Sara Lee, met een aandeel van 60 procent de grootste partij in de markt voor damesondergoed (j d d, 27 juli 2003).

30. Inès de la Fressange, *Profession mannequin*, Hachette Littératures, Parijs, 2002, p. 79-81.

31. Christian Lacroix, in *Repères modes et textiles*, i f m, Parijs, 1996, p. 50.

6 Waarom is mode belangrijk?

1. *Le Figaro*, 25 januari 2002.

2. *Elle*, 24 maart 2003.

3. Morris Holbrook en Elizabeth Hirschman in de *Journal of Consumer Research*, 1982. Geciteerd door Franck Cochoy, *Une histoire du marketing*, La Découverte, Parijs, 1999, p. 303.

4. Deze cijfers komen uit de *Guide de la distribution sélective-Cosmétique magazine*, december 2002, p. 10.

5. Het concern Clarins, eigenaar van het merk Thierry Mugler, heeft besloten de modeactiviteit begin 2003 te beëindigen (*Journal du textile*, 6 januari 2003).

6. Daarvan bestaan er vier soorten: de frisse bloemenparfums die hun pit ontlenen aan noten van bloemen als lelietjes-van-dalen ('N°19' van Chanel, 'Anaïs Anaïs'), de bloemige bloemenparfums, die het hart van de parfumerie vormen en natuurlijke bloemen, rozen of witte bloemen, bevatten ('Joy' van Patou, 'Contradiction' van Calvin Klein), de aldehydebloemenparfums, met een synthetische component die bepaalde bloemennoten benadrukt ('N°5' van Chanel, 'Arpège' van Lanvin), en de zoete bloemenparfums, gemaakt van bedwelmende bloemen en geaccentueerd door een vleugje vanille ('Poison' van Dior, 'Noa' van Cacharel). Ten

slotte zijn er de chypreparfums, die bergamot bevatten en in drie families zijn verdeeld: fruitige chypres, met noten van gele vruchten ('Mitsouko' van Guerlain, 'Femme' van Rochas, chypreachtige chypreparfums, waarbij de roos wordt gecombineerd met houtachtige noten ('Miss Dior', 'Vol de Nuit' van Guerlain), en de frisse chypreparfums, opgeluisterd met groene of citrusnoten ('Eau de Rochas', 'Ô' van Lancôme).

7. Thorstein Veblen, *Théorie de la classe de loisir*, Gallimard, Parijs, 1970, p. 113.

8. *Ibid.*, p. 57.

9. Georg Simmel, 'Die Mode', in: *Philosophische Kultur*, Alfred Kröner Verlag, Leipzig, 1919.

10. Caroline Müller, in: *Le luxe en France du siècle des Lumières à nos jours*, Édition de l'Association pour le développement de l'histoire économique, Parijs, 1999.

11. Jacques Marseille, 'Le luxe est-il cher?', in: *Le luxe en France du siècle des Lumières à nos jours*, Édition de l'Association pour le développement de l'histoire économique, Parijs, 1999.

12. Caroline Müller (*op. cit.*) onderscheidt drie periodes. Tussen 1962 en 1974 daalt de waarde van de sjaal van 150 naar 75 franc en worden er rond de 240.000 exemplaren per jaar van verkocht. Vervolgens stijgt de waarde van de sjaal, van 1974 tot 1989, nog steeds uitgedrukt in constante koopkracht, van 75 naar 130 franc en nemen de verkoopcijfers toe met jaarlijks 30 procent tot een recordomzet van 1.123.000 exemplaren per jaar. Ten slotte blijft de prijs van de sjaal tussen 1990 en 1993 'steken' op 130 franc en dalen de verkoopcijfers van 1.123.000 naar 640.000 per jaar.

13. *Elle*, 'La dynastie Hermès', 26 januari 1987, p. 66-73.

14. Volgens dit onderzoek is de prijs van een Vuitton-koffer en van een Cartier-horloge tussen 1912 en 1922 met 1,7 procent per jaar gestegen. Die stijging is minder fors dan die van andere luxeproducten, zoals kaviaar (2,3 procent per jaar sinds 1912), of de Parker-pen (jaarlijks 2,2 procent sinds 1927) (vgl. *The Economist*, 26 december 1992).

15. Georges Perec, *De dingen*, in het Nederlands vertaald door Edu Borger, De Arbeiderspers, Amsterdam, 1990, p. 67.

16. *Ibid.*, p. 80.

17. Al Ries en Jack Trout, *The 22 Immutable Laws of Marketing*, New York, 1993. In Nederlandse vertaling verschenen onder de titel *De 22 onwrikbare wetten van de marketing*, Den Haag, 1999.

18. Alain Petitjean, *Le luxe ou l'écho du désir*, Eurostaf, Parijs, 1998, p. 19. Voor andere voorbeelden kan worden geput uit een van de zeldzame handboeken die aan luxemarketing zijn gewijd: *Luxe... stratégie, marketing*, Economica, Parijs, 1997, van Danièle Allérés, directeur van de hogere opleiding 'Management van in luxeproducten gespecialiseerde bedrijven en van kunstvakken'. Zie ook *Luxe, mensonge et marketing* van Marie-Claude Sicard, docent aan de informatie- en communicatieopleiding Celsa (Sorbonne) en adviseur van bedrijven op modegebied (Village Mondial, Parijs, 2003).

19. *Libération*, 14 september 2002.

20. *Libération*, 12 oktober 2000.

21. TM: *trade mark*.

22. Daniel Bell, *The Cultural Contradictions of Capitalism*, New York 1976.

23. Jean Baudrillard, *La Société de consommation*, Parijs, 1970, p. 87.

24. *Ibid.*, p. 95.

25. Pierre Bourdieu, 'Le couturier et sa griffe: contribution à une théorie de la magie', in: *Actes de la recherche en sciences sociales*, nr. 1, januari 1975, p. 11.

26. Pierre Bourdieu, *Questions de sociologie*, Éditions de Minuit, Parijs 1983, p. 198.

27. Pierre Bourdieu, 'Le couturier et sa griffe: contribution à une théorie de la magie', in: *op. cit.*, p. 11.

28. Pierre Bourdieu, *La distinction*, Éditions de Minuit, Parijs, 1969.

29. Pierre Bourdieu, *Question de sociologie*, *op. cit.*, p. 201.

30. Christian Lacroix, 'Faits de mode', in: *Repères modes et textiles*, IFM, Parijs, 1996.

31. *L'Express*, 1 maart 2001, p. 24.

32. *L'Express*, 2 januari 2003.

33. Paul Poiret, *op. cit.*, p. 208.

34. *Ibid.*, p. 209.

35. Pierre Bourdieu, *Questions de sociologie*, *op. cit.*, p. 205.

36. Philippe Besnard en Cyril Grange, 'La fin de la diffusion verticale des goûts?', in: *L'Année sociologique*, 1993, nr. 43, p. 269-294.

37. Nicolas Herpin, 'L'habillement: une dépense sur le déclin', in: *Économie et statistique*, nr. 192, 1986, p. 65-74.

7 Mode om jezelf te worden

1. *L'Officiel*, mei 2003, p. 178.

2. Ian Hacking, *Mad Travelers. Reflections on the Reality of Transient Mental Illnesses*, Cambridge, Mass., 1998.

3. Gilles Lipovetsky, *L'empire de l'éphémère*, Gallimard, Parijs, 1987.

4. Robert Moore, *The Formation of a Persecuting Society*, Blackwell Publishers Ltd., Oxford, 1987.

5. Alexis de Tocqueville, *De la démocratie en Amérique, op. cit.*, p. 183-184.

6. Thibault de Montaigu, 'Métrosexuels, les hommes d'apprêt', *Libération*, 5 september 2003.

7. Ulrich Beck, *Risk Society*, Sage, Londen, 1992, p. 136-137.

8. *Marie Claire*, september 2003, p. 89.

9. *Elle*, 25 augustus 2003, p. 12.

10. Bruno Remaury, *Le Beau Sexe faible*, Grasset, Parijs, 2000.

11. Jean-Claude Kaufmann, *Corps de femmes, regards d'hommes: sociologie des seins nus*, Nathan, Parijs, 1995.

12. Alexis de Tocqueville, *De la démocratie en Amérique*, deel 11, *Oeuvres complètes*, deel 1, p. 106.

13. Marcel Gauchet, 'Essai de psychologie contemporaine', in: *La démocratie contre elle-même*, Gallimard, Parijs, 2002, p. 257.

14. *Ibid.*

15. *Ibid.*

16. Alain Ehrenberg, *La fatigue d'être soi*, Odile Jacob, Parijs, 1998, p. 11.

17. Voor heel Japan zijn de cijfers respectievelijk 48 en 23 procent; vgl. Philippe Pelettier, *Japon, crise d'une modernité*, Belin, Parijs, 2002, p. 119.

18. Vgl. Jean-Claude Jugon, *Phobies sociales au Japon*, ESF, Parijs, 1998.

19. Paul Ricoeur, *Temps et récits*, deel 1, Points Seuil, Parijs, 1991.

20. Deze stelling wordt door Pierre Rosanvallon uitgewerkt in *Le peuple introuvable. Histoire de la représentation démocratique en France*, Gallimard, Parijs, 1998.

21. Zo heeft een Amerikaanse studie uitgewezen dat juryleden hun toevlucht namen tot een verhaal om in een gewetenszaak de knoop door te hakken; daarbij gebruikten ze alle bijzonderheden die het proces had opgeleverd – allerlei aanwijzingen, het in staat van beschuldiging stellen, enzovoort – om een verhaal te maken en te zien of dit samenhangend overkomt. Vgl. Nancy Pennington en Reid Hastie, 'Reasoning in Explanation-based Decision Making', in: *Cognition*, nr. 49, 1993, p. 123-163.

22. *L'Officiel*, mei 2003, p. 54.

23. *Elle*, 25 augustus 2003, p. 12.

24. Geciteerd door Rose Fortassier, *Les Écrivains français et la mode*, PUF, Parijs 1988, p. 81.

25. Vladimir Jankélévitch, *L'Ironie*, Flammarion, Parijs, 1964.

26. Marie de Gandt, 'La place de l'ironie', in: *Revue des deux mondes*, januari 2003, p. 102-107.

Conclusie

1. Paul Zawadzki (samenst.), *Malaise dans la temporalité*, Publications de la Sorbonne, Parijs, 2002, p. 14-15.

2. Paul Ricoeur, 'La tâche de l'herméneutique', in: *Du texte à l'action. Essais d'herméneutique*, II, Seuil, Parijs, 1995, p. 91.

GEMEENTELIJKE KOKSIJDE OPENBARE BIBLIOTHEEK

LITERATUUR

Er bestaat een overvloed aan literatuur over de mode. Die beperkt zich niet tot *Système de la mode* van Roland Barthes, een werk met een misleidende titel, omdat het eerder het vertoog over de mode dan de mode zelf behandelt. Hier volgen enkele titels die wellicht stimuleren tot een verdere uitwerking van de gedachtevorming waartoe in dit boek een aanzet is gegeven.

Barthes, Roland, *Le bleu est à la mode cette année*, IFM, Parijs, 2001

Bell, Quentin, *On Human Finery*, Hogarth Press, Londen, 1947

Bourdieu, Pierre, *La distinction. Critique sociale du jugement*, Minuit, Parijs, 1979

Elias, Norbert, *Het civilisatieproces*, Boom, Amsterdam, 2001

Klein, Naomi, *No logo*, Lemniscaat, Rotterdam, 2001

Paul Poiret, *En habillant l'époque*, Grasset, Parijs, 1986

Simmel, Georg, 'Psychologie des Schmuckes', in: *Der Morgen, Wochenschrift für deutsche Kultur*, Berlijn, 1908; overgenomen in: G. Simmel, *Schriften zur Soziologie*, onder redactie van H.-J. Dahme en O. Rammstedt, Suhrkamp, Frankfurt am Main, 1983

Taylor, Charles, *The Malaise of Modernity*, Anansi, Toronto, 1991

Alexis de Tocqueville, *De la démocratie en Amérique*, delen I en II, Flammarion, Parijs, 1981

DANKWOORD

In de allereerste plaats wil ik al diegenen bedanken die bereid waren mijn vragen te beantwoorden: Laurence Benaïm, Alber Elbaz, Marie-Pierre Lannelongue, Christian Larger, Pierre-François Le Louët, Serge Liminana, Marie-Christiane Marek, Florence Müller, Ariel Ohana, Laurence Perez, Loïc Prigent, Jean-Paul Leroy, Guillaume Salmon, met speciale dank aan Didier Grumbach en Janie Sarnet.

Mijn werk is voor een groot deel geïnspireerd door het gedachtegoed van Raymond Boudon, van wie ik het geluk had een leerling te zijn; ik hecht eraan op deze plek mijn dankbaarheid uit te spreken. Overigens hebben vele collega's en vrienden mij bijgestaan tijdens het schrijven van dit boek. De volgende personen ben ik in het bijzonder erkentelijk: Renny Aupetit, Lionel Avot, Eshter Benamou, Ariel Colonomos, Aline Duriez, Mathias Echenay, François Erner, Esther Flath, Gabriel Gautier, Ivan Jablonka, Nicolas Herpin, Henri Kaufman, Christophe Lichtenstein, Claudia Lichtenstein, Frédéric Lordon, Luca Marchetti, Erwan Martin, André Orléan, Bruno Remaury, Philippe Sambé, Pascal Sanchez, Guy Sitbon, Sarah Stern, Paul Zawadzki, en niet te vergeten de bibliothecarissen van het IFM, het Institut Français de la Mode.

Ten slotte wil ik mijn redacteuren en gespreksgenoten van uitgeverij La Découverte – Emmanuelle Bagneris, François Gèze, Pascale Iltis, Marie-Soline Royer en Pascal Vandenberghe – bedanken; zonder hun vertrouwen (en geduld) was dit boek er niet gekomen.